GAN BAISTEADH

TOMÁS BAIRÉAD

GAN BAISTEADH

SÁIRSÉAL AGUS DILL
BAILE ÁTHA CLIATH

An Chéad Chló 1972

LEIS AN ÚDAR CÉANNA
CUMHACHT NA CINNIÚNA
AN GEALL A BRISEADH
CRUITHNEACHT AGUS CEANNABHÁIN
ÓR NA hAITINNE

CLÁR

NA PICTIÚIR

Réamhrá

MURACH go raibh gearrscéalta faoi ráta ansin suim bhlianta ó shin ní chuimhneoinn choíche ar an leabhar seo a scríobh.

Nuair a bhuail mé faoi mar chaitheamh aimsire roimh Nollaig 1963, bhí mé ar fhíorbheagán údair agus mé i dtuilleamaí mo chuimhne cinn, mar ní raibh leabharlann, ná seannuachtáin, ná eile i mo ghaobhar. Agus níor bhac mé riamh le dialann.

Thart ar cheithre scór míle focal a bhí ann, dar liom, ach nuair a fuair mé mo bhille ón gclóscríobhaí, £34-10-0, bhí a fhios agam go raibh go maith os cionn céad míle focal ann. Bhain mé a lán as.

Bhí fúm níos mó eolas a thabhairt ar dhaoine, idir shloinnte agus eile, nó gur cuireadh cúpla fainic orm agus ghoin m'aire mé:

'Meas tú an bhfuil sé ceart an t-eolas atá thíos agat a fhoilsiú agus an oiread dá ngaolta beo fós?'

'An ndearnadh foilsiú ar a leithéid sa chuid eile den tír?' agus mar sin de.

Gaolta! Sin é an buille. Beidh mo dhóthain eascarad agam mar atá sé!

An teideal: bhí mé leathshásta go maith le *Macalla* nó go bhfaca mé go raibh sé ar dhráma nua éigin! Bhí mé chomh míshásta, díomách sin agus tuirse cholainne agus intinne orm gur dhúirt mé liom féin nach mbacfainn le hainm ar bith dó! Sin é a thug orm *Gan Baisteadh* a thabhairt air.

'Leanúnachas?' Séard a chuir mé romham cuid de mo

Gan Baisteadh

chuimhní cinn a chur síos gan bacadh mórán le leanúnachas. Dhá mbacfainn féin, níl a fhios agam an n-éireodh liom i leabhar nach ionann ábhar d'aon dá chaibidil agus os cionn daichead bliain idir cuid de na 'heachtraí.'

Táim an-bhuíoch de Thomás ó Loideáin, meánmhúinteoir, a léigh dom an scríbhinn.

TOMÁS BAIRÉAD

Maigh Cuilinn
Lúnasa 1971

I

Dea-scéala

AINDÍ Rua, buachaill an phosta, a thug chugam mo chéad scéala mór áthais. Maidin Shathairn san earrach tháinig sé isteach chugainn agus mo mhuintir agus na comharsana ag magadh fúm de bhrí nár chuala mé an stoirm an oíche roimhe sin, agus an teach ag crith agus ag lúbadh os mo chionn, agus díon agus féar tirim agus eile á scuabadh ar fud na ngarraithe.

'Rinne crann learóige steig-meig de theach na scoile,' arsa Aindí agus a raibh istigh ag comhaireamh na creiche. 'Is fada arís go bhfeicfidh sibh aon scoil ann.' Agus dhearc sé anall orm féin.

Amach liom ar fhaitíos go dtabharfaí faoi deara an gliondar a tháinig orm. Agus thosaigh mé féin agus scoláirí an bhaile ag rith agus ag pocléim ar fud na ngort. Ghabh muid ar faoistin roimh an am féachaint arbh í an fhírinne a bhí ag Aindí, mar níorbh annamh áibhéil aige.

Ba charghas liom nach anuas ar an scoil a thit an crann giúise freisin in áit fiche slat amach uaithi. Ach nuair a thosaigh saothar na saor ag dul chun cinn thosaigh an t-áthas ag trá, agus mise ag cuimhneamh ar an lá a mbeinn cuibhrithe suas arís. Mar sin féin chuir an crann sin cor i mo chinniúint.

Bhí mé i dteannta murach gur iarr m'uncail Riocard ar mo mhuintir ligean dom dul i mo chónaí in éineacht leis i mBaile an Locha mar ní raibh seasamh an uaignis i mo sheanaint, Nóra. Lig mé orm féin gur bheag é mo shuim sa scéal, agus mo dhá chois ag sciorradh uaim ag dul ann, mar bhí súil agam go raibh mé réidh leis an scoil.

'An bhfanfaidh sé ann gan comhluadar na hóige?' arsa duine éigin. Sheasfainn rud ar bith nó go mbeadh deireadh le caint ar an scoil ach amháin, b'fhéidir, an cailín óg as Cloch na Speice a bhí le teacht abhaile as Meiriceá – má b'fhíor. Nár chaith mé cúpla tamall istigh ann cheana? Agus bhí údair mheallta ag m'uncail – domsa ar aon nós: bád ar an loch agus gléas iascaireachta; gunna, cú, leathbhrocaire agus mada caorach; trapanna agus súilribeacha agus capall agus carr cruinn a thabharfadh chuig an Aifreann muid agus isteach go Gaillimh corrlá. Níorbh uaigneas go huaigneas Bhaile an Locha; ach lá den saol bhí malairt scéil ann, agus naoi gcomhluadar ann in áit é bheith ina ghabháltas fáoi seo. Tháinig mé isteach air de réir a chéile.

Is beag de na seantithe a bhí fágtha ach na ballaí, ach bhí Carraig an Phíobaire, carraig mhór de chloch ghlas i gceartlár an tseanbhaile, agus í mín slíoctha lena mbíodh de dhaoine thuas uirthi díreach mar a bhí sí nuair a ruaig Seoirse Búrc, an tiarna talún, na daoine amach as an áit leathchéad bliain roimhe sin. Bhí lorg na n-iomairí ina lán áiteanna ann, mar ba i dtús an tsamhraidh, agus an cur déanta, a rinneadh an ruaigeadh. Nuair a bhí an áit feannta síos go talamh ag beithígh chuir m'uncail leasú mála air le haghaidh caorach.

Le caoirigh a chaith sé na blianta thall san Astráil, agus rinne sé airgead orthu.

'Na caoirigh adharcacha úd a bheireas roimh Nollaig is fearr a d'fheilfeadh do mhuintir an cheantair seo,' a deireadh sé. 'Dá dtagadh cúpla seachtain d'uair bhreá bheadh na huain réidh le haghaidh an bhúistéara sula mbeirfeadh an mianach eile. Is mó a gheofá ar na huain úd roimh Lá Fhéil' Pádraig ná ar na huain eile Lá Fhéil' Muire Beag sa bhFómhar.'

Cúpla seachtain roimh Dhomhnach Chrom Dubh thug muid beirt anuas ó stáisiún na traenach os cionn scór de na caoirigh adharcacha a cheannaigh sé i gCúige Laighean; ach dúirt sé nach raibh sa méid sin ach tús dá n-éireodh leis. Bhí na hadharca ag fás chomh haisteach sin ar chuid acu is go sílfeá, beagnach, go ngabhfaidís isteach sna súile acu. 'Adhar-

ca cúbacha,' a thugadh na daoine ar na hadharca sin. Reithe
de mhianach eile a cheannaigh sé.

'Tá a fhios agam daoine nach mbeidh mórán meas acu ar an
obair seo, ach má éiríonn liom tosóidh siad ag aithris orm,' a
deir sé.

Sé buachaill an phosta is minice a thagadh chugainn.

'Tabhair aire di sin – tá airgead inti,' a deireadh sé, nuair a
thugadh sé litir dom. B'annamh contráilte é. Uaireanta eile
séard a deireadh sé:

'Beidh an-lá agaibh i nGaillimh Dé Sathairn.' Ní liginnse
tada orm féin ach ag fanacht go n-abródh m'uncail Dé
hAoine: 'Gabhfaidh muid 'Gaillimh amárach, le cúnamh Dé,
má bhíonn sé go breá.' Ba lá ar leith é sin.

'Nach aoibhinn do na buachaillí atá ag dul ansin chuile lá?'
a deir sé agus an capall ag sodarnaíl thar theach na scoile
Satharn amháin. Ag spochadh asam a bhí sé, dar liom.

Thagadh na báireoirí chugainn corr-Dhomhnach idir Lá
Samhna agus Lá Fhéile Bríde ag baint ábhar camán, rud a
bhí go fairsing ann. Bhíodh na crainn marcáilte agam dóibh
i gcónaí.

Na gabhair is mó a thugadh dúinn faisnéis na haimsire. Dá
dtugaidís a n-aghaidh ar an mbaile, nó ar an bhfoscadh agus
an lá ina scalladh gréine thiocfadh sé anuas. Agus dá rach-
aidís amach agus é ina dhoirteadh dhéanfadh sé triomú.

'Tá mé chomh fuar le gabhar,' a deireadh seanfhear sa
bhaile a raibh a choinneal ionann's a bheith caite.

Is ag m'uncail a bhí an ceart faoin 'drochmheas.' B'fhéidir
go raibh beagán den éad freisin ann.

'Síleann sé gur amuigh san Astráil atá sé,' arsa talmhaí le
triúr eile Domhnach amháin agus m'uncail ag siúl isteach sa
séipéal.

'Ag iarraidh an Astráil a thabhairt isteach go Baile an
Locha!' a deir fear eile.

'Ach tá an-fhoscadh ann.'

'An iomarca foscaidh atá ann. Ní fhágfaidh an sionnach
agus na cait fhiáine ruball aige.'

Níor inis mé dó tada den chaint sin ar fhaitíos go ngoillfeadh sé air.

Mar sin féin thug muintir an cheantair an-suntas do na caoirigh adharcacha nuair a thosaíodar ag breith cúpla mí roimh na caoirigh eile. Rugadh an chéad uan i dtús mí na Nollag agus is beag uan acu nach raibh beirthe roimh Lá Nollag Beag. 'Mo chloigeann ar fáil agus mo thóin ag tíocht,' a deireadh m'uncail le teann ríméid agus uan ag teacht ceart. Uascáin is mó a thugadh an obair sin dúinn. Na cosa deiridh agus an t-eireaball ar dtús a tháinig an chéad uan a thug mé ó chaora riamh. Uan mór, agus bhí a fhios agam nach mbeadh an dara ceann aici.

Tugadh dom obair nár chleachtach liom: dul amach le breacadh an lae, agus roimhe uaireanta, ag súil le huain. Níorbh annamh sioc agus leac oighir ann, ach tháinig mé isteach air de réir a chéile. Toirtín a thugadh m'uncail ar uan óg.

B'ionadh liom i dtosach na neadracha deasa teolaí ar an bhfoscadh ina mbeirtí na huain go hiondúil. Ba de dhúchas na máthar é sin, ar ndóigh. An tráth a mbíodh súil ag m'uncail le huain óga roimh an meán oíche théadh an bheirt againn síos na goirt agus laindéar againn. Dhá n-éireodh linn iad a fháil thugaimis abhaile iad, a n-iompar, ar ndóigh. Ba mhinic na sionnaigh ag sclamhairt agus ag freagairt a chéile sna coillte máguaird. Ba ghéar agus ba shearbh a nglór. Níl uair dá scaoilfeadh sionnach glam nach ligfeadh máthair caoinmhéileach lena huain a mhealladh isteach lena hais.

'Ná bíodh iontas ort caora a bheith ar iarraidh romhat maidin ar bith,' arsa m'uncail liom.

B'fhíor dó, mar ba mhinic orm stiall den mhaidin a chaitheamh ag cuardach caorach, nó b'fhéidir péire acu, agus a gcuid uan.

D'éirigh leis go maith an chéad gheimhreadh cé nach raibh fágtha de uan óg maidin amháin ach an cloigeann.

'An sionnach is cosúil,' a deirim féin.

'Mada a déarfainn. Ar éigean a bhacfadh an sionnach le huan agus neart coiníní ann. Ach, ar ndóigh, níl le trust de.

Dea-scéala

Éiríonn a leithéid do chuile fhear caorach. Dóbair don dingo mé a scriosadh bliain amháin.'

Caora amháin a cailleadh an séasúr úd. D'fhág sí sin cúpla ina diaidh, rud a thug obair dúinn, mar bhíodh orainn bainne a choinneáil leo i dtosach. Ansin an chaora ar maraíodh a huan uirthi bhí sí ina trillín orainn freisin mar b'éigean í a bhleán cúpla uair sa lá. Ba chráite í a méileach – éagaoin na máthar a fágadh gan chlann. Ach bhí an-ríméad ar m'uncail nár thug caora ar bith fuath dhá huan féin.

'Bhí mé ag cuimhneamh ar bheart aréir agus sílim go mbainfidh mé leas as,' a deir sé. 'Tabharfaidh mé leas-mháthair don chúpla.'

Thug, ach ba ghortach a thál sí orthu. Nuair a scaoileadh saor í thug sí dóibh buille na leasmháthar lena hadharca. Bhligh m'uncail ar an dá dhílleachta í. Bhí leis nuair a fuair sí boladh a bainne féin orthu. Tar éis cúpla lá shílfeá gur léi féin iad.

Bhí obair nach raibh a fhios agamsa ag baint leis na huain – purgóid a thabhairt dóibh ar fhaitíos go ndéanfadh groth na máthar agus píosaí beaga olla agus féar fiáin cnap taobh istigh iontu agus go maródh sé iad – gnás nach mbíonn mórán cainte inniu air. Bhíodh orainn freisin beatha a thabhairt do na caoirigh amuigh sna goirt le farasbarr bainne a thabhairt dóibh, agus chuile bheatha eile gaibhte chun gainne.

Bhí m'uncail an-sásta leis féin. Uairneach ní raibh ar na caoirigh ná fágálach ar na huain. Is beag nach raibh iontas air, a fheabhas a bhí ag éirí leis. Ba chineálta an uair ná mar is iondúil di an tráth sin den bhliain, agus is beag nach bhfeicfeá na huain ag teacht chucu féin. Agus bhí culaith éadaigh geallta dom féin lá a ndíolta!

Ag tarraingt ar an bhFéile Bríde ghabh an ghaoth aduaidh agus an uair chun fuaicht, agus chun cineáltais arís le hathrú gaoithe. Ar theacht na hoíche Lá Fhéile Muire na gCoinneal chuaigh muid ag breathnú ar an tréad. Bhíodar cruinnithe le chéile ar an bhfoscadh thíos i mbun na ngort agus chuile chosúlacht orthu go raibh neart ite as na humair acu.

'Ní raibh fear i dteannta riamh mar atá mise anocht,' arsa

15

m'uncail. 'An bhfeiceann tú an spéir ansin thall os cionn Loch Coirib agus í ar dhath an phlúirín? Mura bhfuil mise ag dul amú tá rud éigin aisteach ar an oíche anocht. Is beag a bhéarfadh orm a gcur isteach. Sin é a dhéanfas muid – cuirfimid isteach iad.'

Nuair a ghlaoigh mé ar an mada caorach lena dtabhairt abhaile tháinig intinn eile dó.

'Sílim go bhfágfaidh mé iad mar atá siad. Dheamhan clóic orthu, déarfainn, agus an foscadh atá acu ar an ngaoth anoir aneas.'

Timpeall is am suipéir ghabh an ghaoth aduaidh agus thosaigh an séideadh agus an sneachta. Is orm a bhí an ríméad nuair ba léir an tsráid ina bráillín bhán.

'Ó! nach orm a bhí an mí-ádh mór craite nár chuir mé isteach iad!' a deir m'uncail go dobrónach. 'Má leanann sé don sneachta sin uan amháin féin ní bheidh beo romhainn ar maidin.'

Ba í an imní a chuir ina shuí roimh lá é, ach an sneachta a chuir an fonn mochóireachta ormsa. Nuair a chonaic sé a raibh de shneachta leis an doras scanraíodh é.

'Ar ndóigh ní fhéadfadh aon uan a bheith beo i ndiaidh na hoíche aréir agus cúpla troigh sneachta in áiteanna. Ní cás dúinn mura mbeidh na caoirigh féin caillte. Céad slán don tír nach millfeadh an sneachta ort saothar do chuid allais.'

Ní fhaca mé féin a leithéid de shneachta riamh ó shin ach faoi dhó: in earrach na bliana 1947 agus bliain eile nach cuimhneach liom.

Ghabh an bheirt againn ag cuardach an tréada, ach fáil ná tuairisc ní raibh ar cheann amháin féin as an leathchéad. Suas le m'uncail ar an gcapall agus chruinnigh mórsheisear de mheitheal agus a shluasaid ag gach uile fhear acu. Ar chairt a thángadar, agus an capall go glúine sa sneachta. Thaispeáin sé dóibh na háiteanna a raibh na caoirigh ina luí an tráthnóna roimhe sin.

'Glacaigí go réidh é agus fainicí na huain ar fhaitíos go bhfaigheadh aon cheann acu sá de shluasaid,' ar seisean. 'Ní móide gur chorraíodar ó 'réir.'

Dea-scéala

Thosaigh an cartadh agus níor mhoill go raibh an féar leis in áiteanna, ach b'obair in aisce í.

'Ag Dia amháin atá fhios cá bhfuil siad sin,' arsa m'uncail. 'Cá bhfios nach anuas sa mullach orthu a chaith sibh an sneachta agus gan aon neart agaibh air? Cuma cá bhfuil siad tá siad réidh – mura bhfaightear roimh an tráthnóna iad. Agus rud éigin á rá liom go mba chóir a gcur isteach!'

'Ó bíodh misneach agat – lá óg fós é,' a deir Micil Sheáin Aodha.

'Ach cén mhaith a bheith ag caint agus a bhfuil de shneachta os a gcionn? Agus gan a fhios faoi neamh cár chóir a gcuardach.'

'Ar ndóigh a gcuardach san áit nach bhfuil siad chomh maith leis an áit a bhfuil.'

Cé go mba fheannta an lá é níorbh fhada go raibh cuid de na fir ag cur allais, bhíodar ag cartadh chomh tréan sin thart leis na claíocha agus na crítí, agus chuile áit a raibh an sneachta séite. Bhí sé ina am dinnéir agus an gort sin críochnaithe acu.

'Éirígí as! Éirígí as,' arsa m'uncail. 'Gheofar iad lá coscartha an tsneachta agus gan iontu ach bia feannóige. Cén bhrí ach an gotha aisteach a bhí ar an tráthnóna aréir!'

'Cá dtabharfaimid ár n-aghaidh anois?' arsa Tadhg Mhaitís tar éis an dinnéir.

'Ó nach ionann an cás é – níl ann ach ag tóraíocht na snáthaide móire sa bhfásach,' arsa m'uncail.

'B'fhéidir gur tharraing siad am éigin ar Ghort an Tobair agus ar na humair.'

'Áit ar bith is mian libh féin.'

Suas liom féin agus Tadhg Antaine, buachaill a bhí comhaois liom, ar an mballa mór leathan a rinne an tiarna talún leis na clocha a ídiú. Mheas mé agus mé in airde gur ag Máire Bhríd Mhór a bhí an ceart:

'Maise, a Riocaird, ní raibh fearg ar Dhia agus tú ag fás. B'fhurasta aithint gur ar an bhfoscadh a d'fhás tú.' Ach nuair a leag ceann de na humair é féin agus Micil Sheáin Aodha, thosaigh mé féin agus Tadhg ag gáirí. Chuir sé sin le

17

buile m'uncail, rud nár dheacair, mar bhí sé ina easóg ó mhaidin.

'Fanaigí go bhfaighidh mise greim oraibh.' a deir sé.

'Deirimse libh go n-íocfaidh sibh ann.'

Thosaigh a raibh ann ag caitheamh sneachta linn. Ní dhearna muid ach luí síos ar an mballa béal fúinn agus d'airigh muid na cnapanna ag feadaíl tharainn.

'Ní bhuailfeadh sibh cruach fhéir,' arsa Tadhg leo.

Tar éis tamaill soir leo go dtí gort eile.

Pér bith cén dearcadh a thug mé síos fúm thug mé faoi deara poll sa sneachta faoin mballa san áit ab airde an sneachta séite. Ansin chonaic mé poll eile agus dá pholl bheaga cúpla slat uaidh.

'Tá siad anseo!' arsa mise de bhéic, mar mheas mé gurbh í anáil na gcaorach agus na n-uan a rinne na poill úd.

'Is minic údar magaidh ag déanamh magaidh,' arsa m'uncail.

'Feicimse poill eile anseo thíos fúm féin,' arsa Tadhg; ach níor thugadar aon aird orainn.

'A Pheadair! A Pheadair!' a deir an bheirt againn as béal a chéile le Peadar Neansa agus é i ndeireadh an scuadrín. 'Dáiríre atáimid.'

'Más ag magadh fúm atá sibh tabharfaidh mé cluaiseog don bheirt agaibh nach ligfidh sibh as cuimhne choíche ach a bhfaighidh mé greim oraibh,' a deir sé.

Thosaigh sé ag cartadh ar a bhionda agus thosaigh rud éigin ag corraí. An reithe agus gan mórán air de réir cosúlachta. Lig Peadar fead ladhaire ar an muintir eile.

'Daoibhse atá an moladh ag dul agus méar fhliuch féin ní leagfar oraibh,' a deir sé linn.

Nuair a d'fhill an mheitheal thosaigh an cartadh dáiríre. Thug sinne i mbarr an bhalla dóibh treoir, agus cónaí ní dhearnadar go raibh an tréad faighte acu ach aon cheann amháin.

'Tá uascán amháin ar iarraidh,' arsa m'uncail agus iad comhairthe aige agus an sneachta glanta de chúpla giodán le haghaidh na n-uan.

Dea-scéala

Chuaigh an bheirt againn i mbarr an bhalla ag comhaireamh arís.

'Tá poll anseo!' a deir Tadhg, leathchéad slat ón áit ar frítheadh na caoirigh eile.

'Tá agus dá pholl,' a deirim féin.

'Agus trí pholl – poll mór agus dá pholl bheaga,' arsa Tadhg.

'Éirígí as an magadh – ar ndóigh níl ar iarraidh ach an t-uascán,' arsa m'uncail. 'Ná bac leo, a Pheadair,' ar seisean, agus Peadar Neansa ar a mhíle dícheall ag cartadh sneachta.

'Aire dhaoibh, a bhuachaillí!' arsa Peadar. 'Sílim nach bhfuil sí gan chomhluadar. Agus iad tar éis diúil freisin, pér bith caoi ar éirigh leo é fháil mar tá siad an-chrua ag breathnú.'

'Míle buíochas le Mac Dé,' arsa m'uncail.

'Murach an óige agus an ealaín dheamhan caora nó uan a gheofaí inniu,' arsa Peadar.

Chuir m'uncail fios ar chárt eile.

Thug an lá úd ábhar gearrscéil dom – *Sé Dia a Rathaíos*.

Níorbh fhurasta leis an nGúm glacadh leis. Dúradh liom gur scéal an-deas do aos óg na tuaithe a bhí ann, ach go millfeadh sé aos óg na mbailte móra. Tá siad an-simplí, ar ndóigh!

Facthas dom nár thaitin morals na caorach leis an nGúm.

2

Cleamhnas

OÍCHE earraigh, agus mé seangtha dhe bharr a bheith ag briseadh agus ag scoilteadh maidí, dhúisigh m'uncail mé. Bhí sé go bocht le pian bhoilg agus theastaigh uisce Lourdes uaidh. Labhair sé ar an dochtúir – mura dtiocfadh biseach air. Ar éigean doras an tseomra dúnta aige nó go raibh mé in mo staic chodlata arís.

Ar thráth an mheán oíche bhain sé croitheadh asam agus dúirt liom iarraidh ar na Brianaigh fios a chur ar an dochtúir dó.

'Déan deifir in ainm Dé,' ar seisean.

Bhain mé cúpla iompú asam féin féachaint fanacht i mo dhúiseacht. Seo rud amháin nach mbeadh orm a dhéanamh dhá bhfanfainn ar scoil, arsa mise liom féin.

Thug mé liom na madraí agus laindéar, agus mo shá faitís orm mar ní dheachaigh mé an trí cheathrú de mhíle bealaigh úd liom féin d'oíche riamh cheana. Chuala mé an osnaíl agus an éagaoin ag dul thar sheomra m'uncail dom.

Bhí brat réaltóga thuas agus an oíche ag breathnú an-scanraithe. Cé nár chuala mé aon toirneach bhí na scaileanna tintrí ionann's ag breith ar a chéile – scaileanna gairfin gan dochar, rud nár thuig mise an uair úd. Bhí sé ag sioc as gaoth anoir aneas mar chuala mé na madraí ag briseadh an screamh de leac oighir a bhí ar na locháin.

D'imigh an chú agus an leathbhrocaire ag fiach dóibh féin ach d'fhan an mada caorach in éineacht liom. Má rinne crann na scoile soilíos dom a mhalairt a bhí crainn eile a dhéanamh dom an oíche úd. In áit amháin bhí an ghiúis agus an learóg

20

Cleamhnas

ag dul thar a chéile trasna an bhóthair thuas os mo chionn agus ag dalladh na réaltóga. B'ionann é agus a bheith thiar in uaimh agus gan de thorann ann ach an chneadach agus an díoscán a bhaineadh corrphuth gaoithe as na crainn shíor-ghlasa.

Séard is mó a bhí ag cur orm ó d'fhág mé an teach, cén chaoi a ndúiseoinn na Brianaigh? B'fhéidir go dtosódh an mada ag tafann agus go n-éireodh duine éigin? Bhí cloigeann ar an té a dúirt an chéad lá riamh nach mar a shíltear a bhítear.

Nuair a d'fhéach mé siar ó cheann an bhóithrín ar theach nua na mBrianach agus solas i ngach seomra díreach mar a bheadh Oíche Nollag, nó Oíche Chinn an Dá Lá Dhéag, cuireadh mo dhóthain iontais orm. Ghabh an scéal ó thuiscint orm nó gur chuimhnigh mé gur dhúirt buachaill an phosta linn go mbeadh cleamhnas ann oíche éigin. Oíche chleamh-nais! Ach cén chaoi a rachadh ciomachán isteach i dteach cleamhnais?

Ag tarraingt ar an teach dom chuala mé fear a raibh guth breá laidir aige ag gabháil 'An Droighneán Donn':

> Thabharfainn comhairle dho mhná óga
> dhá nglacfaidís uaim é
> Gan a bheith ag ól le fir óga
> ná ag creidiúint a scéil;
> Níl ina gcomhrá ach mar a dhoirtfeá
> braon uisce ar dhroim na gé,
> Is Rí an Domhnaigh go gcuire
> comhairle mo leasa romham péin.

Amhrán a raibh os cionn scór véarsa ann, de réir an tsean-chais! Agus chuala mé bean á rá i nGaeilge agus ansin i mBéarla! Bheadh sé ina mhaidin nuair a bheadh sé thart.

Déan deifir in ainm Dé! Tá caint saor. Ní ligfeadh an náire dom dul isteach dá ghéire mo chruóg. Ach tháinig mada gearr na mBrianach agus an leathbhrocaire de chabhair orm nuair a thosaíodar ag tachtadh a chéile istigh ag doras na cistine.

21

Stop an gabhálaí go tobann, osclaíodh an doras agus isteach leis an dá mhada ar fud an urláir agus iad sáite ina chéile. Leagadar cathaoireacha agus chuireadar gréithe ag rince agus ag léim thuas ar an dá bhord a bhí socraithe ar fad a chéile. Lig na mná cúpla scréach astu agus dúirt bean amháin de bhéic:

'Féachaí an broc! Féachaí an broc!' Níorbh olc an tsíleachtáil di é mar níor shamhail don leathbhrocaire céanna ach broc idir dhath, chuma agus eile, go fiú 's na stríocaí bána ar a chloigeann.

Rug buachaill ar eireaball amháin agus buachaill ar eireaball eile agus chaitheadar amach an doras an dá mhada agus iad mar a bheidís fuaite dhá chéile.

'Scread chasta oraibh, ach b'fhéidir go mbainfeadh sé seo cuid den fhonn troda díbh,' a deir an Brianach agus é ag caitheamh buicéad mór uisce anuas orthu.

'Cé tá anseo agam, in ainm Dé?' a deir sé ar fheiceáil dó an laindéar leathchaoch.

D'inis mé dhó fáth mo thurais agus an chruóg a bhain leis.

'Tar uait isteach nóiméad amháin. Nach tú atá cuthail, coimhthíoch?'

Tharraing sé isteach mé féin agus mo chuid ceirteacha agus daoine gléasta thar paróiste isteach istigh ann – daoine nach bhfaca mise riamh cheana. Bhí an buachaill óg agus an cailín óg ina suí chois na tine, agus dá chiteal mhóra ag cuacháil ar an ngríosach. Ghlac a raibh ann trua dom agus thosaíodar ag tathaint orm beadaíocht de gach uile chineál. Ba mhinic a chuir mé dúil sa chíste nar fhéad mé a ídiú an oíche úd.

'Dheamhan pian chliabhraigh, ná pian chléibh, ná pian bhoilg a bhuail aon Chríostaí riamh nach bhfuil a leigheas sa mbraon seo,' arsa an Brianach. 'A mháistir ní bhfaighfeá dá gcuirfeá Éire i bhfáinne,' agus buidéal chúig naigín lena ais ar an mbord.

'Ach a bhfuil sé ag blaiseadh chor ar bith de?' a deir sí féin.

'Nach amhlaidh is mó maitheas a dhéanfas sé dó gan é bheith ina chleachtadh?'

Ó tharla nach raibh aon ghasúr eile ann b'fhada liom go

22

Cleamhnas

raibh an capall curtha faoin gcarr agus ár n-aghaidh ar an dochtúir. Ach cé a shiúlfadh aniar as an seomra agus é ag cuimilt a leathlámh dhá bhéal ach an Spailpín, agus thug dom luach mo phingine go maith de chroitheadh láimhe. 'Leag anseo é, a fhleascaigh,' a deir sé. Rug sé ar mo dheasóg agus thosaigh á fáscadh nó go raibh sí gan mhothú, nó geall leis. Sháraigh orm í a tharraingt uaidh. Bhí súil agam 'chuile nóiméad go n-iarrfaí air amhrán a ghabháil. Níorbh fheasach an duine bocht go raibh sé do mo ghortú. Carthanacht, agus buíochas, agus ar ndóigh, an braoinín, ba chiontach leis. Nuair a scaoil sé díom a ghreim ba gheall le láimh choirp mo lámh.

Caithfidh mé a dhul siar beagán.

Ba Sheoigheach as Conamara é, ach sé 'An Spailpín' a thugtaí go hiondúil air. Ba é croí na cuideachta é, ach ní bhíodh pingin aige ná mórán ag a mháistir. Bhídís in éineacht ag ól ar na haontaí agus ar na margaí agus an mháistreas ar buile leo. Bhí greadadh airgid aicise agus í i riocht aire a thabhairt dó.

Thaitin an Spailpín go mór leis na daoine, agus níorbh é a leas i gcónaí é. Bhí na scórtha amhrán agus glór breá aige agus ba bheag bainis nó éirí-amach nach mbíodh sé ann. Sé a bhí i riocht 'A Landlady, a chroí na páirte, tá an bás ar mo chroí le tart,' a rá agus a lán nach é. Tá faitíos orm gur thug sé a lán den stór úd síos sa talamh leis.

B'iontach an fear rince é (le torann atá mé a rá), agus murach an brat tairní a bhíodh ar na bróga aige ba mhinic nach mbeadh aon bhonn fúthu ar maidin.

Faoi Bhealtaine roimhe sin bhíomar ag dul ar éirí-amach nuair a dúirt m'uncail, 'Meas tú an mbeidh an Spailpín anseo anocht?'

B'fhogas dó an t-eolas mar níor bhaileach an coirnéal casta againn nuair cé a bheadh ag siúl síos an bóthar romhainn ach é.

'Bhfuil aon phingin a'd?' ar seisean, agus gan é ach ina shuí istigh sa charr cruinn.

'Níl ag gabháil liom ach cúpla pingin agus páipéar deich

scilleacha,' a deir m'uncail.

'Níl aon ghnó a'msa de pháipéar.'

Chuardaigh m'uncail a phóca agus rug mise ar an srian. Trí pingne a fuair sé.

'Sláinte agus fad saoil a'd,' a deir an Spailpín. 'Dá mbeadh pingin eile a'm, dhá phingin i ngach póca, bhí liom mar tá na tairní agam cheana.'

Bhí pingin agam féin ó lá an aonaigh, agus shílfeá gur tar éis gine a fháil a bhí sé leis an ríméad a tháinig air.

'Ba mhaith liom i gcónaí go gcloisfí torann an airgid – na pingineacha ag croitheadh agus ag léimneach thíos i bpóca mo bhríste ag damhsa dhom,' a deir sé. 'Feictear dom gur mór an cúnamh don damhsa freisin é.'

Ach an cleamhnas.

'Tá sé chomh maith dhuit an t-amhrán a chríochnú a Bheartla,' arsa duine éigin.

'Ach cá raibh mé? Chuir na bithiúnaigh úd de mhadraí as mo bhuille mé.'

Bhí sé ar siúl go tréan arís roimh imeacht dúinn:

Faraoir ghéar nach bhfuil mé féin
agus grá mo chroí
I ngleanntán sléibhe le héirí gréine
Agus an drúcht ina luí.

'Mura leigheasfaidh an braon seo é gabhfaimid i gcoinne an dochtúra,' a deir an Brianach ag tarraingt ar Bhaile an Locha dúinn.

Nuair a chuir mé cluaisín orm féin le fuinneog an tseomra, srannadh láidir folláin a chuala mé in áit éagaoine agus osnaíle.

'Níl clóic ar bith ar an bhfear seo, buíochas le Dia,' arsa an Brianach. 'Abair leis, mar a dhéanfadh buachaill maith, go mbeimid ag siúl leis an mbeirt agaibh ar an mbainis Dé Luain seo chugainn. Fainic a ndéanfá dearmad air.'

Bhí baol orm! Níor dhúisigh mé chor ar bith é.

'Murach go raibh tú gaibhte rófhada ligfinn fead ladhaire ort nuair d'imigh an phian díom,' ar seisean ar maidin.

Cleamhnas

Cúpla seachtain ina dhiaidh sin, agus mé ag teacht abhaile ón gceárta le dingeacha, cé bheadh ag tóraíocht rud éigin istigh i ngort le hais an bhóthair ach an Brianach agus mac leis, agus caora ag síormhéileach go cráite mar a bheadh uan léi ar iarraidh. Isteach liom le lámh chúnta a thabhairt dóibh. 'Tar éis an mhaidin a bheith caite anseo againn tá sé cinnte orainn crúb nó cnámh, craiceann nó cloigeann a fháil,' a deir an Brianach. 'Agus uan breá! É a ghoid a rinneadh chomh cinnte is atá mé anseo. Agus dheamhan duine a ghoid riamh é ach —. B'fhéidir go bhfuil mo dhóthain ráite agam ar fhaitíos go mbeadh aiféala orm.'

Murar dhúirt sé an t-ainm féin bheadh a fhios agat cé a bhí ina chloigeann aige mar bhí an ceantar taobh le Seán Bradach amháin:

Gach ní dhá ngoidtear ó Thuaim go Tuamhumhain
Go bhfaighfeá a thuairisc in ualach Sheáin.

Thug carachtar ón sagart paróiste saor as cás gadaíochta (fataí as poll) lá cúirte é; ach nár chaill sé an 'carachtar' ag béal an phoill chéanna oíche an lae úd!

Agus an tóir tugtha suas ag an mBrianach cé thiocfadh an bealach ach Páidín Anna as Cloch na Speice, comharsa do Sheán.

'Caora a chaill a huan a bhí ar siúl thiar inné ann,' ar seisean leis an mBrianach. 'Uan atá ag méiligh inniu ann. Tabhair leat an mháithreach siar ann.'

Lean mé an comhluadar de ghrá an spraoi. Níor airigh Seán riamh nó gur dhearc an Brianach isteach thar an gclaí air agus é ag iarraidh an t-uan a chur ag diúl ar chaora leis féin.

'Bail ó Dhia ort – más ceart bail Dé a chur ar obair an diabhail spágaigh,' arsa an Brianach. 'Cén chaoi a dtaitníonn a leasmháthair leis?'

Chuir Seán gnúsacht as agus shéan gach uile rud.

'Dheamhan ar bheathaigh broimfhéar agus driseacha Chloch na Speice a leithéid sin d'uan riamh,' arsa an Brianach.

25

'Thug tú t'éitheach. Nach n-aithneofá as a mháthair anseo é?' a deir Seán.

'Aithnítear páiste as a leasmháthair i gcónaí.'

Thosaíodar orthu ag ithe agus ag gearradh, agus ag feannadh agus ag sciolladh ar a chéile nó go raibh mórán gach uile phaidir agus beannacht agus dea-ghuí agus ainm galánta i mbíobla an diabhail ídithe acu.

Nuair a rinne caora an Bhrianaigh méileach léim an t-uan as crúba Sheáin agus thosaigh ag diúl go díocasach ar a mháthair féin.

' 'Nois! 'Nois!' a deir an Brianach go caithréimeach.

'Is minic a thug bean an chíoch do pháiste bean eile,' arsa Seán.

'Agus is minic bradach bréagach,' a deir an Brianach.

Níor bhac sé leis an dlí.

Cheannaigh m'uncail an t-uan. Rinne sé reithe breá agus b'iomadúil a chlann.

Nuair a thosaigh m'uncail ag briseadh an tseanbháin lena thabhairt chun cineáltais do na caoirigh chuaigh an obair chun deacrachta de réir a chéile. Mar sin féin cá bhfios nach ann a chaithfinn a lán de mo shaol murach ainnir Chloch na Speice?

3
An Máistir

Ní móide gur mhórán múinteoirí a bhí in Éirinn mar an chéad mhúinteoir a bhí againne. Cláiríneach a bhí ann agus é ag dul thart i gcathaoir rotha. 'Cairrín' a thugadh na daoine air sin. Ní feasach mé céard ba bhunúdar dá chithréim. Ar aon nós shíl formhór na ndaoine nach raibh a shárú de mhúinteoir riamh ann. Chuirfeadh cuid acu méar i do shúil dá ndéarfá nach mbíodh an ceart i gcónaí aige, is cuma céard faoi. Agus ba mhinic nach mbíodh. 'Nár dhúirt Kerrigan é?' Bhí an dóthain ansin agus níor thairbhe a dhul ag sáraíocht leo. Thagadh buachaillí chuige as áiteanna taobh amuigh den pharóiste féin agus thar scoileanna eile.

B'as ceantar an Líonáin i gConamara thiar aduaidh é. Bhí a dheirfiúr, Cáit, agus triúr mac fásta le deirfiúr eile dó ina gcónaí leis tráth. De mhuintir Chadhain iad – daoine dubha buí. Bhíodar Gaelach agus bhí Pilib ina chathaoirleach, nó ina rúnaí, ar chraobh de Chonradh na Gaeilge i Learpholl nó i Manchuin tráth.

Chabhraíodh Peadar, an té ab óige acu, lena uncail, Micheál ó Ciaragáin, sa scoil. Peadairín Cheirigin a thugadh na daoine air. Sé a thugadh an tslat dúinne mar is ar éigean a bhí an máistir bocht in ann buille ar bith a thabhairt uaidh. 'Gaisce' an leasainm a bhíodh againn air, ach Goshke a scríobhtaí ar na ballaí. Níl fhios agam nárbh ann a tosaíodh an litriú simplí an chéad lá riamh. Chuireadh an leasainm le cuthach é. Chuirtí braitín aoil i gcónaí air agus laethanta saora againne, ach níor mhoill go mbíodh sé thuas arís.

Ba mhinic an píopa cailce i mbéal an mháistir. Nuair a

27

Gan Baisteadh

labhraíodh Mab, an mada beag taobh amuigh, b'shin comhar-
tha contúirte: go raibh an sagart nó cigire scoile ar fáil, agus
chuireadh an máistir an píopa i bhfolach faoi dheifir. Uair-
eanta chuireadh Cáit a ceann isteach an doras agus ligeadh sí
béic: 'Mr. Cox! Mr. Cox!' – an cigire, staic a raibh éadan
agus srón fhuisciúil air. Ar charr cliathánach a thagadh seis-
ean go hiondúil. Bhioradh an máistir freisin nuair a thos-
aíodh na Gearmánaigh ag ceol taobh amuigh.

Is minic a chuireadh an máistir duine de na buachaillí móra
ar an nGarraí Gabhann (an sráidbhaile) i gcoinne tobac, nó
canna de ola lampa agus a leithéid. Bhreathnaigh cuid de na
buachaillí úd chomh mór sin is go síleadh cuid againn go mba
fhir iad. Déarfainn go rabhadar cúig bliana déag nó b'fhéidir
sé bliana déag féin.

Bhí teachtaireacht amháin nach bhfágfaí faoi bhuachaill
ar bith, agus b'shin é an éadáil a théadh sa channa leath-
ghalúin – an pórtar. Peadairín a thugadh é sin leis i gcónaí,
agus is trasna na ngort a théadh sé. Canna ola lampa a bhí
ann ó cheart agus é glan sciúrtha i gcónaí. Síleadh go gcuir-
eadh an canna sin dallamullóg ar an sagart paróiste a bhí
anuas go mór ar an ól. Ní móide go raibh sé baileach chomh
simplí sin.

Ní dúil mhór a bhí ag an máistir é féin san ól ach ba mhinic
boladh pórtair ar Pheadairín istigh sa scoil. Ní raibh aon
locht ag Cáit air ach oiread. Ba bheag caint a bhíodh ar
bhuidéil phórtair faoin tuath an uair úd.

Oíche amháin a raibh Cáit ar éirí amach ar an mbaile
se'againne suas léi ar bhord istigh sa chistin agus thosaigh ag
gabháil. 'I shall and I will get married for the humour is on
me now,' agus mná na háite ag rá os ard 'Brisfidh sí an bord!
Brisfidh sí an bord!' Ansin thosaigh sí ag rince.

'Céard a dhéanfas muid má bhriseann sí bord Thaidhg?' a
deireadh bean an tí. Ba cheann de bhoird na gcomharsana é
a bhí ann le haghaidh na hoíche. Ach bhí an 'humour' ar
Cháit agus ba chuma faoin mbord.

An lá seo bhí an máistir stiúctha cheal tobac, agus gan aon
fháil ar Pheadairín. Chuir sé fainic i nGaeilge ar theachtaire

28

tapadh a dhéanamh. Bhí an-Ghaeilge aige féin, agus ba í a
labhraíodh sé leis na gasúir a raibh Gaeilge ag a muintir.
B'aisteach liom an rud a dúirt sé lá agus é ag múineadh Gaeil-
ge dhúinn: nach raibh fios ach ag aon fhear amháin in Éirinn
Gaeilge a scríobh: 'Doctor Douglas Hyde.'
Ní raibh an teachtaire ag teacht agus bhí an máistir le
buile. Ba mheasa é nuair a rinneadh píosaí de scláta ar an
urlár. Léim sé sa chathaoir.
'Ní féidir go bhfuil ceann eile briste agat?' ar seisean.
'Nach fearr í bheith briste ná mo chois?' a deir an buachaill,
deartháir don teachtaire agus é níba shine ná é.
Ba bhuachaill é nach ligfeadh a chnámh le mada ar bith.
Tá sé go láidir bríomhar fós, bail ó Dhia air. Ní fada ó d'ól
mé pionta ab uil sé istigh i seomra beag i nGaillimh. 'Ól-
faimid pionta dá mbeadh na seacht sraith ar an talamh,' a
deir sé.
Nuair a tháinig an teachtaire tar éis cúpla uair an chloig
bhí an máistir coimhthíoch. Bhí an scoil chomh ciúin sin is go
gcloisfeá an féar ag fás beagnach – gach uile bhuachaill ag
fanacht leis an sciolladh. Thosaigh an máistir go deas socair
mar ba ghnás leis:
'Shílfeá go bhfuil tú an-fhada amuigh?'
'Bhí mé ag tabhairt swing ansin amuigh do Mhrs Connolly
(bean an dochtúra) agus do Kate Kerrigan agus do Bhríd
Dhónail Bháin.'
Bhíodh rópa ceangailte do dhá chrann mhóra feá os comh-
air na scoile amach.
Níor fhan focal ag an máistir mar gheall ar a dheirfiúr féin
a bheith sa scéal. Ina theannta sin sí an fhírinne a bhí an
teachtaire a dhéanamh, agus ní lena leithéid a bhí an máistir
ag súil ach go ndeachaigh sé ag bualadh liathróid láimhe nó
rud éigin eile.
'Nár fhaighe tú le do ló obair is tairbhí ná í,' ar seisean
nuair a tháinig an chaint dó.
Ba mhinic ag moladh na Gaeilge é. B'iad an Ghaeilge agus
an Ghréigis an dá theanga ba chumasaí eascaine agus paid-
reáil, a dúirt sé linn.

Gan Baisteadh

Ba chóir go mbainfeadh eascaine Ghaeilge amach an chéad duais.

Ní raibh ach 'láchín' i mbuillí Pheadairín le hais na droim-eála a thugadh an cúntóir nua dúinn – Micheál ó hÉigeartaigh. B'éigean don mháistir é a stopadh cúpla babhta agus é scanraithe. Duine snoite gobach, cloíte a bhí sa chúntóir agus cuma an fhuaicht air lá samhraidh féin. Sin é an fáth ar tugadh Gob Sneachta air, ach Gob a scríobhtaí ar na ballaí. Nuair a shíl buachaill greim a fháil ar scláta a bhí ar an urlár le hais an bhalla lena caitheamh leis an gcúntóir thug seisean bos droma dó agus chuir as a bhuille é.

'Murach an cleas a d'imir an básachán orm thabharfainn a chuid fola dó le n-ól,' arsa an buachaill tráthnóna agus muid ar fad ag tabhairt ómóis dó as ucht a chuid laochrais. Ní feasach mé céard a rinne sé as bealach. Bhí sé ar na buachaillí ba mheabhraí sa scoil agus chuir sé cáil air féin le Gaeilge.

Nuair a shíl Gob na buachaillí a chur isteach le slat lá sneachta d'ionsaíodar é le cnapanna sneachta a bhí réidh acu faoina chomhair agus cuid acu ar chruas na gcaorán móna. Ceann a bhuail faoi bhun na cluaise é a chuir isteach ina bhogshodar é. Ciotóg, a raibh an-urchar aige, a bhuail é. Na scoláirí a gheall dó lascadh díoltais ní dhearnadar é in inmhe dóibh.

Dá dhonacht Peadairín b'fhearr linn é ná Gob mar thugadh sé ag bualadh báire muid lá scaoilte na scoile agus laethanta nach é. Bhí poc iontach aige, fear beag feosaí mar é.

An mhaidin Luain a mbíodh an fhéasóg liath diogáilte ar an máistir bhíodh cuma choilgneach air.

Shaothraigh an duine bocht an saol. Uaireanta, nuair a bhuailfeadh an fonn é, chrochfadh sé suas véarsa nó dhó de sheanamhrán Gaeilge, rud a chuireadh tost ar gach uile ghasúr cé nach mbeadh a fhios agat cé acu cumha nó aoibhneas a bhíodh á spreagadh. Gabhtar fonn le fonn agus le mífhonn, deirtear. Trócaire Dé air.

Nuair a cailleadh é fágadh Cáit agus Peadar gan slí gan fáltas. Teach na mbocht in Uachtar Ard a thug Peadar air féin, agus ní raibh focal air nó gur bunaíodh *An Stoc* i nGaill-

An Máistir

imh sa bhliain 1917 le hairgead Phiarais mhic Cana as Tiob-
raid Árann. Thosaigh sé ansin ag cur píosaí Gaeilge amach
agus 'Geimhleach' nó 'Geimleach' mar ainm cleite air. I
gCraobh Chonradh na Gaeilge i Maigh Cuilinn a d'fhoghlaim
sé scríobh na Gaeilge. Ní feasach mé cén uair a cailleadh é,
ach tá faitíos orm gur in éineacht leis na bochtáin a cuireadh
é.

Níor chuala mé ainm an mháistir i nGaeilge riamh ag na
seandaoine. Níor ghnás Gaeilge a chur ar aon sloinne nár
dhúchas don cheantar. Agus an paidrín roimh an Aifreann
ráite ag an máistir chuireadh sé paidir le hanam na marbh
'agus go speisialta le hanam Father Kenny.' B'as Castle-
blakeney Father Kenny, chuala mé seanbhean a rá. I gcean-
tar Bhéal Átha na Sluaighe atá an áit.

Níorbh annamh iascaireacht ar pholl tirim in urlár na scoile
istigh i lár na suíochán. Bhíodh an máistir san airdeall ar a
leithéid mar ní go maith a thagadh an iascaireacht agus na
ceachtanna le chéile. Uaireanta bhíodh chomh maith le leath-
scór scoláire ag faire ar an iascaire agus gan aige go hiondúil
ach píosa de shreangán, biorán lúbtha ar cheann amháin de
agus ruainnín aráin mar bhaoite do na luchain bheaga a
bhíodh ann as éadan.

An lá seo ba dhuán eascainne a bhí ag buachaill amháin.
Bhí an máistir ag ligean air féin go raibh sé ag léamh páipéir
éigin nó gur lig luchín cúpla gíog agus thosaigh na gasúir ag
breathnú thart. Chuir an máistir ailleog as go tobann.

'Tabhair leat an tslat agus an dorú agus eile agus seas
amuigh ansin leis an mballa, a iascairín na míoltóg,' ar seis-
ean go hardghlórach.

Shíl sé údar magaidh agus gáire a dhéanamh den ghasúr,
agus deireadh a chur leis an iascaireacht úd b'fhéidir. Bhí an
gáire ann ceart go leor, ach bhí an oiread sin de ann nuair a
bhreathnaíodh na scoláirí ar an ngasúr agus é ina sheasamh
ansin, a aghaidh le balla agus an sreangán agus eile ina leath-
láimh aige nár fhéad an máistir iad a smachtú. Agus b'éigean
dó an t-iascaire a chur ar ais ina shuíochán.

Buachaillí báire a thagadh thar chollchoill gach uile mhaid-

31

in chuiridís cnónna faoi rothaí an chairrín. Chuireadh an
pléascadh a nídís an máistir le buile. Ach ba bheag an
mhaith a chuid 'fiosrúchán' mar ní sceithfeadh buachaill ar
bith.

Lá Bealtaine, bliain amháin, d'inis an máistir dhúinn go
dtiocfadh cigire ar leith chugainn an lá arna mhárach, agus
mhínigh céard ba chóir dhúinn a dhéanamh. Ba é an Tiarna
Caimbéal an 'cigire,' Albanach fionnrua, deargshúileach a
raibh stiall den pharóiste mar dhúiche aige. Ba leis freisin
dúiche bhreá Ruairí uí Fhlaitheartaigh, 'scafaire an léinn,' a
raibh na céadta acra de thalamh méith inti.

Is cosúil gur chuir sé suim i bpeannaireacht mar ba le
peannaireacht na scoláirí móra a fheiceáil a tháinig sé. Agus
é sin scrúdaithe aige ghabh sé chun cainte leis an máistir
agus thug sabhran buí an duine do thriúr acu. Dúirt sé nach
mórán a bhí ag ceannlínte an chóipleabhair ar a gcuid
scríbhneoireacht siadsan.

'Ní dhearna sibh an rud a dúirt mé libh a dhéanamh,' arsa
an máistir agus an cuairteoir imithe. Ba é sin *Three cheers for
Lord Stratheden and Campbell* a thabhairt. Go deimhin ní
dhearna. Níor thuigeadar an scéal agus bhí sé dearmadta acu
ar aon nós. Níorbh fhurasta a chur ina luí ar bhuachaillí
cuthaile tuaithe a leithéid a dhéanamh. 'Sraith Éadain' an
Ghaeilge a chuir an máistir ar Stratheden.

Cé go mb'fhearr don tír uaithi an tiarna úd agus a leithéid
níorbh é ba mheasa orthu. Bhíodh a rogha de pháirc ansin
gach uile Dhomhnach, gan bac ná parúl, ag peileadóirí agus
ag báireoirí, ag lucht coisíochta agus cleasa lúith, agus ag na
gadhair fhiaigh. Bhí comórtais treafa ag muintir na háite ann
cúpla babhta roimh an gcéad Chogadh Mór. Ba ann a chonaic
mé an chéad chéachta rotha riamh.

D'fhág Abbot, an stíobhairdín Albanach a bhí ag an tiarna
úd, na daoine ar bheagán measa ar shadhlas. Is cosúil nach
raibh fios a dhéanta aige mar in áit togha na beatha a dhéan-
amh as páirceanna breá féir ba gheall le carn aoiligh é. 'Silo' a
thugadh na daoine air.

Chuir an Gearmánach deireadh le Caimbéal agus a phór –

d'uireasa mná a gcaointe, in Iarchonnachta ar aon nós. Nuair a roinneadh an dúiche sa bhliain 1924 níor dheacair páirc bhreá bháire a fháil, ach ní raibh aon dream ná cumann ann a ghlacfadh seilbh air tar éis Chogadh na gCarad. D'fhág sé sin an paróiste gan pháirc. Dúradh liom nach bhfuil leacht ná cloch ar uaigh an mháistir thiar ar an Líonán. Tá súil agam nach fíor é. Ní raibh duine amháin againn nach raibh faoi chomaoin aige ar bhealach éigin. Soilse na bhFlaitheas dá anam. B'iomaí dea-chomhairle a chuireadh sé orainn dá dtabharfaí cluas air. 'Má itheann sibh an t-arán caiscín ní bheidh aon chaint ar phurgóid,' a deireadh sé. D'itheadh muid é mar b'annamh a mhalairt ann. Ba mhinic a shíl mé gurbh é a d'fhág agam mo chuid fiacail. Bhaintí gaisne as bia nach mbreathnódh muintir na haimsire seo air.

4
Teach an Dochtúra

BA IONTACH an áit óil agus ragairne é teach an dochtúra agus sinne ag dul 'na scoile. Níor mhiste le lucht a thaithithe nach raibh eatarthu agus an reilig ach an bóthar. Timpeall is céad slat ón tseanscoil a bhí sé. Thuas in airde staighre a bhíodh sé féin agus an scléip agus an t-ól thíos faoi sa chistin. Cheannaigh sé an pósadh fánach – cead aiféala gan cead athchuir. Shíl sé bean uasal a dhéanamh di, ach níor dheacra rós a dhéanamh de neantóg.

Mná is mó a bhíodh ann, daoine a chuir fúthu san áit. Ba de bhunadh na háite í féin, agus bhíodh fáilte aici roimh chách. Cannaí pórtair a bhíodh acu go hiondúil. Bhí an sagart anuas go mór ar an áit agus thugadh sé corrshéirse faoi oícheanta geimhridh.

B'as Baile Mór na Gaillimhe é an dochtúir, agus a mhuintir an-deisiúil ann. Bhí teacht isteach aige freisin as tithe i nGaillimh, agus níor mhór dó sin. Ba togha dochtúra é agus an-mhuinín ag an bpobal as. Éadaí dubha fearacht sagairt a chaitheadh sé. Fear ard, tarraingthe bánghnéitheach, agus féasóg liath air a bhí ann. Beirt mhac agus beirt iníon a bhí aige. Nuair a buaileadh síos é agus go mb'éigean dó imeacht leis as tháinig scaipeadh agus fán ar a raibh ann.

Cé bith cé na lochtanna a bhí uirthi féin d'admhaíodh lucht a cáinte féin go raibh sí mórchroíoch dea-chroíoch. Ag teacht abhaile ón scoil dúinn lá te samhraidh bhí sí romhainn síos an bóthar agus dhá chiseán téagracha ar iompar aici: tae agus siúcra, im, arán, feoil, bainne, éadaí naíonáin agus a leithéid. Isteach léi i gcampa na dtincéirí, síos léi ar a dhá

34

ghlúin agus isteach léi sa chábáinín ina raibh bean an tincéara
tar éis luí seola.

Ag teacht amach folamh di thairg athair an naíonáin di
muga pórtair. Ní dhearna sí ach é a chaitheamh siar as cos i
dtaca. Lá fuar geimhridh féin ní móide go n-iarrfadh sí aon
mhéar leis.

'Well she is a rale lady – if you offered her a mug of pratee
water she'd drink it,' a deir athair an naíonáin linn.

B'shin é an cruthúnas!

Séiplíneach leathan, lasánta, tonnaosta an chéad tionónta
eile a tháinig i dteach an dochtúra. Chaitheadh sé hata ard
agus bhíodh sé an-ghléasta i gcónaí. Níor mhaith leis é a
chur i gcomórtas le séiplínigh eile.

'Sure they have only from hand to mouth,' a deireadh sé
linn.

Ba mhór anuas ar an ól é. 'Ó is olc é an t-ól,' a dúirt sé le
seanfhear le m'ais taobh amuigh den séipéal Domhnach. Bhí
an-Ghaeilge aige ach ní labhraíodh sé í ach le daoine gan
Béarla.

I ndeisceart na Gaillimhe a bhí sé nuair a cuireadh céim-
síos air de bharr easúmhlaíocht éigin, a deirtear, agus hord-
aíodh dó dul go paróiste éigin ina shéiplíneach. Ní dhéanfadh
sé é. Tar éis tamaill chuaigh sé don Róimh uaidh féin leis an
scéal a phlé leis an bPápa. Murach go raibh sé simplí ní
inseodh sé do bheirt againn é. Ar ndóigh, níor tugadh dó cead
cainte leis an bPápa. Séard a dúradh leis, a dúirt sé, géilleadh
don easpag i dtosach. Rinne sé amhlaidh agus cuireadh go
Maigh Cuilinn ina shéiplíneach é. Bhí an sagart paróiste go
han-deas leis.

Is iomaí gáire a bhain sé amach, agus níl dearmad déanta
fós ar roinnt dá chuid cainte. Cailleadh ina chodladh é le linn
an chéad Chogaidh Mhóir.

Tamall tar éis an dó dhéag oíche an tórraimh, agus muid
inár suí thíos san áit a mbíodh an ragairne agus an t-ól nuair
a bhí bean an dochtúra ann, chuala muid na coiscéimeanna
thuas os ár gcionn san áit a raibh an sagart os cionn cláir.
Las an bheirt ba mhó misneach againn coinneal agus suas leo

35

an staighre, ach ní fhacadar aon duine. Níor thúisce thíos iad ná thosaigh an duine ag siúl arís. Cuardaíodh an seomra arís, ach b'ionann an cás é. Ní raibh scaoileadh an scéil ag aon duine. 'Ní chuirfeadh sé iontas orm céard a d'fheicfí nó a chloisfí sa teach sin ó aimsir an dochtúra,' a dúirt seanfhear liom lá na sochraide.

Dúirt sé go raibh sé ar cuairt oíche ag séiplíneach eile cúpla céad slat ó theach an dochtúra na blianta roimhe sin nuair cé a thiocfadh isteach chucu agus séideán saothair ann agus cuma an-scanraithe air ach an Dochtúir ó Conghaile. Dúirt sé rud éigin faoina dheartháir, Frank, nach raibh i bhfad básaithe. B'iontach leis an sagart go dtiocfadh sé aige mar níor mhór é a aird ar ord ná ar Aifreann. D'iarr sé ar an sagart teacht in éineacht leis.

'Creideann an dochtúir i nDia anois,' a deir an séiplíneach tar éis filleadh dó. An chéad rud a d'inis sé don sagart go raibh Frank thuas ag an teach. Ghoill an rud go mór air. Tamall roimhe sin rinneadar beirt leagan amach, cé bith cé acu is túisce a chaillfí go dtiocfadh sé ar ais le scéala faoin saol eile – má bhí a leithéid ann chor ar bith!

Ba é an tAthair mac Gabhráin an séiplíneach. 'An tAthair McGurran' a deireadh na daoine. Ní sloinne Gaillimheach é. B'as Contae Liatroma nó Contae Thír Chonaill é. Ba mhór a thaitin sé leis na daoine. Bhí Gaeilge mhaith aige, rud nár mhór dó mar bhí a lán ann gan Bhéarla an uair úd.

D'inis an seanfhear dom, freisin, gur cuireadh fios air féin tráthnóna samhraidh le aire a thabhairt do fhear a bhí i mbaol báiní agus báis. Ba mhaor é agus strainséir. Is minic a chonaic mé é. Ba dhea-chomharsa é agus an-bhreithiúnas in eallach agus eile aige.

Ag tumadh caorach dó chuaigh an t-ábhar isteach i scríobadh bheag sa leathláimh aige agus shéid sí. Cé nach raibh sa mhaor ach fear tanaí bhreathnaigh sé chomh mór, ata, le mála olla agus an nimh imithe tríd an gcolainn aige. Bhí daoine ag déanamh lena bhás.

'Cúram sagairt, agus ní cúram dochtúra, é seo,' arsa an

Teach an Dochtúra

Dochtúir ó Conghaile an nóiméad a bhfaca sé é, agus dúirt fios a chur ar an sagart go beo, 'Cuirigí fios freisin ar thriúr nó ceathrar de bhuachaillí maithe lena cheansú agus é ag dul chun donacht, agus insígí domsa tráth a bháis.'

Nuair a tháinig an tAthair mac Gabhráin bhí ceathrar fear ansin agus rópa acu faoi réir. Ag imeacht dó d'iarr bean an mhaoir air rud éigin a dhéanamh dá fear mar bhí lán an tí de pháistí agus eile aici.

'Ní bhfaighidh sibh aon oíche air an turas seo,' a deir an sagart leis na fir agus meangadh air, tar éis breathnú ar an maor arís.

'Bhí mé ag cuimhneamh ar thusa a sheoladh chun bealaigh ina áit, a Thaidhg,' arsa an sagart le fear de Fhlaitheartach, agus é ag ealaín.

Scanraíodh an Flaitheartach bocht.

'Ar ndóigh tá an oiread agam féin is atá aigesan, a Athair,' a deir sé.

Tháinig an maor as ar ín a reatha agus bhí beirt eile clainne ann. Chuaigh mé ar scoil leo.

5

Caitheamh Aimsire

NÍ BHÍODH aon chaint ar bháire siopa ná ar chamán
siopa agus mise óg. D'fheicinn fir óga ag déanamh an
bháire: corca nó dhó mar chroí ann: snáithe as stoca baile
thart orthu agus ansin leathar seanbhróige. Ní bhíodh sé
chomh galánta le báire siopa, ach ní bhíodh aon chailleadh
air. Bhíodh an dara ceann ar an bpáirc mórán i gcónaí chomh
maith le meana agus ruóg.
Na báireoirí iad féin a dhéanadh na camáin freisin. Bhain-
idís an fhuinseog i gcoill éigin máguaird agus níodh an
muileann i nGaillimh cláir di. Níorbh fhurasta ábhar camán
a choinneáil i bhfolach ar bhuachaillí óga go dtí tuairim is
an bhliain 1955, ach ní theastaíonn uathu inniu ach camáin
siopa, rudaí a bhriseann ar nós seandris lofa. Fairsingeacht
airgid is ciontach leis – agus leisce.
Ar an bpáirc deireadh captaen le captaen eile 'Buailim ort.'
An freagra: 'Tigim leat.' 'Beidh Brian ó Flatharta agam.'
'Beidh Seán ó Ceallaigh agam!' agus mar sin nó go mbíodh an
dá fhoireann acu.
Bhíodh gach uile bháireoir ina chosa boinn, samhradh agus
geimhreadh. Ar ndóigh, ba bhróga troma tairní nó bróga
gréasaí a chaitheadh buachaillí tuaithe. Bhí drochthoradh ar
na cosa boinn uair amháin agus mé an-óg. Bhí na buachaillí
óga beophianta ar feadh coicíse nó go mbeadh an sneachta
imithe. Lá choscartha an tsneachta, 'an lá is fuaire amuigh'
a deirtear, amach le deichniúr acu ina mbonnacha, agus gan
ach corrghiodán leis. Thángadar uile slán as an díth céille sin
ach buachaill amháin, Maitias ó Maol Aodha, an buachaill ab

fhearr orthu uilig. Níor sheas sé achar ar bith. Cé nach raibh sé ach sé bliana déag bhí neart agus éifeacht fir ann le mórán gach uile rud. Chuala mé caint air deich mbliana fichead i ndiaidh a bháis. Matt Mháirtín Eoghain a thugadh na daoine air.

'An t-úll cumhra nár fhan le haipeachan,' a dúirt an mháthair, Ciota Bhríd Mhór, agus í ag déanamh cumha. Ba é an duine ab óige de sheachtar deartháir é agus iad uile mór láidir. Ní raibh péirse talún acu ach iad ag cur conacra agus ag dul thart ag obair ag daoine. Chaith Seoirse Búrc amach muintir na máthar, na Maolánaigh, agus í féin ina gearr-chaile; agus níor tugadh dóibh orlach bacaird nuair a roinneadh an dúiche arís tar éis daichead bliain. *The landless man shall be landless*!

Is iomaí Domhnach a chuir muid timpeall agus míchóngar orainn féin leis an máthair a sheachaint ar ár mbealach ar an mbáire. Bhíodh a fhios againn céard a bhíodh ag cur uirthi nuair a thosaíodh sí ag triomú na súl le binn a naprúin ar fheiceáil na gcamán di. Mheabhraídís di 'Mo chraobh,' an t-ainm a bhíodh aici ar Mhaitias.

Ní fhaca muintir an pharóiste aon pheil riamh nó gur thug sagart óg ann í tráth a raibh an báire buille lag. Níl fhios cén dochar a rinne sí don bháire mar nuair a thosaigh an báire arís bhí mórán gach uile rud a bhain leis caillte. Bhí an sagart sin ar bheagán Gaeilge cé gurbh as paróiste a raibh an Ghaeilge agus an báire an-tréan ann a tháinig sé. Ach thaitin sé go mór leis an bpobal. Sagairtín Mhuire Mháthar, a thugadh Bríd ní Dhroighneáin air. Tráthnóna Sathairn a bhfaca scata againn chugainn é isteach linn i dteach. Ar éigean istigh muid nó gur chuir sé a cheann isteach thar an leathdhoras.

'God save all here!' ar seisean.

'Sé do thráth é!' arsa an tseanmháthair.

Níor mhaith léi go dtiocfadh sé uirthi go tobann agus í ag níochán na bpáistí lena gcur a chodladh.

Is iomaí gáire a bhain 'fáilte' na mná úd amach.

Ní raibh a fhios go raibh na peileadóirí chomh mall mí-stuama sin nó gur tháinig foireann amach as Gaillimh agus a chulaith ghaisce ar gach uile dhuine acu. B'fhearr iad seacht n-uaire ná an mhuintir seo againne. Mar sin féin chuaigh an neart agus an airde orthu. Bhí ceithre orlach agus cúpla cloch meáchain ag buachaillí an pharóiste ar gach uile dhuine acu.

'You might as well run against the gable of a house,' arsa duine acu tar éis an chluiche, agus canúint an bhaile mhóir air.

Ba mhinic a chuala mé a leithéid de leithscéal ag buachaillí óga an bhaile mhóir: 'How could we beat them – big cunthra lads?'

'Tá sibh buailte go cac an asail,' arsa seanfhear leo agus gan fios aige dada faoi pheil ach amháin gur chuala sé an scéala.

'Tugadh Tuirne Mháire dhaoibh inniu,' arsa fear eile.

An chéad lá riamh a chuala mé an bhéiceach ag teacht chugam i mbarr na gaoithe, agus mé ceathair nó cúig de bhlianta, chuir sé saghas faitís orm mar ba gheall le blaobhúireach thairbh é. 'Gaillimh agus Rathún,' an míniú a tugadh dom. Thagaidís ann mar bhí páirceanna le fáil in aisce ann.

Thagaidís arís ann i gcaitheamh an chéad Chogaidh Mhóir, as Bearna, as an Spidéal, as na Forbacha, as Baile an Chláir agus as Tír Oileáin, baile atá i bparóiste an Chaisleáin Ghearr ar bhruach an bhaile mhóir. Ní bhíodh focal Béarla á labhairt ar an bpáirc ag aon fhoireann acu sin mar ba í an Ghaeilge a dteanga nádúrtha dhúchasach. Bhí leasainmneacha gan mórán dochair ar bháireoirí na bhForbacha: 'Caorán,' 'túlán,' 'tortóg,' 'tortán,' 'simléar,' agus a leithéid.

An tráth úd ní théadh aon bháireoir 'siar' roimh thús an chluiche ach amháin an dá chúl báire. Domhnach nuair a caitheadh isteach an báire lig captaen Thír Oileáin grág: 'Scattheráiligí.' Ba leis a bhánaíodh fear an tí teach na gcártaí ag leathuair tar éis a naoi i gcaitheamh an gheimhridh ina dhiaidh sin. 'Terryland' an t-ainm galánta atá ag muintir an bhaile mhóir ar Thír Oileáin.

Níorbh fhada an pheil ar bun nó gur thosaigh peileadóirí ag teacht chugainn as éadan agus na cosa mar chóras iompair acu. Domhnach tar éis na Cásca tháinig buachaillí Chlaídí,

áit atá taobh thall de Loch Coirib in aice le hÁth Cinn.
Shiúladar cúpla míle chuig cé na Coille Bige, thángadar
míle i mbád agus ansin shiúladar seacht míle eile chuig an
bpáirc i Maigh Cuilinn. Shiúladar mar shaighdiúirí ar an
mbóthar, rud nár ghnách an tráth úd – os cionn leathchéad
acu.

Ní raibh na brístíní ná na bróga peile ach ar dhuine amháin,
buachaill de mhuintir Mhurchú as an gClaídeach a bhí ag dul
le sagartacht. Rinne sé cion beirte. Bhain gach uile bhuach-
aill acu de a chasóg agus corrdhuine an chasóg agus an bhást-
chóta. Sin é an méid.
Tar éis an chluiche shiúil buachaillí Chlaídí abhaile. Dhá
dtiocfadh sé ina bháisteach orthu bheadh drochbhail orthu
mar ní shílim go raibh cóta mór ag duine amháin acu.
Bhí éad agus uaigneas orainne, an t-aos óg, ar fheiccáil
dúinn peileadóirí an pharóiste agus na scórtha leo ag dul ar
an gClaídeach lá tubaisteach te i mí an Iúil agus gan goir
againn corraí as baile. Ní raibh de thorann ag na bróga
tairní ach an oiread is dá mba shneachta a bhí fúthu mar bhí
cúpla orlach deannaigh ar an mbóthar. Ba gheall le ceo an
cith a chuirfeadh carr cliathánach in airde, agus b'ionann
dath do gach uile chulaith éadaigh ar na carranna eile a
bhíodh taobh thiar dhe. Ghnóthaigh peileadóirí Chlaídí an dá
bhabhta agus rinneadar amhrán gairdeachais agus maíte i
mBéarla faoi.
Is de shiúl cos freisin a thagadh na sealacha muc as aonach
an Spidéil go Stáisiún Mhaigh Cuilinn – ocht nó naoi dhe
mhílte bealaigh. Agus báinín agus bríste ceanneasna ar gach
uile scoláire fearacht na bhfear.
Ní dochar ar bith go bhfuil 'caitheamh aimsire' amháin
imithe nó geall leis, sé sin scéalta faoi shióga agus taibhsí.
Bhínn chomh scanraithe sin acu nach rachainn amach thar
an doras nó suas sa seomra ó theacht na hoíche. Is orainne a
bhíodh an lúcháir nuair a thagadh fad sa lá, nó nach mbíodh
aon oíche ann roimh am luí. D'imíodh an faitíos ansin go
dtí an chéad ghcimhreadh eile.
Níor chóir aon chaitheamh a bheith i ndiaidh roinnt eile

ach oiread, mar shampla, breith ar dhá leathlaí an chairr agus an capall faoi, agus é árdú den talamh, agus fear ina shuí thiar air, agus a dhá chois le fána; dhá chéad guanó bheith á chur suas ar an leathghualainn istigh i scióbol; agus an dá chloch meáchain thíos sa mála, freisin; agus fir ag dul thar a bhfulaingt ag ardú cloch den talamh. Níorbh ionadh maidhm seicne a bheith ar chorrdhuine acu.

Sén trua coimhlint amháin a bheith imithe: scoláirí ag féachaint cé acu ba mhó port tar éis oíche cheoil, go mór mór tar éis oíche phíobaireachta. D'fhág sé na scórtha port agam. Ní raibh a fhios agam é nó gur chuala mé ar an raidió iad. B'ait le hóg agus meánaosta iad mar b'údar bróid agus gaisce iad. Ba é Dan Cheata, comharsa dúinn, an fear ba mhó port agus é os cionn an leathchéid. Uair amháin bhí sé ar buile leis féin faoi nach raibh sé i riocht port a chuala sé ag an bpíobaire a thabhairt chun cruinnis. Nuair a bhuail sé i lár an phaidrín é thosaigh sé air ar an toirt ar fhaitíos go gcaillfeadh sé é! Shíl a raibh ar a nglúine gur as a mheabhair a bhí sé. Bhí an cornphíopa aige dúinn an chéad oíche eile!

Cé go mba chaitheamh aimsire nua é ba mhór a spreag na 'harriers' fir óga chun coisíochta tamall roimh an gcéad Chogadh Mór. Scaitheamh roimhe sin bhíodh buachaillí ag rith ar rásaí Uachtar Ard – idir dhá rás capall. De réir cosúlachta thagaidís achar fada ann.

'Cén t-iontas ba mhó a chonaic tusa in Uachtar Ard inné a Mhicil?' arsa duine éigin le Micil Pháidín Rua.

'An tuile ag rith in aghaidh an chnoic,' arsa Micil.

Buachaill darbh ainm Flood a bhí i gceist, sloinne nár chuala Micil riamh cheana.

Níl a fhios cén tionchar atá ag fear cáiliúil amháin ar bhuachaillí paróiste nó taobh tíre. Déarfainn gur chuir Tomás ó hEidhin cúpla scór buachaill óg ag rith nuair a chuaigh cáil na coisíochta amach air. Gaeilgeoirí uilig a bhí iontu, agus cuid acu ar bheagán Béarla. Ansin bhí scéalta ag teacht as Meiriceá faoi Sheán Seoighe agus Seán ó Dálaigh. Thagadh na céadta go Maigh Cuilinn ag breathnú ar na 'harriers,' de shiúl cos, ar chapaill diallaite, ar charranna cliathánacha, cóistí agus eile. Ní raibh aon chaint ar rothair ná ar ghluaisteáin.

6

Cártaí, Scéalaíocht agus Ceol

'TEACH an óil, teach an cheoil agus teach na gcártaí, trí theach a mbíonn an diabhal iontu,' a deireadh mo mháthair. D'iarradh sí orm ligean de na cártaí oíche Shathairn roimh Chomaoineach Dhomhnaigh dhom. 'Nach shin cruthúnas go mbíonn tú ag ceilt na hoícheanta eile,' a deireadh fear a bhíodh ag spochadh asam. 'Cén dochar cártaí má imrítear go cneasta iad?'

Níor chneastacht ná míchneastacht a bhíodh i gceist ach mionphionós agus smacht ar na claonta.

'Ní bheidh sé le rá choíche gur choinnigh mise aon duine óna phaidrín,' a deireadh fear tí na gcártaí ag leathuair tar éis an naoi, bíodh caidhlin airgid déanta aige nó bíodh sé feannta. Bhíodh orainn imeacht ansin agus gan mórán dá fhonn orainn.

Níorbh annamh an paidrín ráite romhainn ag ceathrú don deich a chlog oíche Dhomhnaigh, agus milleán ag fanacht linn freisin.

Mórán gach uile oíche bhíodh Johnny Liam Riocaird (Seán ó Maoláin), fear sé throigh agus trí orlach, ina shuí ar bhosca ag portaíl agus ag aithris ar an bpíobaire, agus é ag obair na leathuilinne ar nós an phíobaire. B'fhad ar do shaol a bheith ag éisteacht leis. Fuair sé an domhan port ón bpíobaire. Tar éis scaithimh thosaíodh sé ag gabháil fhoinn: 'Sagart na Cúile Báine,' 'An Droighneán Donn,' 'Sicíní Bhríd Éamainn,' 'Liam ó Raghallaigh,' 'Bean an Fhir Rua,' 'An Caisideach Bán,' 'Seoirse Bingham,' agus a lán eile. Ba aigesean amháin a chuala mé 'Seoirse Bingham.'

Cártaí, Scéalaíocht agus Ceol

Is minic a bhain sé an chéad duais ag an bhfeis. D'fhéadfaí an rud céanna a rá faoi is a dúirt an Piarsach faoi Cholm a Bhailís: 'To sing was a necessity of his gladsome nature.' Tá faitíos orm nach raibh an meas ceart againn air nó ar a leithéid. Má chruinnigh lucht an bhéaloideasa béarlagair na gcearrbhach bheadh sé spéisiúil, déarfainn. 'Cód' a bheadh ann ag cuid de na Béarlóirí: 'Tuige nár sháigh tú é?' 'Tuige nach ndeachaigh tú faoi?' 'Tuige nach ndeachaigh tú isteach aige?' 'Tuige nár shálaigh tú an rí?' 'Tuige ar thug tú ascail dó?' 'Dhá mbeadh seadaire ar bith agam!' Níorbh ionann é sin agus seadaire na Fiannaíochta, ach ainm nó leithscéal máimh. 'Ó nach iad a bhí istigh!' 'Déan agus cur-amach' (drochthuar).

Chuirtí an-spéis sna cártaí agus cloigeann muice nó gé le fáil astu. Éanacha francacha is mó a bhíonn ann le blianta anuas.

I mo ghasúr dom cuireadh chuig siopa tuaithe mé i gcoinne ola lampa oíche gheimhridh – ag tarraingt ar mhíle bealaigh – agus gan de chuideachta agam ach torann na coille a mheabhródh duit pléascadh na dtonn, agus marbhsholas i gcorrtheach i bhfad uaim. Dúradh liom tapadh a dhéanamh ar fhaitíos go mbeadh an imirt ar siúl romham. Agus ar ndóigh bhí – ceithre chúpla ag imirt cúig is fiche ar chloigeann muice. Tá caint saor!

'Suigh síos ansin nó go mbeidh an bonn seo thart,' a deir an siopadóir liom.

Ní raibh aird aige ar thada ach ar na cártaí agus dáréag eile ag faire ar an gcluiche mar a bheidís ar bháire, agus gan focal astu.

'Tá sé chomh maith duit fanacht anois nó go mbeidh an cluiche seo thart,' a deir an siopadóir liom.

Bhí cúpla amháin ag imirt – Tadhg agus Dónal – a bhí chomh maith lena leithéid in áit ar bith. Ba thráthúil dealabhartha iad. Ní bheadh a fhios agat céard atá caillte ag Éirinn nó go gcuirfeá a gcuid cainte i gcomórtas le cuid de

45

Ghaeilge na haimsire seo. Bhí Tadhg ina dhriseachán de bharr droch-chártaí agus triúr fear féasógach ag breathnú isteach ina lámh. Ba ar a leithéid ba ghnás le cearrbhach milleán a mhí-áidh a chur.

'Níl tusa ag fáil tada,' arsa Dónal leis.

'Cén chaoi a bhfaighinn agus an mhuintir a chéas ár Slánaitheoir taobh thiar dhíom anseo? Dheamhan 'fhios agam nach bhfaca mé an mhailléad ag duine acu!'

Ag dul abhaile dhon bheirt mhoillíodar i dteach na Stile le cloigeann na muice a 'fhliuchadh,' agus b'fhada ó Dhónal a bheith i dtiúin ar maidin nuair a iarradh air seanfhear a bhí tar éis bháis a bhearradh. Bhí sé soilíosach deaslámhach, ach an mhaidin úd!

'Tabhair dhom dhá ghloine as an mbuidéal sin!' ar seisean sular thosaigh sé.

'Nach ndéanfaidh tú go slachtmhar anois é?' arsa an bhaintreach.

'An rud nach ndéanfadh Mac Dé tá faitíos orm nach ndéanfaidh Dónal bocht é!'

Aibreán nó Bealtaine amháin agus drochbhail ar chur agus eile cheal boige agus báistí rinne cith trom leatromach cabhair, ach braon amháin níor thit ar ghabhaltas Dhónail! Is cuimhneach liom é.

'Muise dhá mba cith anachana a chaithfeadh sé ní ghabhfadh sé tharainn!' arsa Dónal.

Tá brí eile le cith anachana: droch-chith tús samhraidh, go mór mór clocha sneachta, a mhillfeadh plandaí óga agus a mharódh éanacha óga tí. Tugtar ar dhroch-chith a mhillfeadh féar nó arbhar freisin é.

'Ar ól tusa mórán poitín le do linn?' arsa sagart óg le Dónal agus na misinéirí ar a míle dícheall ag iarraidh an poitín a chur faoi chois . . . .

'Bháfadh sé thú, a athair, bháfadh sin!'

Tá an nathaíocht – an greann gan cealg ionann is a bheith imithe. Tá an fonn ranníochta caillte. Dhá mbeadh Seán a

Búrc á bhá ní fhéadfadh sé deis mhaith a scaoileadh thairis.

Lá ar ghlac tuí leis tine istigh sa scioból, agus chruinnigh muintir an bhaile ann, bhí bean ag teacht ón tobar le dhá channa uisce agus siar léi ann le lámh chúnta a thabhairt uaithi.

'Chonaic mé an deatach! Chonaic mé an deatach!' a deir sí agus saothar inti. Arsa Seán,

> *Chonaic tú an deatach*
> *Agus chuala tú an gleo*
> *Agus b'fhurast' aithinte ansin*
> *Go raibh an teach á dhó.*

Is air a chuimhnigh mé nuair a léigh mé 'Stair Éamoinn uí Chléirigh' mar ba mhinic ar an gceird chéanna le Seán ó Neachtain é.

'Cuirigí Béarla ar an ngiota seo dhom,' a deireadh sé linn oíche Gheimhridh.

'Cé mhéad slat de bhréidín ghlas a dhéanfadh casóg dho ghasún a bheadh ina chosa in airde ó d'fhágfadh sé an Mhóin Ghearr nó go dtéadh sé go Cluain Meala.'

Chuirfeadh an Búrcach a Bhéarla féin ansin air:

> How many switches of grey frieze would make a turn young for a stalk lamb that would be in his legedy high from the time he would lave The Short Bog till he raitch Meadow of the Honey.

Cuir é sin i gcomórtas leis an magadh a rinne Seán ó Neachtain faoin mBéarla dhá chéad bliain roimhe sin, mar shampla, 'Feardorcha ó Dálaigh: Man dark from two swans.'

Idir Maigh Cuilinn agus Gaillimh atá an Mhóin Ghearr.

Thug gasúir mo linne leo mórán gach uile chleas agus caitheamh aimsire a bhí san áit ach amháin an snámh. Ba mhinic aiféala orm nach raibh sé sin againne go mór mór nuair a d'fheicinn gasúir na Gaillimhe ag léim isteach san uisce. Bhí an dúshnámh acu freisin. Níor shamhail dóibh ach madraí uisce agus na bealaí snámha ba nua-aimseartha acu, cé nach raibh ag an muintir seo againne ach sean-nós an loscáin lathaí. Bhí sé sin ag na buachaillí nach raibh ach naoi nó deich de bhlianta níos sine ná mé.

Bhí scéalta de mhórán gach uile shaghas ag na seandaoine cé gur ar fheis Chonradh na Gaeilge a chloisinn na scéalta Fiannaíochta.

Ba mhór a thaitin na drámaí Gaeilge leis na daoine, go mór mór *An Deoraí* a chum Lorcán ó Tuathail, fear as an bparóiste. Thaitin *Casadh an tSúgáin* thar cionn leo mar gheall ar an ngreann agus an dúchas a bhí ann.

Cé go raibh sneachta mór ann babhta amháin bhíodh an halla lán suas gach uile oíche. Shiúladh daoine trí nó ceithre mhíle ann.

'Cé mhéad?' arsa fear mór leathan ag dul isteach dúinn.

'Sé pingne, ach bainfidh mé naoi bpingin dhíotsa – tá fear go leith ionatsa,' arsa Pádraig ó Maoldhónaigh agus é ina bháinín bhán ag tógáil an airgid dó.

Ní ligeadh na daoine deis ghrinn ar bith tharstu. 'Go gcuire Dia ábhar grinn agus gáire chugainn.' Ganntanas grinn agus gáire an ganntanas is mó atá inniu ann. An saghas grinn atá amuigh féin níl sé nádúrtha ná dúchasach.

B'fhearr leo freisin na scéalta beaga a raibh greann iontu: 'Chuile rud ach a bheith folamh – mar a dúirt an bhean a phós an táilliúirín.'

'Ní tú an díol truaí ach an té atá ag scaradh leat – mar a dúirt an leadaí leis an leaba.'

'Nach aoibhinn an rud í an ghlaine – mar a dúirt an bhean a chuimil ruball an mhada dhon trinsiúr.'

Is minic a chuala mé 'chomh crua le trinsiúr Simple.' Is cosúil go mbíodh trinsiúir á ndéanamh nó á ndíol ag Semple éigin i nGaillimh Bhíodh scéalta uafáis ann freisin ar na fir gan Bhéarla as Conamara thiar thuaidh a chrochadh istigh i nGaillimh in aimsir throid na talún Ba mhóide an t-uafás sin na fir a bheith neamhchiontach Níor chreid aon duine go raibh Maolmhuire Seoighe ciontach tar éis na cainte a rinne sé thuas ar an gcroch taobh amuigh den phríosún díreach roimh a bhás Bhí aithne agam ar dhaoine a chuala an chaint sin. Murach nuachtóir a raibh Gaeilge aige bhí sí caillte:

Cártaí, Scéalaíocht agus Ceol

'Níl mé ciontach. Ní raibh láimh ná cois agam sa marú. Ní feasach mé ní ar bith ina thimpeall. Go maithe Dia dhon mhuintir a mhionnaigh i m'aghaidh. Go bhfóire Dia ar mo bhean agus ar a cúigear dílleachta. Ach tá mo shagart liom. Táim chomh neamhchiontach leis an leanbh atá sa gcliabhán.' 'Agus a chulaith cheanneasna air thuas ar an gcroich!' a deireadh na mná go brónach, truamhéileach. Chualadar an scéal agus iad óg. Ghoill sé orthu mar bhíodh lámh acu féin sa cheanneasna.

Is beag duine as Conamara a chreid go raibh Pádraig Breathnach as Litir Fraig ciontach ach oiread. Ba bhrónach na scéalta a bhí ag daoine faoina mháthair agus í ag olagón agus ag tarraingt a cuid gruaige ar an mbóthair idir Maigh Cuilinn agus an Ros. An mhuintir a chuala í níor ligeadar as cuimhne riamh é. Nuair a crochadh an mac d'ionsaigh sí an leathchéad nó na trí scór míle bealaigh léi féin siar go bruach na farraige thiar.

Rinneadh bailéad faoi: 'And Pray for Pat Walsh's Soul.' Bhíodh scéalta faoin mbeirt a crochadh go ceann daichead bliain i ndiaidh a mbáis.

Ar chúl an Ardteampaill nua atá siad curtha. Tá crois ann. Chonaic mé an reiligín agus mé sa phríosún. Trí dhuine dhéag atá curtha inti. Bhí sí féin, agus an chroch agus an cillín an bháis lena hais, ar na rudaí nach ndéanfadh aon phríosúnach dearmad orthu.

Trí bhinn liathróide a bhí sa pharóiste agus a liacht binn tí agus sciobóil. Ar an sráidbhaile a bhí an ceann ba ghalánta. Aghaidh chaisleáin agus an bóthar mar urlár a bhí thall i dTulach Shiáin.

B'iomaí Domhnach sa samhradh a d'fhan mé féin agus gasúir eile go mbíodh sé ina oíche ag súil le cluiche agus gan aon mhaith dúinn ann cé go mbíodh an bualadh ar siúl ó aimsir an dara hAifreann.

Thagadh buachaillí trasna Loch Coirib as Eanach Cuain ann agus ghnóthaídís mórán i gcónaí. Ar maidin d'fhágaidís

49

Gan Baisteadh

amach cé Eanach Cuain, an áit ar fhág 'An dá fhear déag agus
ochtar mná' a ndearna Raifterí caoineadh orthu – gar don
áit ar cailleadh Breandán.
Dhá rud atá imithe nó geall leis an tambóirín agus an
fheadaíl. Bhíodh buachaillí óga ag feadaíl sna goirt, ar an
bportach, agus ag dul an bóthar dóibh. Bhí cuid acu go
fíormhaith agus moladh ar leith ag dul don fheadaíl dúbailte.
Ní raibh aon mheas ar an bhfeadaíl ghéar shearbh.
Shantaigh mé féin a bheith i mo cheoltóir mar bhí triúr
deartháir de mhuintir Mhaoláin le mo ais a bhí go cumasach.
Cheannaigh mé feadóg stáin i nGaillimh, ach dá mbeinn leis
ó shin ní éireodh liom.
'Éirigh as agus ná bí ag tarraingt bháistí,' nó 'Beidh tú ar
siúl nó go mbrise tú an aimsir orainn,' a deirtí liom. D'éirigh
mé as ar fad nuair a dúradh é sin liom. Níor mhór a leithéid
a bheith sa mhianach, sílim.
Bhíodh fear an tambóirín ag dul thart i gcónaí le fear na
feadóige agus é ag greadadh an tambóirín le cúl a mhéar agus
ag tabhairt corrshonc den uilinn dó. Níor chuala mé aon
ainm riamh air ach 'tambóirín.'
Craiceann gabhair, nó pocaide, nó culphoc a bhíodh ann.
Nuair a d'fheannfaí an t-ainmhí chuirtí aol ar an gcraiceann –
agus chrochtaí amuigh sa scioból é. Níor dheacair an fionn-
adh a bhaint de ansin tar éis scaithimh. B'ócáid ar leith í an
oíche a ndéantaí an tambóirín. Nuair a bhíodh na 'tincéirí'
agus na píosaí stáin agus gach uile rud a dhéanfadh clingeadh
agus gliogarnaíl air, bhí sé réidh le haghaidh an bhóthair.
Craiceann caorach a bhíodh sa bhodhrán tí agus sciobóil go
hiondúil. Fearacht an chléibh choll agus an chléibhín ime
agus na ciseoige (cliathóg) is fada imithe i mórán gach uile
áit é.
Ba mhinic a chuimhnigh mé ar ghnás amháin a bhíodh ann
mar níor chuala mé go raibh sé in aon pharóiste eile cé go
mb'fhéidir dó a bheith gar go maith dúinn.
Gach uile Dhomhnach agus lá saoire i gcuid de na tuath-
bhailte ab fhaide ón séipéal thagadh daoine nach raibh in ann
siúl chuig an Aifreann de bharr aois nó drochshláinte, thagadh

50

siad le chéile i dteach áirithe leis an bPaidrín Páirteach a rá ann aimsir an dara hAifreann. Bhí cuid acu ionann is a bheith cromtha síos go talamh, tuilleadh acu agus ar éigean siúl an bhealaigh iontu agus maide láimhe ag mórán gach uile dhuine acu. Is minic a d'fhanaidís ag paidreáil ann nó go bhfillfeadh muintir an Aifrinn.

Is cuimhneach liom fear a tháinig abhaile as Meiriceá, agus a d'fheiceadh ina óige iad, ina sheasamh os comhair tí amháin a mbíodh an paidrín ann, agus gan focal as.

'Mura ndeacaigh an mhuintir a théadh isteach ansin chuile Dhomhnach suas díreach gan aon anró go bhfóire Dia ar an gcuid eile againn,' ar seisean.

7

An Seansaol

AG camchuartú na hÉireann dom ba mhinic a chuimhnigh
mé ar chaint a dúirt Ciarraíoch liom: 'That (pionta) used
to be my drink, but if I drank it now I'd roar like a stuck pig.'
Bhíodh an goile ag cur air, rud nár thuig mise. Trócaire Dé
air.

Ag tionól de Mhuintir na Tíre thíos i Mainistir Ros Cré a
chuala mé go leasaítear muiceoil ar urlár tí – i gcúinne istigh
i scioból mar shampla. Cé go mba fhada imithe ón saol sin mé
chuir mé suim ann mar ba scéala nua dom é. Ach níl a fhios
agam a mbeadh aon mheas ag muintir mo cheantairse air.

Bairille adhmaid a bhíodh acusan. Corruair b'údar imní an
bairille céanna, mar ní gach uile bhairille a choinníonn an
phicil. Éalú na picile milleadh na muice. Is iomaí muc a
shailltí ina leithéid, agus dlí na hiasachta an tiarach a bheith
briste.

Ó tharla a lán den tír thart orainne ar chothroime an réil-
eáin bhíodh fhios againn mórán i gcónaí an áit a mbíodh muc
á marú i bhfogas leathmhíle dhúinn, mar thagadh an tsianaíl
chugainn i mbarr na gaoithe. Níor chuala mé sianaíl mhuice
ó tháinig mé abhaile sa bhliain 1948. Ba cheird í a raibh
seaneolas agus stuaim ag baint léi agus ba mhór an trua í a
chailleadh. Chaillfí taobh istigh de líne amháin í. Leisce,
easpa tís, fairsinge airgid agus an siopa taistil is cúis le cuid
mhaith de. Ba shaoire go mór an bagún baile ná cuid an
tsiopa, agus ba bhlasta. Tá muca á marú do dhaoine le tamall
istigh sa seamlas i nGaillimh mar is é is lú trioblóid.

Ba lá mór é lá na muice go hiondúil. Níorbh annamh dhá

52

chéad go leith sa muc. Sínte thuas ar stól mór a bhíodh sí agus greim daingean ag beirt fhear uirthi. Bhíodh a cloigeann amach thar cheann an stóil le go dtitfeadh an fhuil anuas i soitheach agus an chéad sá faighte aici. 'Fainic an cic!' a déarfaí le bean an tsoithigh, agus í ag corraí na fola le maide beag ar fhaitíos go ndéanfadh sí cnapanna. Thabharfadh gach uile mhuc cic uaithi dá ligfí dhi. Scrios dáiríre an fhuil a chailleadh. Uisce scallta agus sceana géara chun bearrtha ansin agus an mhuc sínte thuas ar bhord taobh amuigh. Chrochtaí de bhun rachta istigh i scioból ansin í agus bhaintí aisti. Chuirtí dhá scolb trasna taobh istigh inti lena coinneáil oscailte go mbainfí an bhlonag agus eile aisti.

Níor ghnás na putóga a líonadh nó go mbíodh lá agus oíche caite i sruthán an tobair acu. Bhíodh ainm ag na mná ar gach uile phutóg acu sin: an mhéadal mhór, an giolla duilleach agus mar sin de. Feamainn an-óg ar charraig a mheabhródh craiceann an ghiolla dhuilligh duit ach amháin nach ionann dath dóibh. Is cosúil gur ón duille a fuair sí a hainm.

An té a bhlaisfeadh putóg acu sin ní shalódh sé a bhéal le putóg an tsiopa. Putóg gan gheir nó onóir gan deis, dhá rud gan mhaith, a deirtear. Chuala mé 'putóg gan gheir' ar fhear amháin – gláiféisc gan cur leis. Agus 'onóir gan deis' ar fhear eile, sé sin, leithead na loime, nó an uaisleacht bhréige.

Roinntí gach uile rud. Dhéanadh na comharsana amhlaidh ach go maraídís féin muc. Tar éis cúpla lá ghearrtaí suas an mhuc agus chuirtí neart salainn ghairbh uirthi. Chrochtaí na píosaí os cionn na tine lena gcruachan agus a mbuíochan agus cúig nó sé de sheachtainí caite sa bhairille acu. Ní feasach mé cad chuige nár ghnás muc a mharú idir Lá Bealtaine agus Deireadh Fómhair murarbh é nach furasta feoil a leasú sa samhradh.

Thuas ar chliabh, béal faoi, a mharaítí an chaora le go dtitfeadh an fhuil anuas i soitheach. Ní chuireadh sise sian ar bith aisti. Níor de chaorigh móra na Gaillimhe í ná de chaoiríní Chonamara, ach ceann idir eatarthu. 'Do Mhártan' agus

53

Gan Baisteadh

faoi Nollaig a mharaítí a leithéid go hiondúil. Ní fada a sheasfadh ceann acu san áit a mbeadh muirín mhór agus an roinnt déanta.

Bhíodh na hispíní thar a bheith blasta. Geir, fuil, min choirce, leamhnacht agus eile a chuirtí iontu. 'An dris' a thugadh na mná ar phutóg nó stéig amháin. Deirtear gurb ionann fad di agus do dhris na coille agus gurb iad an dá fhás bliana is faide amuigh iad.

Fearacht mórán gach uile rud atá óg ba bhéile fíorbhlasta eireabaill na n-uan faoi Bhealtaine. Dhóití an olann den eireaball le hais na tine. Le scian a ghearrfadh an t-aineolaí an t-eireaball den uan. É a chasadh de lena láimh a dhéanfadh an t-eolaí mar is lú fuil a chaillfeadh an t-uan. Corruair ba shiocair bháis an cur fola céanna nuair a thitfeadh an t-uan as a sheasamh. Ní bheadh le déanamh ansin ach an fhuil a tharraingt. Deirtear gur cnap olla nó féar garbh istigh san uan is ábhar dó. B'fhéidir go bhfuil míniú eile air freisin.

Bhíodh na scadáin úra an-fhairsing i nGaillimh fadó. D'fheicinn mná na Gaillimhe ag siúl thart, ciseog scadán thuas ar an gcloigeann acu agus iad ag glaoch go hacmhainneach: 'Scadáin úra! Fresh herrins! Scadáin úra! Fresh herrins!' Bíodh neart éisc de gach uile chineál sa bhaile mór. B'fhairsinge arís roimhe sin iad, a déarfainn, de réir na leasainmneacha: 'Leiceann bréam ' 'Clab troisc ' 'Clab colmóra.' Chuala mé bean éisc ag tabhairt 'Scadán sceite' ar bhean snoite tarraingthe.

Le linn an tséasúir thagadh traein fhada lán d'iasc aniar as an gClochán cúpla uair sa tseachtain. Ag dul thar an staisiún di bhíodh boladh láidir an éisc aisti. Thugadh an t-iasc úd saothrú d'iascairí agus do chailíní taobh thiar den Chlochán á ghlanadh agus dá chur i mbairillí lena sheoladh thar lear. Cén t-ionadh go ndeir an mhuintir a chonaic an saol úd: Cár imigh an t-iasc?

Muintir na háite iad féin a leasaíodh na scadáin úra a cheannaítí istigh i nGaillimh. Súile cait a mheabhródh an solas a bhí orthu sa dorchadas duit. Chrochtaí suas ar ghadraí istigh sa chistin iad le haghaidh an gheimhridh. Ní thaitnídís leis an aos óg mar ba mhinic an-ghoirt iad. Is beag nach dtráfá an chuinneog agus an tobar i ndiaidh ceann acu.

Ní thuigeadh na daoine an fáth a dtéidís chun tuirse de na scadáin úra chomh héasca sin agus a gcuiridís ceas orthu dá mhéad a ndúil agus a nuacht iontu. Níorbh fheasach iad neart agus brí an scadáin. Ní bhíodh caint ar bith ar an bpanna, ach an róistín ar an ngríosach agus lasair as mar a bheadh as cnap geire.

'Ag iascach,' a deir muintir an tsléibhe, 'ag iascaireacht,' muintir an talaimh mhéith. Ba údar iontais dom gur fhéad an talmhaí am a chaitheamh le hiascaireacht mar is beag innealra a bhíodh ag imeacht, agus bhíodh sclábhaíocht agus moill ag baint le mórán gach uile rud. Bhíodh ar na hiascairí b'fhéidir míle nó tuilleadh a shiúl chuig an loch. Agus dhéanadh a lán acu é ó lá Bealtaine amach go deireadh Lúnasa – go moch agus arís tráthnóna. Slat bhaile, fuinseog, learóg nó giúis, a bhíodh ag gach uile fhear. Ní bhíodh aon chaint ar shlata galánta an tsiopa. Liús, an bréam buí, an bréam dorcha, róistí buí, cúil bhána, péirsí agus eascanna a mharaídís.

Cis aitinne agus scraitheanna uirthi amach tríd an ngiolcach go bruach an locha céad obair an iascaire. Théadh beirt nó triúr i gcomhar mar níl fhios doimhne na lochanna uilig. Bruach síos díreach atá i mórán gach uile áit. Ní bréag 'Loch Domhain' a thabhairt ar cheann acu cé nach doimhne é ná an chuid eile. Gar don inbhear, nó do bhéal na canáile, a bhíodh an chis go hiondúil.

'Buirlíní,' péisteanna crua ceanndubha a bhíodh mar bhaoití. Ba ghnás an poll ar aghaidh na cise a 'bheathú' i dtosach le fataí bruite nó min bhuí bhruite, agus corruair arís i gcaitheamh an tséasúir.

Bhíodh leithscéalta ag na hiascairí drochlá éisc: go raibh báisteach air; go raibh an lá rógheal, nó go raibh liús sa pholl. Bíonn faitíos ar na héisc eile breith ar bhaoite agus liús ina n-aice. Is minic a scuabann sé iasc den duán gar don bhruach

55

féin. Corruair ceaptar iasc agus lorg na bhfiacla ann.
'Cuirfidh mé geall go bhfuil craosaire ansin,' a deireadh
Séamas ó Nuain, scaniascaire, lá a mbeadh na héisc ag léim,
agus gan aon mharú orthu. Agus ní bréag craosaire a thabh-
airt ar an iasc a alpann a chineál féin. Is minic a chonaic mé
liús óg nach mbeadh ach leathshlogtha ag an gceann mór.
Bhíodh an dara slat ag Séamas agus frog nó róiste beag
mar bhaoite aige ar an 'tseamróg' – trí dhuán greamaithe dá
chéile. Chaitheadh sé mionseile nó seile bhréige ar an duán 'le
haghaidh an áidh.' 'Fuil agus iasc ort' a deireadh sé agus é á
chaitheamh amach. Ar éigean thíos faoin uisce é nó go
mbeadh greim ag an gcraosaire air.
'Scaoil leis i gcónaí nó go mbeidh sé sáraithe,' a deireadh sé.
'Má shíleann tú é a tharraingt isteach rósciobtha déanfaidh sé
caithréabacha de chuile rud.'
Agus é caite thuas ar an talamh tirm thosaíodh an marú ar
na cineálacha eile. Is minic a chonaic mé cloch nó tuilleadh
de bhréamanna ag teacht abhaile ar ghad roilleoige. Roinntí
iad ar na comhluadair nach raibh aon iascaire acu féin.
Bheadh fhios ag an eolaí cén saghas éisc a bheadh ag plé
leis an mbaoite, agus ní hé a bheannacht a thabharfadh sé do
phriocadh an róistín nó an phéirsín agus é ag súil le bréam.
Ag teacht na hoíche a thosaíos an eascann go hiondúil. Ní
deacair í a aithint mar is mall réidh a shlogann sí an baoite.
'Angle Worm' a thugadh Thoreau ar an gcineál baoite a
bhíodh aige féin ar Walden Pond. Arbh as 'Angle worm' a
tháinig 'angailt' – péist mhór bhog atá fairsing in ithir na
hÉireann?

Deir correolaí nach ceart morán uibheacha a ithe – ceann nó
dhó sa tseachtain. Go bhfóire Dia orthu! D'fheicinnse fir a
bhíodh ag obair go crua a d'íosfadh ceithre cinn agus tuill-
eadh uaireanta de uibheacha lachan nó circe sa lá, go mór mór
san earrach, an tráth nach mbeadh aon chosamar eile ag
imeacht, agus ní cheapfainn gur thug na huibheacha úd
giorrachan saoil dóibh. D'ithidís ubh ghé nó ubh thurcaí lena

mbricfeasta uaireanta. Ní furasta ubh ghé a fháil ar na saolta seo mar éiríodh as na géanna. 'Milleann siad cimín na mbeithíoch,' a dúradh liom. Ach nach ndéanaidís é sin i gcónaí? 'Níor mhór léana agus uisce a bheith ag duine dóibh,' míniú eile. 'An iomarca ban i mbaile gan abhras agus an iomarca géabha i mbaile gan turlach.' Ní bheidh gá aon bhean cuartaí a 'chur thar an ngandal' feasta ná ar na scoláirí dul isteach thar an gclaí uaidh. Is gearr go mbeidh na lachain imithe freisin. 'Slogann siad an iomarca bia,' a dúradh liom.

Ní bhíodh aon fháil againn ar iasc na farraige ná ar fheoil bhúistéara níba ghaire ná Gaillimh, agus ní bhíodh aon chaint ar an siopa taistil. Is iomaí rud eile nach mbíodh mórán cainte orthu ach an oiread: trátaí agus bananaí cuir i gcás. Ní raibh a fhios ag a lán daoine a n-ainm.

Bhí a fhios acu nár mhór don ainmhí agus don bheithíoch an bheatha ghlas, ach ba chuma fúthu féin! Níor dheacair na cineálacha glasraí a chomhaireamh: meacain bhána agus dhearga, oinniúin, cabáiste agus rúbarb. Bhíodh biatas ag corrdhuine ach ní bhíodh mórán trácht ar phiseanna, pónairí de chineál ar bith, spionáiste, cóilis ná bachlóga cabáiste.

Is beag duine óg a shílfeadh inniu go n-ití a lán de bhagún Mheiriceá in Éirinn roimhe seo, go speisialta faoin tuath. 'Tiger' a thugadh na daoine air. Bhí cuid de sách oiltiúil.

D'itheadh daoine mairteoil a thagadh as Meiriceá Theas agus í á díol i siopa i nGaillimh. Ní raibh aon ainm acu uirthi ach 'River Plate.' Is cosúil go mba shaoire ná mairteoil na hÉireann í, ach ní raibh an blas céanna uirthi.

Roimhe seo ba bheag bean a thagadh abhaile as Gaillimh gan duileasc thíos ina cléibhín ime nó ina ciseán aici. Tá a fhios ag muintir na farraige duileasc thar chreathnach, ach níl a fhios ag daoine intíre é. Bhaineadh daoine duileasc as feamainn agus shábhálaidís amuigh faoin ngrian é. D'fheicinn daoine á ithe mar anlann ar maidin agus tráthnóna.

Gan Baisteadh

Lá a tháinig mé go Gaillimh as Baile Átha Cliath chonaic mé carnán duilisc i bhfuinneog i sráid iargúlta, agus isteach liom. Bhí ríméad orm gur chreathnach í mar shíl mé go mbeadh dúil ag na lóistóirí eile inti. Ansin thairg bean an tsiopa dom muga de bhláthach úr agus barr buí de ghreamháin ime uirthi. 'Drink up that – 'tis the scavenger of the stomach,' a deir sí. Béarla fuinniúil na Gaillimhe.

Shílfeá ar na lóistóirí eile (buachaillí as lár na hÉireann) gur ag iarraidh orthu neantóga nó copóga sráide a ithe a bhí mé, agus go mba gheall le páiste ag ithe smeachóidí mé féin agus mé ag cogaint na creathnaí.

Bhíodh cruithneacht curtha ag gach uile thalmhaí agus cáca caiscín ann nó go dtagadh an chruithneacht nua isteach. D'fhágtaí an mála cruithneachta le hais na tine nó go mbíodh an gráinne ar chruas an ghairbhéil. Ní bhíodh an mhin a dhéanadh an muileann áitiúil di chomh mín le min na haimsire seo. B'ait leis an aos óg builín siopa nó an t-arán geal, corruair. Dá mbeadh fhios acu féin go mb'fhearr dóibh an caiscín ná é níor mhiste leo déarfainn. Bhídís tuirseach de. Bhíodh daoine nach iad tuirseach de freisin.

Arbh é an chéad Chogadh Mór agus ganntanas bia, nó slaghdán francach na bliana 1918, a chuir deireadh le troscadh mór an Charghais? Cé shílfeadh inniu go ndéanadh gasúir scoile troscadh, agus nach mbíodh aon bhainne ina gcuid tae acu? Ní thaitníodh an tae céanna le daoine mar chuireadh sé dó croí agus daigh ghoile orthu. Ní bhíodh bainne de chineál ar bith ann lá troscaidh. Brachán uisce a bhíodh ag na fir ar am dinnéir agus sú coirce a thugaidís leo ar an ngort mar dheoch – an rud a d'fhaigheadh capaill na Gaillimhe lá bainse. Shíleadh corrdhuine an tae dubh a dhathú leis freisin, ach ba bhocht é le hais na leamhnachta.

Níorbh fhearr cara ag muintir na tuaithe an uair úd ná an choill. Is aisti a bhainidís mórán gach uile rud ach amháin ábhar don chrann speile: feac na láí, cos oird, piocóide, tua, sluaiste, píce, loine, dhá mhaide an tsúiste, dingeacha, ábhar camán, agus mar sin de. Bhaintí ceithre feac láí as staic

bheag fuinseoige. Giúis phortaigh a bhíodh i sáfach an tsleáin.
De ghiúis nó learóg choille a dhéantaí dréimire an dín. Bhí
daoine deaslámhacha ann agus a lán de uirlisí an tsiúinéara
acu. Níl aon mheas inniu ach ar earraí an tsiopa.
Bhíodh na scuaba fraoigh ina dtionscal baile ag fear sa
pharóiste ba ghaire dhúinn. 'Séimín na Scuab' a bhí air.
Théadh sé féin agus an bhean isteach go Gaillimh á ndíol agus
miúil agus carr acu. Bhíodh an-téagar san ualach i gcosúlacht
agus gan ann ach toirt gan tairbhe – cúpla céad meáchain.
Níorbh annamh deireanach iad ag filleadh dhóibh. B'ait leo
teacht abhaile gan fhios do na comharsana oíche Shathairn,
ach ba mhinic an t-acastóir ag screadach cheal bealaidh agus
an bhean ag agairt go hacmhainneach ar Shéimín: 'Mún air!
Mún air!'

8

Na Stáisiúin

MURACH go bhfuair comrádaí óg dhom cuireadh óna
ghaolta ní ligfí go Baile na Coille ar na stáisiúin maidin
earraigh amháin mé. Níor ghnás é. Mura bhféadfá dul ar
faoistin agus na sagairt ar do bhaile féin rachfá ag an séipéal.
'Cé aige a mbeidh na sagairt?' agus ní 'Cé aige a mbeidh na
stáisiúin?' a deireadh na daoine.

Ní raibh mé ar an mbaile céanna riamh cheana, agus cé
nach raibh le dul againn ach thar choill mhór agus cúpla míle
bealaigh b'aisteach liom a raibh ann: na tithe féin, na stácaí
arbhair, na beithígh chiara in áit an eallaigh bhuí agus bhric
agus na cloigne bána.

'Fanaigí leis an mbricfeasta,' an chéad fhainic a cuireadh
orainn, ach choinneodh adhastar sneachta ann muid. Thug
an t-aistear agus an troscadh goile dhúinn agus gan muid ach
deich mbliain d'aois. Bhí súil againn nach dtabharfadh an
sagart paróiste faoi deara muid, ach bhí sé fánach againn.
Nuair a d'fhiafraigh sé dhíom féin cad chuige nach ndeach-
aigh mé ar faoistin i m'áit féin dúirt mé leis go raibh an bheirt
againn ar an aonach an lá céanna.

Ansin d'fhiafraigh sé dhíom an mé a fhreagair an cheist a
chuir sé ar na scoláirí ag an Teagasc Críostaí istigh sa séipéal
tamall roimhe sin.

An cheist, 'Cén Béarla atá ar luibh?' Shíl mé gach uile
nóiméad go bhfeicfinn na lámha á gcur suas mar bhí buachaillí
ann chomh meabhrach is a gheofá i do shiúl lae, agus ceathair
nó cúig de bhlianta ag cuid acu ormsa. Níor stró orthu an
cheist úd a fhreagairt – dá ligfeadh an náire agus an chuthail-

Na Stáisiúin

eacht dóibh. Ba bhuachaillí iad a thógfadh rud crua go maith
ach é a chloisteáil uair nó dhó agus a chuirfeadh cáil orthu
féin dá bhfaighidís deis ar bith.
Faoi dheireadh d'ardaigh mé mo dheasóg. 'An 'erb,' a
chuala mé i gcónaí. Ach nach 'a horse,' 'a home,' 'a house,'
'a hare,' a deirtear? Ní raibh 'an' roimh aon cheann acu, agus
ní fhéadfadh sé a bheith ceart, dar liom. Dá gcuirfeadh sé an
cheist go tobann orm i dtosach is cosúil gur 'an 'erb' a déar-
fainn. Bhí an tost ag goilliúint orm, ach bhí an sagart ag
fanacht agus ag fanacht agus an mothú geall le bheith imithe
as mo láimh ag an trálach, agus í ag titim anuas de réir a
chéile nuair a labhair sé.
'A herb!' arsa mise. Cheartaigh sé mé. Dá mbeadh breith
ar m'aiféala agam!
Lá úd na stáisiún rinne an sagart seanmóir ar thábhacht na
scaball agus ar an ól. Ba mhór anuas ar an ól é, cé go gclois-
inn go mbíodh togha braoin aige féin agus daoine aige ag cur
isteach féir nó ag tarraingt mhóna abhaile. Ansin thosaigh sé
ag comhaireamh an tréada, agus theastaigh uaidh paidrín
gach uile dhuine a fheiceáil.
Fear óg amháin a shíl a dhul ar faoistin ag an séiplíneach
níor éirigh leis. Duine breá feiliúnach a bhí ann, ach ní raibh
aon locht aige ar a phionta, agus b'ait leis ceol agus comh-
luadar, agus spórt a bhaint as an saol. Bhí a fhios aige go
mbíodh súil ag an sagart ina dhiaidh. D'inis sé dhúinn cuid
de na ceisteanna a cuireadh air agus é thíos ar a dhá ghlúin:
'Cá fhaid ó bhí tú ar faoistin cheana?'
'Leathbhliain.'
'Cén áit?'
'I nGaillimh.'
'An ag an sagart bodhar a ghabh tú?'
Shíl na cócairí go raibh leo nó gur dúradh nach n-íosfadh
an séiplíneach ach uibheacha donna, agus gan a leithéid
fágtha!
'Nach breá nár chuimhnigh duine éigin air?' arsa bean an
tí le m'ais ag an tine. 'Céard a dhéanfas muid chor ar bith?'
Ach bhí cailín stuama ann nach ndearna ach steall de tae

61

breá láidir, agus crúb tae leis, a chaitheamh anuas ar na huibheacha bána a bhí thíos sa soitheach ar an tine.

Na huibheacha donna ba mhilse dar ith sé riamh, a dúirt an séiplíneach!

Nuair a dhoirt gearrchaile uachtar na sagart de thimpiste thiar sa seomra amach léi ag caoineadh agus i bhfolach mar a dhéanfadh céirseach a scaoilfí as trapa agus an leathchois briste aici. Agus amach leis an mbean fhreastail gan fhios do mháthair an chailín agus jug aici.

'An t-uachtar?' a deir an sagart paróiste agus í ag teacht isteach doras an tseomra.

'Seo dhaoibh anois é idir uachtar agus íochtar!' a deir sí agus cosúlacht air nárbh fhada blite é.

Phléasc an séiplíneach amach ag gáirí.

Bhí sé de cháil uirthi gur bhean tréitheach tráthúil a bhí inti.

Ó fuair muid blas na háite is ann a bhíodh ár dtarraingt mórán gach uile oíche Dhomhnaigh sa gheimhreadh mar nárbh fhurasta é a bhualadh le greann, ball séire agus eile agus fáilte roimh chách i dteach na cuarta ann.

Agus an píopa caite ag fear an tí leagadh sé uaidh ar an tinteán é agus thosaíodh sé air:

'Éist liomsa anois a Thaidhg uí Dhuáin, chuala mise, a Thaidhg uí Dhuáin, nár chodail tusa le do bhean le cúig bliana déag, a Thaidhg uí Dhuáin. An bhfuil a fhios agat anois, a Thaidhg uí Dhuáin, gur dhrochshampla do mhuintir an pharóiste uilig é sin, a Thaidhg uí Dhuáin? D'ordaigh na sagairt agus na bráithre gan scaradh choíche le do bhean nó go scarfadh do bhean leat.'

Fear nár chaith lá ar scoil riamh is nach raibh léamh ná scríobh ná focal Béarla aige!

'Dún do bhéal, a chlab troisc!' a deireadh Mac uí Dhuáin.

Ar éigean a bhíodh an gáire thart nó go mbuailfeadh sé faoi chailíní an bhaile: 'Me marry af got nice lad! Me marry af got nice lad! Pósfaidh mé! Pósfaidh mé! Pós an ghealach! Diabhal cailín istigh ar an mbaile seo a phósfas nó go bpósfaidh an maide mullaigh nó an taobhán sin thuas os do

chionn. Diabhal céasadh ná pósadh a bheas ar an mbaile seo arís choíche.'
Ach fearacht an tsó, ní sheasann an sult agus an súgradh ach seal.
'Ba é an baile ba mhó spórt in Éirinn é ach sé an baile is uaigní in Éirinn inniu é,' arsa fear as an áit liom.
Ní hí an imirce is ciontach leis.
'Cé nach suífeá síos nóiméad?' arsa an tseanbean liom i dteach na mBlácach.
Sin é díreach an faitíos a bhí orm – an mhoill.
'Ní chuirtear tada abhaile as an teach seo,' a deir sí nuair a dúirt mé gur i gcoinne an deimhis a tháinig mé. 'Mór an náire an buachaill bocht a thabhairt aistear fada anróiteach.'
'Maise cé a shílfeadh go gcuimhneofaí ar bhearradh caorach san Aibreán?' a deir an mac.
Agus níor cuimhníodh. Le diogáil na molt faoi chomhair an aonaigh a theastaigh sé uainn – le cnapanna buinní an earraigh a bhíos ina meáchan ar chaoirigh agus a choinníos siar iad, a ghearradh. Chuala mé ainm galánta sibhialta ar a leithéid i gCúige Laighean – *daggings*. An bhfuil aon ghaol ag diogáil le *dagging*? 'Giogáil' a thug Tomás ó Máille in áit éigin air. Diogáil a chuala mise air. Déantar prímhéad agus a leithéid a dhiogáil le dimheas freisin.
'Barr nuachta ar bith agat – bás na caillí nó pósadh na mná óige?' a deir an ógbhean.
'Nach fada a lig sé é?' a deir sí nuair a dúirt mé go raibh faoi Thadhg Shéamais corraí tar éis an Charghais, agus é tonnaosta go maith.
'Maise shílfeá go mbeadh ciall aige,' a deir an mac.
'Agus tuige nach gcuirfeadh an fear bocht críoch air féin? Ar ndóigh, ní coillte atá sé ach oiread le fear ar bith eile?' a deir a mháthair.
Dhearc an bhean óg síos ar an urlár, agus a fear suas ar an gcaolach, mar a bheadh aiféala orthu gur bhacadar le Tadhg Shéamais.
B'iontach an bhean í an mháthair. Fearacht a lán de mhná pósta na haimsire úd chaitheadh sí fallaing dhubh chorráin.

Na Stáisiúin

B'ionann í agus an fhallaing a chonaic mé ar na mná i gCor-
caigh Thiar ach amháin nach mbíodh aon chochall uirthi.
D'fhaigheadh mórán gach uile chailín ceann acu ag dul ag
pósadh di. Níor ghnás an dara ceann a fháil. Ní chaitheadh
aon cailín scaoilte a leithéid. Ba cheird ar leith ceann acu a
dhéanamh. D'fheicinn suaitheantas os cionn dorais istigh i
nGaillimh: *Mary Murray, mantle maker.* Is fada bainte
anuas é, a déarfainn. Bhí sé ann agus saol na bhfallaingeacha
thart. Chuir an chéad Chogadh Mór deireadh lena leithéid.

Bhí cuid de chlann Bhean an Bhlácaigh go deisiúil thall i
mBoston agus anonn léi le cúpla mí a chaitheamh ann agus an
fhallaing uirthi.

'Dá mba mhaighdean mhara í ní bheadh sí ina húdar
iontais leath chomh mór sin,' arsa mac léi liom blianta ina
dhiaidh sin. 'D'impigh muid uirthi an fhallaing a bhaint
anuas, go raibh chuile dhuine ag breathnú uirthi agus go
maródh an teas í, ach ní raibh aon mhaith ann.

'Sí a bhí uirthi an oíche a dtug mé chuig a céad seó riamh í.
Bhí fear as do pharóiste agus fear eile as Cois Fharraige lenár
n-ais agus é ag cimt orthu an gáire a bhrú fúthu – na rudaí a
bhí sí a rá. B'éigean dóibh imeacht amach nuair a dúirt sí
"Shílfeá go gcuirfeadh sí ciomach éigin ar a brollach féin!"
Cailín ar bheagán éadaigh ar an ardán.'

Ba lách í. Bhí an-imní uirthi fúmsa an tráthnóna úd.

'Go dtuga Mac Dé agus a Mháthair Bheannaithe abhaile
slán thú, a stór,' a deir sí agus í tar éis an t-uisce coisreacan a
chur orm faoi dhó. 'Agus fainic thú féin ar an traein agus ar
an loch, in ainm Dé.'

Tá trí shaghas daoine bochta ann, a deirtear: an té atá bocht
ar thoil Dé: an té atá bocht ar a thoil féin, agus an té a bheadh
bocht dá mba leis an saol – an cnuastóir. Ba den dara haicme
Bríd Antaine. Chuala mé go raibh sé sa mhianach aici. Loic
uncail di agus é ag dul ar bord loinge thíos ar ché na Gaill-
imhe, agus rinne buachaill báire as an áit amhrán air.

Tomás ó Máille]

Gan Baisteadh

Dhá bhfeicfeá Maitias Shéamais,
Is é gléasta ag dul go Meiriceá,
Dheamhan ainnir álainn phéacach
Nach dtabharfadh spré is gean dó;
Sheas sé ar bharr na céibhe
Is d'fhéach sé ar an bpoll duibheagáin,
Thit sé siar ina spéice,
Is rinneadh féasta de na huibheacha!
(Féach 'Giolla an Amaráin')

'Cén chaoi a dtaitníonn mo fhallaing nua leat, a athair?'
a deir sí leis an Athair ó Corraín, an Sagart Paróiste, ar an
mbóthar lá.

'Á maise, a shuaróg!' a deir sé agus d'fháisc a bhéal go
dlúth.

Luach bó a thug sé di cheannaigh sí an dara fallaing leis
agus í ina baintreach agus an chlann tógtha aici. I gcruthúnas
go raibh stíl ann roimhe seo.

An chéad Chogadh Mór a thug blas de shó an tsaoil seo di,
agus í ag fáil airgid as mac amháin san arm Gallda agus as
mac eile in arm Mheiriceá. Casadh liom an buachaill posta
agus é tar éis dá sheic a thabhairt di. Bhí straois gháire siar
go cluasa air agus é ar dheirge chírín an choiligh.

'Well, a Thaidhg, nach glórmhar an cogadh é!' a deir sí leis
agus na mílte dá marú gach uile lá. 'Ní ag comhaireamh na
hanachana d'aon duine é − ná raibh deireadh choíche leis!
Tabhair gloine fuisce do Thadhg, a Mhaitís,' a deir sí leis an
mac.

Fuisce a thugadh sí ar an bpoitín, agus b'annamh folamh í.
'Céard atá air, a Thaidhg?' nuair nach raibh sé á ól.

'Blas uisce atá air,' arsa Tadhg, buachaill a bhí in ann
imeacht.

'Ó a Mhaitís, sin é uisce coisreacan na Cincíse a thug tú dó!'
Tarlaíonn a leithéid corruair. Thug fear nár ól deoir riamh
dom féin i dteach coirp i lár an lae é.

9
Spailpíní

AG spailpíní Chonamara, a thógadh corrthalmhaí ar lag-chúnamh, i ndeireadh fómhair, a chuala mé, 'a'am' 'a'ad' agus eile, an chéad lá riamh. Deirtear nach gcloistear a leithéid mórán idir Gaillimh agus an Spidéal. Bhí sloinnte ar na spailpíní nach bhfuil in Iarchonnacht. Timpeall is coicís nó trí sheachtain a d'fhanaidís, nó go mbíodh créafóg ar na fataí agus ar na maingilí. Théidís thart chuig na tithe san oíche ag imirt chártaí.

I spailpín an-óg a chuir an t-aos óg suim bliain amháin. Ní raibh aon Bhéarla aige agus ní raibh d'ainm againn air ach Beartla. Théadh ceathrar againn ag éisteacht lena chuid scéalta agus gan iontu ach áibhéil, rud nach raibh a fhios againne.

Scéal amháin a thaitin thar cionn linn, an chaoi a mbíodh muintir Chois Fharraige ag breathnú de shiúl oíche ar na báid mhóra ar a mbealach go Meiriceá, agus iad ag éisteacht leis an gceol agus leis an ngabháil fhoinn ar bhord loinge! Bhí draíocht ann domsa, agus mheabhraigh sé dom an tSíbhruíon a dhallfadh an duine saolta lena háilleacht agus a cuid soilse. Is cosúil gur chuala sé féin scéalta faoi na báid a bhíodh ag imeacht ó Ghaillimh go Meiriceá na blianta roimhe sin.

Bhí spailpíní de bhunadh an pharóiste ann freisin. Ba é Seáinín ó Donncha, as Léana an Bháire, i bParóiste Chill Aithnín, an duine ba shine orthu. Bhíodh slabhrín ar chlaibín an phíopa aige agus é ceangailte don smigín. Bhí sé ar bheagán Béarla.

Ag dul in aois dó phós sé cailín óg. Ní raibh aon chlann acu nó gur thosaigh sí féin ag dul thart ag obair 'Aimsir an Railway' agus a lán strainséirí sa cheantar. Nuair a bhí an dara duine acu d'ionsaigh an sagart paróiste, an tAthair ó Cionnaith, í féin agus a máthair.

'Ar ndóigh, ní ag breathnú sa tóin ar Sheán ó Dhonncha a bheifeá ag iarraidh uirthi a bheith, a athair?' a deir an mháthair.

Bean an-diaganta a d'inis dúinn an scéal sin agus 'Ar Sheán ó Dhonncha' a dúirt sí. Nárbh iad mná na haimsire sin a ligeadh an scairt bhreá, chroíúil gháirí nuair a chloisfidís a leithéid de scéal!

Níorbh olc ón sagart é féin iarraidh a thabhairt uaidh ach oiread. 'Bheadh a fhios agat go raibh sé coimhthíoch Dé Domhnaigh agus an chaoi a raibh sé ag bualadh an chuntair!' arsa seanfhear le huncail dom.

D'fhaigheadh sé an tsiocair corruair, déarfainn.

'Is tuatach an rud atá tú ag dul a dhéanamh agus gan na sneácha caillte ina cuid gruaige fós,' a dúirt sé le fear a d'iarr litir air le haghaidh an dara pósadh, agus gan an bhean aon achar básaithe.

'Ceile Beag' a thugtaí ar Shéamas ó Ceallaigh, staicín anláidir a raibh lán leabhair de scéalta faoi. Ní raibh focal Béarla aige agus ba le heangaí i maide a chomhaireadh sé an t-airgead gaimbín a thugadh sé amach. Ní hé an galar craosach a bhí air ach bhíodh gearradh goinigh mórán i gcónaí air ba chuma céard a d'íosfadh sé. Bhí a fhios ag gach uile dhuine faoi mar ní bhíodh stopadh air ach é ag caint ar a ghoile.

'Tugadh dom béile fiúntach ann: trí chupán tae, pláta ime, dhá ubh lachan agus arán bog bodhraí,' — arán úr.

Níor mhiste leis díchúis a dhéanamh don té a choinneodh tada uaidh. Lá te samhraidh, agus é ar mheitheal, chuir boige an ime an-ríméad air mar nach bhféadfaí é a dhíol, dar leis.

'Tá an t-im go breá bog inniu agus go gcoinní Dia mar sin é. Dá mbeadh sé crua is thiar ar an bhFaiche Bhig a bheadh sé,' — an margadh beag a bhíos ag muintir Chois Fharraige. Tugtar an Chraein Bheag air freisin. An Fhaiche Mhór, sin Eyre Square.

Spailpíní

Corruair bhuaileadh fíbín é agus d'fhágadh sé an láí ansin, agus théadh sé isteach go Gaillimh ar charr na litreacha, agus d'fhanadh sé ag ól istigh tigh 'Scuab Leat' go tráth an mheán oíche. Shiúladh sé abhaile sé nó seacht de mhílte agus dhéanadh sé lá maith oibre ina dhiaidh.

Bhí an tubaiste ar fhir óga na háite le gach uile dhiabhlaíocht agus ballséire, agus ní thagadh Ceile Beag saor uathu. Domhnach breá samhraidh, agus mé sé nó seacht de bhlianta, bhí leathscór acu ar an gcrosbhóthar agus gan focal astu (rud ab annamh leo) ar fheiceáil dóibh Ceile chucu. Shín Joe Shéimín chuige muga mór bainne. Ní dhearna an spailpín ach é a chaitheamh siar. Nuair a thosaigh an gáire bhí a fhios ag Ceile gur imríodh air. Bhíodar tar éis Bess chlann Dhonncha a bhleán mar bhí a fhios acu nach mbeadh aon diúltú aige roimh thada. Ní dhearna bia coimpléascach an tsearraigh blas dochair dó.

'Joe breá! Joe breá!' arsa Ceile.

Lá earraigh chuir fear a raibh aithne mhaith agam air roimhe ceas a chur ar Cheile.

Thug sé dó agus d'fhear eile, leis an dinnéar, forcún muiceola agus builín úr agus tae ina dhiaidh. B'éigean dó bearna a leagan lena ligean isteach sa ghort!

'Rópaí go beo, a Sheáin, nó tá Séamas bocht pléasctha!' arsa Ceile, agus é caite ar an bhféar.

Tá an scéilín úd faoi Cheile ag baint gáire amach tar éis trí scór bliain.

'Bhí mé ag breathnú sa tóin ar a raibh ann acu ó mhaidin,' a dúirt sé tráthnóna amháin: bhí sé amuigh chun tosaigh sa mheitheal a bhí ag baint fhataí.

Cé a shílfeadh go mbeadh spailpíní in éad le chéile? Domhnach amháin, agus an tAifreann díreach ar siúl, síos le Seáinín an séipéal agus péire bróga nua air a raibh brat tairní agus cruite orthu. 'Maise go maire tú agus go gcaithe tú iad, agus fiche péire eile is fearr ná iad, a Sheáin, agus b'fhada a gcall ort!' arsa Ceile le Seáinín tar éis an Aifrinn.

An tráth úd d'éireodh duine faoi dhó san oíche ag féachaint ar phéire nua bróga!

Gan Baisteadh

Ba dhuine eile ar fad é Micil mac Confhaola – 'Micil Fiáin.'
Is beag a d'íosfadh sé ach bhí dúil chaillte sa tae milis aige.
Bhí gabháltas beag talún aige agus é pósta agus clann aige.
B'ait leis corrlá fliuch agus imeacht abhaile go breá luath le
faitíos roimh na sióga!
'Tá drad báistí ansin thiar air,' a deireadh sé, agus é ag
grinniú na spéire.
'Cé do mheas ar an lá, a Mhicil?'
'Níl cosúlacht an-dúshlánach air. Ní rachainn i mbannaí
air.'
'An-triomach, a Mhicil.'
'Triomach báistí,' a deireadh Micil.
Thart ar an mbliain 1930 a cailleadh é. Déarfainn go raibh
sé ar chuid de na Gaeilgeoirí gan Béarla ba dheireanaí a bhí
san áit.
Cé go ndéanadh Pat Ferris saothar an spailpín corruair ba
cheannaí mála é. 'Ceannaí' a chloisinn i gcónaí ar a leithéid.
Ní sloinne Gaillimheach é Ferris. Ní mórán meas a bhíodh
air ach le linn géarchruóige. Ba bheag í acmhainn a bhogbhos
ar an láí agus ar an bpíce agus níorbh annamh ag éagaoin
bolscóideacha é. Ba staic teann téagrach é agus croiméal
dubh scuabach air. Bhí Gaeilge mhaith aige. D'fheicinn é ag
tarraingt ghuaille capall agus carr isteach i dTeach na mBocht-
án i nGaillimh.
'Ní fhaca muid leis na cianta thú,' arsa gaol dom leis uair
amháin.
'Bhí mé tamall sa bpríosún.'
'Agus céard a rinne tú as bealach?'
'Bhuail mé an bhean.'
'Agus 'tuige ar rinne tú a leithéide sin?'
'Bhuail sise mo mháthair. Is furasta bean a fháil ach ní
féidir máthair a fháil.'
Thagadh 'Grainger,' railliúnach meánaosta chugainn corr-
uair, ceannaí bóthair a raibh a mhaith caite.
'Ag ciapáil leis an saol agus an saol ag gabháil dá mhaidí
croise orm,' a deireadh sé dá bhfiafraítí de cé mar a bhí sé.
'An forcún gabáiste a chuir mé isteach thoir tigh na

70

gCathasach tá sé istigh i mo ghoile mar a bheadh cleiteacha
in aghaidh a chéile thíos i mála ceannaí!' a deir sé lá ar dúradh
leis greim dinnéir a ithe.

10

Éanacha Fiáine

FEICTEAR dom gur bheag rud a chuaigh chun gainne le daichead bliain anuas mar na héanacha fiáine ach amháin an colm – namhaid an talmhaí agus an gharraíodóra. An phatraisc is túisce a d'imigh. Measadh gurbh é an spré ba ábhar leis, go raibh nimh ann agus go mbíodh na héanacha úd ag piocadh sna háiteanna a dtitfeadh sé. Cé nár chuala mé aon cheann acu le daichead bliain d'aithneoinn a nglór gan stró, mar is glór ar leith é. Is iomaí tráthnóna earraigh a d'éist mé le péire acu ag freagairt a chéile. Scanródh scata acu duine nuair a d'éireoidís go tobann lena ais.

Ní móide go ndéanfadh nimh an talmhaí aon dochar do na crotaigh ná do na creabhair, ná do na pilibíní, ná do na feadóga mar ní théann siad in aice aon chuir, agus is mór gaibhte chun gainne iad. Ba mhinic a chonaic mé glas agus gorm an ghoirt d'philibíní laethanta geimhridh, ach is gearr go mbeidh an leagan cainte 'Tionlachan an philibín óna nead' dearmadta. Déarfainn go bhfuil míniú éigin eile leis seachas an nimh. Níl éan amuigh a thaithíos an cur mar cholm na coille agus níl sé ag déanamh thada air de réir cosúlachta mar is ag dul chun fairsinge atá sé gach uile bhliain.

Is fada ó chéile a chloistear fead an chrotaigh de shiúl oíche. Roimhe seo is beag nach scuabfadh na creabhair an hata díot le contráth na hoíche ó lár Deireadh Fómhair go lá Márta agus iad ag teacht amach as na coillte. Malairt scéil atá ann le tamall anuas.

I lár an chéad Chogaidh Mhóir chuir comharsa dúinn milleán ar a bhean faoina bheith ag ligean na héanacha tí isteach

in arbhar lucht conacra. Bhí sí neamhchiontach, ar ndóigh.
'Táimid náirithe go deo,' ar seisean.

Ní chuirfeadh éanacha na seacht mbaile an drochbhail ar
an arbhar úd a bhí curtha ag na lachain fhiáine air. D'fheic
inn iad ag teacht ina gcéadta, nó b'fhéidir ina mílte, anoir as
Loch Coirib tráthnóna agus ag imeacht ar maidin. Ba gheall
le néal thuas sa spéir iad.

Níorbh fhurasta a theacht ina ngaobhar mar bhídís an-ard
go hiondúil agus ba i lár an ghoirt, b'fhéidir céad slat ón
bhfál, ba ghnás leo ísliú. Ina theannta sin ba dhúiche nua-
roinnte í agus bhí na páirceanna an-mhór. Tráthnóna amháin
luíodar ar phunann a bhí faoi chloigeann an chapaill amuigh
sa ghort agus an t-arbhar á chruinniú. Chuir mé an gunna
amach trí pholl an chlaí agus mharaigh mé dhá bhardal agus
ceithre lacha. Is beag nach ndéanfadh dall é. Ní dhearna mé
a leithéid faoi dhó.

An tráth úd thagaidís i bhfad roimh luí gréine le teann
teanntáis. Le blianta anuas bíonn sé ina oíche agus is beag
acu a thagas. Níl siad ann, a déarfainn. Chloisfeá ceol na
sciathán, ach sin é an méid. Mharaigh mé gach uile chineál
éin, sílim, ach amháin an chearc fhraoigh. Ní fhaca mé ceann
acu ina beo riamh. Ar na sléibhte a bhíos siad – má bhíonn?

Roimhe seo mharaítí corr-fiachat a théadh i dtrapa. Dá
bhrí sin, tá an mianach an-ghann, agus sé an trua é. Níor
thuig na daoine an scéal. Bhíodh droch-cháil ar an gcat úd
nár thuill sé. Nuair a mharaíodh an sionnach, nó mada, uan
san earrach sé an cat fiáin a bhíodh thíos leis go mir ic. Rud
eile dhe, ní furasta ceann acu a scaoileadh saor. Tá siad fíoch-
mhar agus fiacla agus ingne géara acu. Tá ceann acu i riocht
drochbhail a chur ar mhada agus ar dhá mhada uaireanta.
Tar éis drochoíche ní bheadh a fhios agat céard a bheadh agat,
dath nó eile, leis an tarraingt agus leis an oibriú a bheadh
déanta aige.

Uaireanta ní fhágann an mada uisce agus an easóg agat ach
an chrúb. Meastar go ngearrann siad na féitheacha leis na
fiacla fada géara. Is cosúil gur roighne féitheacha an chait
fhiáin. Éanacha a bhíos uathu nuair a théas siad i ngéibh-

73

eann.

Dlí cam a ligeas do mhuintir an bhaile mhóir broic a mharú amuigh faoin tuath le nimh. Dóibh féin ba chóir an nimh a thabhairt. Ceann de chairde an talmhaí é an broc, agus is beag a itheas sé ach na feithidí a dhéanann dochar do bharra agus eile. É a chaomhnú ba chóir a dhéanamh. Ní bhacann muintir na tuaithe leis mar is feasach iad nach bhfuil aon dochar ann. Deargnamhaid dóibh é an sionnach.

Nuair a fhaightear cloigne agus crúba uan thiar i mbrocach an bhroic corruair meastar gurb é an broc a mharaíos na huain. Fianaise láidir a leithéid. Ach sé an sionnach a thugas siar sa choinicéar iad. Imíonn an broc as ansin mar níl seasamh boladh gránna an tsionnaigh ann ná na bealaí salacha atá leis.

II
Taibhsi

CÉ GUR mhinic amuigh san oíche mé in áiteanna a raibh cáil na dtaibhsí orthu, agus in áiteanna a bhfuair daoine anbhás, agus a ndearnadh marú agus dúnmharú, ní fhaca mé riamh tada níb'urchóidí ná an fóidín mearbhaill. É sin féin ní fhaca mé leis na blianta, cé gur chuala mé go bhfeictear corruair é.

Roimhe seo thagadh duine óg isteach san oíche agus cuma scanraithe air: 'Chonaic mé Jack thiar ag an loch.' *Jack o' the Lanthern* a thugadh mórán chuile dhuine air.

Níl a fhios agam a bhfuil an míniú ceart ag lucht eolais ar Jack: gur ábhar éigin i dtalamh portaigh nó corraigh a dhéanann an solas. Ceart go leor, is ina leithéid d'áit is mó a fheictear é.

Ag dul ar aonach le doscán daoine dhom agus mé in mo ghasúr, chonaic muid an solas achar uainn amuigh ar an mbóthar, nó ar leataobh an bhóthair.

'Tá na Búrcaigh ag dul ar an aonach,' arsa duine éigin.

'Agus is acu atá an lampa breá,' a deir duine eile.

Ach níor léir solas ar bith dhúinn os comhair theach na mBúrcach.

Nuair a dhearc mé isteach thar an gclaí chonaic mé an solas sa chíb mar a bheadh lampa socraithe ann, cúpla scór slat isteach ón mbóthar agus an t-achar céanna ón loch. Ach níorbh fhéidir é fheiceáil ón áit a bhfaca sinne i dtosach é mar bhí an easca an-íseal agus crí ar gach aon taobh den bhóthar ann.

'Céard é sin?' a deirinn féin faoin scréachaíl sna coillte. Ach

75

níor tugadh aon aird orm. Ní móide go raibh a fhios acu é. Measaim gurbh iad na scréachóga a bhí ar siúl cé nár chuimhnigh mé ar thada ach ar an mbean sí. Ach mura bhfaca mé tada níl a fhios agam nár chualas rud éigin. Daoine a chuir suim i sála arda, dúradar liom go dtéadh bean, nó cailín, thart gach uile oíche léi féin ar an aon a chlog. Bhíodh faitíos orthu, ach ba ghaire mise don bhóthar ná iad – tuairim agus fiche slat uaidh.

Ní mórán aird a thug mé orthu go dtí oíche shamhraidh ar chuala mé an choiscéim ag teacht anuas le fána. Dhearc mé ar an uaireadóir: a haon a chlog go díreach. Murach an mhuintir eile ní móide go dtabharfainn aon suntas go deo di.

B'iomaí oíche ina dhiaidh sin a chuala mé í; an t-am céanna, an siúl céanna fúithi; na sála arda, í léi féin agus anuas le fána i gcónaí. Níor chuala mé ag dul ar ais riamh í, agus níor fhan mé i mo dhúiseacht aon oíche in aon turas, cé gur mhinic a dhúisigh mé scaithín sul dá dtéadh sí thart.

Níorbh fhearr aon chlog in Éirinn ná í. Oíche a raibh m'uaireadóir ina staic cheal casaidh chuir mé ar siúl léi é – a haon a chlog! Bhí sé chomh ceart ar maidin is nár bhreathnaigh mé air aon oíche as sin amach!

Ba chuma faoin aimsir. Chuala mé í oícheanta nach gcuirfeá mada amach. Oíche fhómhair, agus é ag caitheamh ceathanna troma toirní nach ligfeadh dom codladh chuala mé díreach roimh chith millteach í agus gan deifir ar bith uirthi. Tar éis tamaill ní thugadh muid uirthi ach Cailín na Reilige.

Fear amháin a bhí ina chónaí ar an taobh eile den reilig dúirt sé liom nach gcloiseadh sé í. Fear eile ab fhaide ón reilig ná mé féin níor chuala sé riamh í. Ach níor fhéad duine ar bith cuimhneamh ar aon bhean a bheadh amuigh léi féin an tráth sin chuile oíche – samhradh nó geimhreadh.

Bhí fúm iarraidh ar fhear amháin a ghluaisteán a thabhairt leis go háit áirithe. Shuífeadh an bheirt againn istigh ann agus lasfadh seisean na lampaí go tobann agus í inár ngaobhar, ach buaileadh suas an carr agus níor bhac mé leis.

Níl a fhios agam nár dhóbair dom casadh léi tamaillín sular tugadh aon suntas di. Bhí mé tar éis filleadh ó thórramh agus

geata na sráide dúnta agam nuair a d'airigh mé an ghruaig
ina seasamh orm mar cholg an mhada, gan fáth ar bith mar
níor chuala mé agus ní fhaca mé tada, agus ní raibh aon
fhaitíos orm. Sa deireadh ní bheadh aon iontas orm dá
n-imeodh an caipín glan de mo cheann! Is minic a cheap mé
go raibh sí gar go maith dom gan fhios dom an uair sin.
Nuair a bhí sáraithe orm an eochair a chur i nglas an dorais
chuala mé coiscéim mná dhá scór nó leathchéad slat uaim
síos an bóthar. I dtosach shíl mé gur dhuine éigin a bhí ag
teacht ón tórramh, ach is ag imeacht uaim a bhí sí. B'aist-
each liom é ach thairis sin níor chuir mé aon suim ann an
oíche úd.
Dá mbeinn leis an eochair ó shin ní éireodh liom, agus
isteach liom doras eile. Díreach tar éis a haon a chlog a bhí
sé. Bhuailfinn léi ar an mbóthar dá mbeinn leathnóiméad
níos deireanaí. Ní raibh aon bhaint aici leis an eochair.
Comhtharlú a bhí ann, ach é beagán aisteach cheap mé, gur
ar an oíche sin a thitfeadh a leithéid amach. Bhí biorán
dúinte beag, a bhí thíos i mo phóca agus dearmad déanta
agam air, i bhfostú i gceann na heochrach!
An mbíodh faitíos orm? An oiread is a bheadh orm i lár an
lae. Agus tuige a mbeadh ar aon nós? Ní raibh mé cinnte
amach is amach nár bhean shaolta í. Dá gcasfaí liom í, nó dá
mbeinn taobh amuigh ag dul thart di, bheadh faitíos orm,
déarfainn. An-chosaint balla tí, fál sceach agus scór slat de
shráid ag fear ar bhean ar bith!
Oíche shamhraidh nár tháinig mo néall orm go raibh sé ina
lá, de bharr codladh mór an lá roimhe sin i ndiaidh éirí-amach,
níor chuala mé í, ná ó shin. Ach níor fhéad mé cailín amháin
a dhearmad – cailín a bhíodh an-tabhartha do na bóithre agus
a fuair bás brónach i bhfad ó bhaile.
Más Aifreann a bhí uaithi b'olc a chruthaigh mé. Ach ní
raibh aon chruthúnas agam nár den saol seo í. Ní fhaca duine
ar bith í. Bhí daoine eile cinnte nár bhean shaolta í. Ní raibh
fuascailt an scéil ag aon duine.
Oíche Nollag amháin, agus an bóthar ina dhroim eascainne
in áiteanna, bhí chluaisín orm féachaint an sciorrfadh sí. Ag

Gan Baisteadh

filleadh abhaile dom d'imigh na cosa uaim féin go tobann agus tháinig mé anuas ar an reoleac. Sciorradh! Bhí baol uirthi! Síos le fána léi chomh réidh is dá mbeadh tairní seaca istigh aici.

Fear ar inis mé an scéal dó dúirt sé liom nach raibh sé ocht mbliana déag nuair a cuireadh chun an Stóir i Maigh Cuilinn é le capall agus carr, ceithre mhíle bealaigh, tráthnóna breá samhraidh. Cuireadh fainic air gan cónaí faoi bhealach ar fhaitíos go mbéarfadh an oíche air.

Ag filleadh dó tháinig faitíos gan ábhar air ag dul thar Bhearna na gCorp dó, tuairim is leathmhíle siar ó shráidbhaile Mhaigh Cuilinn ar bhóthar an Chlocháin. Is ansin a chasadh an sagart leis na sochraidí in aimsir na géarleanúna. Amach as an gcoill, an áit a mbíodh sé i bhfolach ar na Sasanaigh, a thagadh sé. Fós féin stopann chuile shochraid ann, leagtar an chónra ar leataobh an bhóthair agus deirtear cúpla paidir.

Siar uaidh beagán atá Sceach Sheáin uí Eidhin. 'Sceach' is minice a thugtar inniu air, agus is fada cáil na dtaibhsí amuigh air. Is fada tite an sceach ach maireann an t-ainm. Achar gearr siar ó Sceach atá Aill an Iolair. Bóthar fíoruaigneach é, ach b'uaigní roimhe seo é.

Ag dul siar thar Sceach do mo dhuine rinne an capall staic go tobann amuigh i gceartlár an bhóthair, agus as sin ní chorródh lasc ná láchín í. Bhiorraigh sí na cluasa, ansin mhaolaigh sí iad mar a bheadh sí ag tosú ag stealladh. Cé go raibh an choill thart air bhí solas réasúnta maith ann.

Céard d'fheicfeadh sé ar an mbóthar i bhfogas scór slat dó ach fear ard nach bhfaca sé ag teacht as áit ar bith. Bhí a fhios aige ansin go bhfaca an capall roimhe sin é. D'aithin sé an fear nuair a shiúil sé soir siar thar an gcarr cúpla babhta. D'fheiceadh sé ag obair achar ón áit sin é. D'aithin sé a chuid éadaigh freisin agus chonaic sé an píopa ina ghlac aige. Cailleadh tamall roimhe sin é.

Ní raibh torann dá laghad ann ach ceiliúr na n-éan, agus

b'aisteach leis an mbuachaill nach ina ghaobhar a bhí sé sin féin. Thabharfadh sé a lán carr nó duine, nó beithíoch féin, a fheiceáil. A dtéadh de ghluaisteáin an bóthar an tráth úd b'fhurasta a gcomhaireamh. Dóbair dó an mothú a chailleadh cúpla turas. Shíl sé go raibh sé réidh nuair a chruinnigh an ceo thart air, agus go gcaithfeadh sé an oíche a chaitheamh ansin. Ach nár imigh an capall uaithi féin go tobann! Is nuair a bhí an choill glanta aige a thug sé faoi deara an brat allais a bhí uirthi. Ní raibh a fhios aige cén t-achar a chaith sé ag Sceach.

Bhí a mhuintir go bocht ag fanacht leis, agus é faoina mháthair an teanga a ligean chuige. Ach nuair a chonaic siad an bhail a bhí air féin agus ar an gcapall thuigeadar an scéal ar an toirt. Níorbh fhiú cnaipe an capall. I leaba di dul amach sa ghort mar ba ghnás léi nuair a bhaintí ón gcarr í sé an chaoi a ndeachaigh sí isteach sa stábla. Níor ith sí greim agus níor éirigh sí go meán lae.

Bhíodh aithne agam ar an mbuachaill a fuair bás. Bhí an domhan port aige. Is aige a chuala mé an chéad lá riamh an t-ainm *Bonny Kate* ar ríl áirithe. Go ndéana Dia grásta air.

Bhí Sceach ar na háiteanna a dtéadh Uaitéar ó Riagáin ag glaoch ar mhac leis a cailleadh. Mac eile leis a d'inis domsa an scéal.

Talmhaí agus fíodóir a bhí in Uaitéar, agus de réir an tseanchais níorbh fhurasta faitíos a chur air. Plucachán deas a bhí sa mac a cailleadh agus é go breá sláintiúil i gcosúlacht ach amháin go raibh easpa beochais agus misnigh ag dul dó. Roimhe seo dá gcaillfí a leithéid déarfaí gurbh iad na sióga a d'ardaigh leo é.

Nuair a chinn ar an dochtúir é leigheas soir leis an athair go ceantar Áth Cinn ag an mbean feasa – aistear fiche míle idir loch agus eile. Thiar i gConamara a bhí an bhean feasa agus mise ag méadú suas. Théadh corrdhuine siar chuici agus dochtúirí na Gaillimhe siúlta acu agus gach uile rud eile tabhartha suas acu. 'Is luachmhar an rud é an t-anam . . .'

'Céad míle fáilte romhat, a Uaitéir uí Riagáin as Liagán, ach tá faitíos orm go bhfuil tú beagán mall,' arsa bean feasa

Gan Baisteadh

Áth Cinn.

B'iontach leis an t-eolas a bhí aici faoi.

Ba ghnás lena leithéid gearrchaile a chur amach roimh strainséir a bhíodh ar thóir na háite agus cúpla ceist a chur air. Dhéanfadh an teachtaire aicearra agus chuirfeadh sí an strainséir an timpeall. Ní fheicfeadh sé uaidh sin amach í. Nuair a cailleadh an mac théadh Uaitéar amach leis féin tar éis an mheán oíche agus thosaíodh sé ag glaoch air sna háiteanna ba mhó cáil na sióg. Ní móide gurbh é an chéad uair a rinneadh a leithéid.

Níor casadh riamh orm an té a d'fhéadfadh imirce na n-easóg a mhíniú dom – más imirce í. Murach go bhfaca mé ceann acu ní shílim go gcreidfinn é. 'Ag dul ar shochraid easóige a bhíos siad,' a deireas muintir na tuaithe. Ach cá has a dtagann siad? Ní hiondúil dóibh mórán acu a bheith in éineacht mar a bhíos na lucháin agus na coiníní, cuir i gcás. Más ar shochraid bhíos a dtriall cén chaoi a bhfaigheann siad scéala an bháis? Nó cé a chuireann an ghairm scoile amach? Ach ar aon lá amháin ní fhaca mé thar phéire acu le chéile agus iad ag fiach, agus chonaic mé cuid mhaith acu. Ba mhinice nach bhfaca mé ach an t-aon cheann amháin. Cara an talmhaí an easóg mar maraíonn sí luchain fhrancacha agus coiníní le dúil ina gcuid fola.

Maidin Shathairn san earrach ag méadú suas dom, bhí mé ag siúl na ngort liom féin nuair a chuala mé chugam an saghas torainn a dhéanann sciatháin eala. Ag dul i dtreise a bhí sé agus an mhaidin an-chiúin. Tar éis scaithimh ní bheadh a fhios agat cé acu caoineadh, nó ceol, nó sianaíl a bhí ann, ach amháin go raibh sé ag tarraingt orm i gcónaí.

Ansin chonaic mé easóg bhaineann ina sodar le hais an chlaí agus trí cinn eile fiche slat taobh thiar di. Bhíodar ar fad ag caoineadh nó ag sianaíl. Is mó torann arís a bhí ar an taobh eile den chlaí – claí de chloch ghlas – agus iad ag dul isteach agus amach tríd.

Amach le cuid acu sna locháin éadomhaine a rinne báisteach na hoíche roimhe sin. Cé go raibh mé i bhfogas fiche slat dóibh facthas dom nár dhearcadar féin orm ach a n-aghaidh uilig ar an gceard céanna. Ba léir go raibh a fhios acu cá raibh a dtriall agus ceann baineann amháin amach rompu mar threoraí. Sheachnaíodar an réiteach agus chothaíodar an dídean i gcaoi is nach bhféadfadh mada ná eile baint leo. Ar shroichint ceann an chlaí agus bealach cairr dóibh amach leo i nGoirtín na nEasóg, gort nach bhfaca mise aon easóg riamh cheana. Sháraigh orm a gcomhaireamh, ach mheas mé go raibh idir scór agus deich gcinn fhichead acu ann. Chuala mé an tsianaíl agus iad imithe cúpla céad slat tharam. B'ait liom míniú éigin air seachas an 'tsochraid.'

Níor casadh riamh liom ach an oiread an té a d'inseodh dhom cad chuige a dtagann an féar gorta ar dhuine in áiteanna áirithe. 'San áit nár haltaíodh an bia a thagann sé,' a deireann na Gaeilgeoirí.

'An bhfuil an féar gorta ar an sliabh?' arsa mise le fear sléibhe.

'Sliabh gorta atá tú a rá? Ní théann aon fhear sléibhe amach ar an sliabh gan gráinne min choirce. Má airíonn sé tada ag teacht air cuireann sé suas plaic di sin.'

Ba bheag aird a thug mise ar na scéalta faoi dhaoine a dtagadh laige orthu agus nach mbíodh iontu a theacht abhaile gan cúnamh, nó gur bhuail sé mé féin.

Tráthnóna samhraidh, agus mé tar éis béile, síos liom le bruach canála nó gur sroich mé an t-inbhear, os cionn míle bealaigh. Bhí an áit ionann is taobh le fraoch agus cíb agus seisc. Ag filleadh dom ghlac mé go réidh é agus mé ag tabhairt suntais do leathscór de chapaillíní Chonamara agus na heireaball ag scuabadh na talún ag cuid acu.

I bhfogas ceathrú míle don bhaile dom d'airigh mé rud éigin ag teacht orm. Shíl mé go raibh mé fágtha gan ghoile! Ní ocras is mó a bhí orm ach lagar. Thosaigh na cosa ag lúbadh fúm agus mé ag cur allais, rud nár mhinic liom. Le gach uile stríocáil tháinig mé abhaile – le cúnamh maide. Dá mba thíos ag an loch a bhuailfeadh sé mé bheadh orm an oíche a chaitheamh ann mar ní bheadh ionam filleadh gan cúnamh.

Gan Baisteadh

Chuaigh mé a luí agus faitíos orm tada a ithe. B'olc a chodail mé agus ní raibh mé ceart go ceann trí lá. Déarfainn go bhfuil míniú éigin air seachas altú an bhia.

Agus an séipéal á dhéanamh ó fhréamh aníos i Maigh Cuilinn tar éis na bliana 1950 b'éigean cartadh a dhéanamh ar ndóigh, agus chuaigh scéal thart go bhfuarthas corp cailín agus gan é athraithe blas ón lá ar cuireadh é ceithre bliana déag roimhe sin. Dúradh liom gur le fiabhras cnámh a cailleadh í agus í ceithre bliana déag d'aois. Ba Nóra a hainm baistí agus sloinne Connachtach uirthi. Chuir mé ceisteanna faoin scéal ach ba dheacair mórán eolais a fháil air. Níor mhaith le daoine a bheith ag caint air.

'Chuala muid an scéala ceart go leor, ach ní an oiread sin a dúradh faoi ar chaoi éigin,' arsa comharsa di liom. 'Ó, maise ba ghearrchaile múinte, béasach diaganta í nárbh fhurasta a leithéid a fháil in áit ar bith.'

'Insíodh an scéala dúinn, ach shílfeá nár mhaith le daoine a bheith ag caint air,' arsa aint di liom.

Is beag nárbh í an chaint chéanna a chas daoine eile a raibh aithne mhaith acu uirthi.

Beirt a chonaic í, d'insíodar do ghaol gar dom go raibh sí díreach mar a bhí sí an lá ar cuireadh í go fiú is an ribín ar a cuid gruaige.

Ba scéal fírinneach é a déarfainn.

Istigh sa séipéal nua a athchuireadh í.

12

Gar don Bhás

BA é Pádhraig mac Confhaola, mac talmhaí, a thug chun na scoile an chéad lá riamh mé. Cúig nó sé dhe bhlianta a bhí aige orm. Staicín an-láidir a bhí ann.

Ceithre bliana a bhí sé nuair a dúirt an Dochtúir Séamas ó Conghaile go raibh sé ar leathscamhóg, agus nach mórán a d'fhéadfaí a dhéanamh dó.

Thart ar an am úd a thosaigh muintir na tuaithe ag cur suime i ngalar na scamhóg. Agus ionnan is an oiread eolais acu air agus a bhí ag na dochtúirí iad féin! An préachadh agus eile a d'fhulaing na mílte agus iad á 'leigheas!'

'Shíl mé, a dhoctúir, nach mbeadh scamhóg ar bith ag páiste chomh hóg leis,' a deir athair Phádhraig, fear simplí den seansaol.

'Maise 'shoraí de na scamhóga céanna – b'fhearr na daoine a bhí ann fadó agus gan scamhóg ar bith acu,' arsa Peigsín Chearaill nuair a chuala sí faoi chaint an dochtúra.

Bíonn caint na beirte úd ina hábhar gáire fós, go maith tar éis trí scór bliain.

Tar éis tamaill ar a leaba dó bhí Pádhraig chomh maith is a bhí sé riamh, rud a chuir iontas ar an dochtúir agus ar a lán eile.

Tráthnóna earraigh shéid an ghaoth lasair splanc a bhí Pádhraig a thabhairt chun a athar. Ghlac a chuid éadaigh tine ar an mbóthar gan fhios dó agus níor mhoill go rabhadar trí lasadh. Bhí sé réidh murach scoláire mór, a tharraing de a chuid ceirteacha agus a scaoil abhaile ina scaltán é, agus chuile bhéic as.

Gan Baisteadh

Thit an craiceann ina stialla anuas dá cholainn, agus bhí marcanna móra leathana ar an mbrollach agus ar an dá thaobh aige ar feadh a shaoil. Thosaigh sé ag dul 'na scoile arís taobh istigh de chúpla mí. Duine sa chéad míle a thiocfadh as, a dúirt an dochtúir.

Lá breá samhraidh, agus Pádhraig os cionn an scóir, rith fear óg abhaile agus dath an bhalla air. Bhí mórshaothar ann mar bhí sé tar éis os cionn ceathrú míle a chur de faoi dheifir. Sluasaid a bhí uaidh. Bhí sé féin agus Pádhraig ag obair i gclais ghainimh nuair a thit an áit anuas orthu. Gaineamh gan ghreim, agus é ar dhath agus ar mhíne ghaineamh na trá, a bhí ann, agus níor thug sé fógra ar bith uaidh.

Cé go raibh an gaineamh suas go dtí an brollach air tharraing an buachaill eile é féin as le gach uile stríocáil. Ach ní raibh feiceáil ar bith ar Phádhraig, agus bhí an dá shluasaid agus an dá láí faoin ngaineamh freisin!

Rith mé féin agus buachaill eile chun na háite. Ba léir barr coise rud éigin. Tharraing muid aníos sluasaid gan mórán stró, ach níor fhéad muid tada a dhéanamh mar ní raibh fhios againn cá raibh Pádhraig. B'ionann cuma don áit ar fad agus gort a bheadh faoi shneachta.

Tar éis tamaill tháinig an buachaill eile agus sluasaid an bhéil leathain aige, agus thosaigh air ag cartadh go cúramach. Déarfainn go raibh idir trí throigh agus ceithre throigh gainimh os cionn Phádhraig. Ina sheasamh suas a bhí sé agus é cromtha beagán. Dá dtitfeadh sé anuas ar a éadan bhí sé réidh mar bheadh an oiread eile gainimh air. Bhí dath dúghorm air agus gan mothú ná arann ann. Síneadh ar an bhféar é, ach níorbh fheasach aon duine céard ba chóir a dhéanamh leis. Agus nach raibh dochtúir na háite as baile!

Tháinig sáirsint agus píléir an bealach agus thosaíodar ag oibriú lámha Phádhraig. Sin é an chéad uair riamh a chuala mise caint ar 'chéadchabhair.' Tar éis cúpla uair an chloig tháinig dochtúir amach as Gaillimh i ngluaisteán agus tugadh Pádhraig abhaile. Taobh istigh de sheachtain bhí sé ag siúl thart arís. Bhí sé ceathrú uaire nó fiche noiméad thíos faoin ngaineamh, déarfainn.

Gar don Bhás

'Sé fuisce Tom Sheáin a d'fhág mise gan mac.'
In aice an leanna is measa an fuisce céanna, a deirtear.
Domhnach amach sa bhfómhar sa bhliain 1927 bhí Pádhraig agus beirt eile ag teacht abhaile ó shochraid agus an capall sna cosa in airde nuair a d'iompaigh an carr cruinn agus caitheadh Pádhraig deich slat béal faoi isteach i dtom driseacha. Bhí sé á phlúchadh, agus cúr lena bhéal nuair a tháinig cabhair. Tar éis cúpla lá bhí sé ar fheabhas arís. Mheas sé nár ghaire don bhás riamh é ná an lá úd mar maraíodh an bheirt a bhí in éineacht leis!
Níor ghoill aon cheann de na gábha sin air ar bhealach ar bith. Bás le hadhairt a fuair sé.

13

Ceiliúr Oíche

UAIR go leith de Lá Fhéile Bríde a bhí fágtha nuair a thosaigh an fheadaíl. Cén tubaiste a thug anseo sibh an tráth seo, nó tuige nach dtéann sibh abhaile? arsa mise i m'intinn féin, mar shíl mé gurbh iad gasúir na háite a bhí ag pléaráca dóibh féin agus feadóga siopa acu. Níor mhoill go raibh sé ina síorfheadaíl, rud a chuir i dteannta mé. Lig mé den léitheoireacht le hais na tine agus amach liom. Bhí sé ciúin cineálta.

Bhí an ghealach nua imithe faoi nó báite go domhain sna néalta boga braonacha. B'aisteach liom an dath liathghlas a bhí ar an spéir, ach bhí cineál gile in áiteanna, go mór mór thoir, mar a bheadh sé ina mhaidneachan. Is minic a chonaic mé a leithéid maidin aonaigh díreach roimh an bhfáinniú.

Ansin ar gach uile thaobh díom bhí ceol, agus aoibhneas, agus binneas nár chuala mise riamh de shiúl oíche cheana, nó b'fhéidir de shiúl lae. Bhí na scórtha, agus b'fhéidir na céadta, lon agus smólach agus mionéan ag scairdeadh ceoil ar fud choill mhór Chill Iúir Áine, agus trasna na ngort agus na loch mar a bheidís ag fáiltiú roimh Lá Fhéile Muire na gCoinneal. Níor stró orm ceol na lon a aithint thar cheol na smólach.

Ba léir go rabhadar tar éis dídean theolaí an eidhneáin agus an chuilinn a thréigean agus a theacht amach i mbarr na gcrann agus na sceach mar is gnás leo ag ceiliúr dóibh, a shoiléire is a bhí a nglór. Bhí naoi nó deich de cheanna anghar dom agus na scórtha achar beag siar uaim. Ach facthas dom gur thiar fad m'éisteachta a bhí a mbunáite.

Sheas mé ansin deich nóiméad mar dhuine a bheadh faoi

dhraíocht. Ghabh mé amach faoi dhó ina dhiaidh sin mar bhí a fhios agam nach gcloisfinn a leithéid arís choíche. Bhí an ceol aoibhinn céanna ar siúl nuair a tháinig mo chodladh orm, agus ní feasach mé cén t-achar a sheas sé. Shíl mé gurbh é gotha aisteach agus léithe na spéire a chuir amú na ceoltóirí – gur shíleadar go raibh sé ag déanamh lae, agus nuair a thosaigh ceann nó dhó go ndearna an chuid eile aithris orthu. An rud céanna a shíl comharsa dom, nár chuala iad.

Théadh sionnach an bealach céanna laethanta fómhair mórán gach uile lá ceathrú míle uaim, ach ní bhacadh sé le héanacha tí cé go scanraíodh sé an t-anam astu mar a dhéanann an seabhac le cearca agus sicíní.

'Ná bacaigí leis – tá a fhios aige go bhfuil sé réidh,' arsa seanfhiagaí liom. 'Sin é an fáth nach mbacann sé le héan tí ar bith.'

Lá amháin facthas dom go bhfaca mé eireaball mada nó sionnaigh agus ainmhí beag ag dul amach trí fhál aitinn. Bhí rud éigin á rá liom gurbh é an sionnach é, ach chuaigh an t-eireaball ó léargas orm chomh sciobtha sin is nach bhféadfainn a rá.

Amach liom faoi bhroid ar learg de thalamh scainmheáin nár cuireadh ón nGorta anall agus nár mhinic leis a bheith gan coiníní, cuid mhaith. Thíos ansin ar lár na leirge bhí an sionnach ag smúrthacht leis. Sheas mé ar an toirt ar fhaitíos go scanróinn é.

Ba léir gur ar thóir a bhéile a bhí sé, ach ní raibh aon choinín amuigh. Ní leanadh sé aon chosán ar leith mar a dhéanann mada ach é mar a bheadh sé ag iarraidh an áit ar fad a thabhairt leis. Corruair thosaíodh sé ag scríobadh le crúb thosaigh san áit a raibh coinín ag cartadh an oíche roimhe sin, cé nach mbíodh tada dá chionn aige, dar liom.

Facthas dom nach bhfaca mé riamh ainmhí chomh gleoite leis agus go mba pheaca é a mharú! Ní rua a bhí sé ach buí, agus ball beag bán ar fhíorbharr a eireabaill. Ba gheall le cú beag é mar bhí sé ard tanaí fadchosach. Mheas mé nár mhór

an ligean a theastódh uaidh ar choinín agus nach leagfadh cú
ar bith é féin.

Sé rud a chuir i dteannta mé, nach raibh aon choimhthíos
aige romham, de réir cosúlachta. Shílfeá nár bhreathnaigh sé
féin orm, ach tá mé cinnte go raibh súil ghrinn ghéar aige
orm. B'ainmhí dúr gan suailce é. Bhí baol air a chluasa a
mhaolú nó a eireaball a chroitheadh mar a dhéanfadh mada!
Chorraigh mé agus é i bhfogas deich slat dom. Bhíog sé
agus léim thar thoimín aitinn. Síos le fána leis céad slat ar nós
saighde. Sheas sé ansin agus dhearc siar orm.

Thosaigh mé ag iarraidh é a mhealladh ar ais le 'póga,' mar
a dhéanfainn le mada gan cuimhneamh ar céard a bhí mé a
dhéanamh. Thosaigh seisean ag filleadh go faiteach. Chuaigh
sé chun teanntáis orm de réir a chéile agus stad ní dhearna sé
go raibh sé ar ais san áit chéanna deich slat uaim! Ach ní
raibh a fhios agam a raibh aon bhaint ag na póga leis an
bhfilleadh úd. Thosaigh air ag smúrthacht arís gan aon aird
aige ormsa. Is amhlaidh a bhí sé nuair a ghabh sé ó léargas
orm isteach i dtom aitinn.

Maidir leis an neamhshuim a rinne sé díom nó an teanntás
a rinne sé orm, níorbh fheasach mé ach míniú amháin air: bhí
rud éigin air, nó b'fhogas dó an bás, mar corruair téann sionn-
ach loite isteach i gcró nó i stábla agus an donacht mhór ag
teacht air. An coimhthíos is dúchas dó roimh an duine,
tréigeann sé é. Ní éanacha tí a bhíos ag déanamh imní dó cé
go síleann daoine a mhalairt.

Cúpla seachtain ina dhiaidh sin chonaic mé sionnach bain-
eann a raibh ball bán i mbarr an eireabaill aici caillte, tim-
peall is leathmhíle ón áit a raibh an sionnach an lá úd. Bhí
giota de shúilribe ar chos thosaigh léi agus é imithe isteach
ar fad. Ach ceist eile: arbh í an sionnach céanna í? Déarfainn
ar aon nós gurbh é an súilribe siocar a báis.

Ar bhealach is beag ainmhí is fusa a chur chun báis ná an
sionnach. Má théann an gráinne is lú luaidhe ann tá sé réidh
mar deirtear nach gcneasaíonn aon chneá air. An míriú a
chuala mé air sin: is ainmhí feoiliteach é.

Maidin faoi Shamhain, agus mé dhá bhliain déag d'aois, bhí
dhá thrapa a bhí curtha ar chreabhair agam, imithe romham.
Ba léir gurbh iad a ghoid a rinneadh, mar chuir mé na pionn-
aí go domhain sa talamh. Mheas mé go raibh an gadaí ag
breathnú orm á gcur. D'fheicinn na creabhair ag teacht
amach as an gcoill gach uile thráthnóna, agus d'fheicinn na
céadta poll a dhéanadh na goib fhada sa phuiteach, agus gan
gar agam bacadh leo mar níor mhór trapa nó gunna le
creabhair a mharú.
Rinne mé an-chuardach – i gcónaí sna háiteanna nach
raibh na trapanna! Bhí amhras agam ar dhuine amháin, agus
b'iomaí tamall a chaith mé ag faire air. Tar éis cúpla mí
d'éirigh mé as an tóir cé nár dhearmad mé mo chuid.

Oíche amach san Aibreán, agus séasúr na gcreabhar thart,
bhí brionglóid agam go raibh mo dhá thrapa caite thuas ar
thortán agus pionna nua i ngach slabhra, istigh i gcúinne de
ghort a raibh sceacha agus crainn thart air. Murach an
bhrionglóid ní chuimhneoinn choíche ar an áit mar bhí sé ag
tarraingt ar leathmhíle uaim agus mé ar bheagán eolais air.

D'éirigh mé leis an maidneachan agus thug liom mada agus
fás fuinseoige. Bhí scamaillín tanaí deataí as teach amháin
agus é ag umhlú do gach uile dheannóid dá laghad. Bhí an
ceiliúr ar siúl ar gach uile thaobh díom. Chonaic mé giorria
istigh i ngort cruithneachta. Dhúisigh an mada coileach feá;
ansin d'ionsaigh sé ceann de dhá bhroc a bhí ag dul 'abhaile'
tar éis soláthar na hoíche; ach níor mhoill gur fhill sé ag sian-
aíl agus fuil smuit leis. Is géar iad fiacla an bhroic.

Nuair d'fhéach mé isteach thar an gclaí in aice an chúinne
céard d'fheicfinn thuas ar thortáinín ach an dá thrapa go fiú
is na pionnaí nua! Má threoraigh an bhrionglóid úd chun mo
chodach mé níl fhios agam nach mó dochar ná maitheas a
rinne sí dom, mar ba mhinic súil agam go dtiocfadh cuid de
na brionglóidí b'aoibhne a bhí agam ó shin amach fíor, ach
ní raibh iontu uilig ach 'mar ghal soip ar mhaoilinn chnoic.'

B'aisteach liom go raibh planda de na bachlóga cabáiste ite

Gan Baisteadh

síos go hithir maidin shamhraidh orm mar ní gnás le haon
ainmhí fiáin an bun a ithe. Agus níor bacadh le haon phlanda
eile. Ach an gadaí?

Ní fhaca mé giorria thart ansin leis na blianta. Bhí a fhios
agam go raibh gráinneoga ann, ach níor chuala mé riamh go
mbacfaidís le glasraí. Ardaíonn siad leo úlla, ceart go leor.
Bhí gráinneog i dtrapa liom ar maidin. Ba ghleoite an
cloigeann beag a bhí uirthi. Nuair a scaoil mé léi rinne sí
ceirtlín di féin. Ach nach raibh planda eile ite síos go talamh
lena hais! Bhuail spadhar mé agus mharaigh mé í. Ba mhinic
aiféala orm gur mharaíos. Deirtear gur ámharach an rud
gráinneog i ngarraí dorais mar is ar naimhde an gharradóra
a thagas sí suas mórán: an phollphéist agus an seilmide.
Measaim nach raibh sí ciontach ach go raibh sé de mhí-ádh
uirthi a bheith san áit ar itheadh an planda orm.

An tríú maidin bhí an croí bainte as planda eile, ach fágadh
an bun ansin. Bhí an foghlaí ag dul i gcríonnacht, agus ní
bheadh aon mheas aige feasta ach ar an gcéad scoth.
Is aige a bhí na fiacla géara. Coinín nó giorraí? Scriosfadh
sé mé mura gcriogfainn é. Cheannaigh mé luach punt de
thrapanna agus de shúilribeacha, agus fuair mé iasacht
ceithre thrapa eile. Ba ghearr go raibh an áit foircthe le trap-
anna agam. Ina theannta sin d'éirínn go moch mórán gach
uile mhaidin agus d'fhanainn ag faire gach uile thráthnóna
agus mo ghunna agam nó go gcuirfeadh na míoltóga géara an
ruaig orm.

Rug mé ar chat, colm, snag breac agus luchain fhrancacha.
Do na lonta agus na céirseacha óga a bhíodh an trua ar fad
agam. B'fhearr dóibh féin a marú, ach ní bhfaighinn ó mo
chroí é dhéanamh.

Bhain rud éigin trapa faoi dhó agus tharraing aníos as a áit
é, ach níor léir fuil ná fionnadh air, rud ab aisteach liom. Bhí
an trapa úd chomh láidir sin nárbh fhurasta a chur. Chinn ar
dhá mhada mhaithe aon bhonn a fháil san áit.

'Shílfeá go bhfaighfeá a chosán in áit éigin,' agus 'Mór an
t-ionadh nach bhfaigheann tú a chosán,' a deireadh daoine
liom.

Tá caint saor. Ní abróinn nach trí gheata nó faoi a thagadh
sé isteach agus gur in áit éigin eile a chaitheadh sé an lá.

Fuair mé a chosán faoi dheireadh, in áit nach smaoineoinn
choíche air: faoi charnán de eangach mhiotail, a raibh dris-
eacha agus féar fada faoi; agus cosán an-bhuailte freisin.
Shíl mé go raibh liom. Chuir mé trapa ar gach aon taobh den
eangach, ach níor tháinig sé an bealach sin riamh ina dhiaidh
sin! Ba mhinic a tharla a leithéid in áiteanna eile.

Nuair a bhí scór de na plandaí cabáiste millte aige, agus an
chuid eile gafa i gcruas agus i méad, d'ionsaigh sé an spion-
áiste agus na tornapaí agus na pónairí fada agus na cairéid.
Chuir mé eangach thart ar na cairéid agus d'fhág bearna
bheag ann le haghaidh trapa. Níor bhac sé le haon chairéad
ina dhiaidh sin!

Shílinn go bhfaigheadh sé boladh an iarainn mar is sna
háiteanna nach mbíodh aon trapa a d'ionsaíodh sé gach uile
rud. Ní thagadh sé an bealach a mbíodh súilribe curtha nó
go n-athróinn go háit éigin eile é! Rud amháin a chuireadh
iontas orm nach bhfeicinn 'airní' nó cartadh nó crúbadh in
áit ar bith. Dá bhrí sin níorbh fhéidir déanamh amach cérbh
é an gadaí.

Dúirt cuairteoir liom go bhfaca sé istigh sa chur é ach gur
ghlan sé an balla chomh sciobtha sin is nárbh fheasach é cé
acu giorria nó coinín é! Bhí dhá pholl buailte sa bhalla céanna
agus trapa i ngach poll acu, ach b'fhearr leis an balla a ghlan-
adh mar a dhéanfadh meannán nó fia ná dul amach in aon
cheann acu!

Shíl mé ansin gur ghiorria a bhí ann. Ina theannta sin
chloisinn na snaga breaca ar siúl le moch na maidine mar is
gnás leo agus giorria, nó cat, nó sionnach ina ngaobhar.

Ach níl sa ghiorria bocht ach amadán le hais ainmhithe
eile. Is minic a chuir mé siolladh faoi cheann acu nó chaith
cloch leis lena chur as bealach fear an ghunna.

Tháinig corp ríméid orm an lá a bhfaca mé dhá easóg ag dul
isteach sna glasraí. Bhíodar chomh neamhchosúil sin le chéile
is go gceapfá nárbh ionann mianach dóibh – chomh neamh-
chosúil is atá coileach feá agus cearc fheá. Bhí ceann acu beag

dorcha gan aon scuab. Easóg bhaineann, dar liom. Ba gheall le sionnacháinín an ceann eile.

Fuaireadar boladh rud éigin gan mhoill, agus ba ghearr gur chuala mé an tsianaíl. Ach céard a bheadh sa trapa ach an easóg bheag! Scaoil mé saor le láí í. Taobh istigh de uair an chloig bhí an easóg eile i ngreim. Ní fhaca mé píosa camou-flage riamh mar a rinne sí siúd taobh istigh de dhá nóiméad agus mé imithe i gcoinne na láí. Shiúlfá uirthi, bhí sí féin agus an trapa chomh clúdaithe sin thíos idir an féar fada agus an chréafóg.

Nuair a chorraigh mé an trapa thosaigh sí ag caitheamh smugairlí liom mar a dhéanann pisín cait uaireanta. Agus níorbh é a dearmad 'cumhracht' a scaoileadh liom. Sin é an 'uirlis rúnda' atá acu. Ar éigean a mharódh ceachtar acu coinín nó giorria go ceann scaithimh mar go mbeadh rud ar a n-aire an chneá a leigheas.

'Teann leis! Teann leis! – chomh cinnte is atá Dia ar neamh gheobhaidh tú greim fós air,' a deireadh seanfhiagaí liom – 'Cuimhnigh i gcónaí air seo: dá fhad dá dtéann an sionnach beirtear sa deireadh air.'

Maidin Domhnaigh, tar éis an-drochoíche, bhí giorria an-dorcha caillte i dtrapa romham, agus ráithe caite agam ar a thóir. Ár ndóigh, níorbh fheasach mé arbh é an foghlaí é ach amháin gurbh 'in é deireadh an mhillteanais.

Cúpla seachtain ina dhiaidh sin d'éirigh timpiste agus gortú dom san áit a raibh an trapa sin curtha agam!

Tá rud amháin cinnte. Ní bheidh giorria agus glasraí nó coinín agus glasraí san áit chéanna choíche nó go maire cat agus luchín le chéile thíos i mbairille.

14
An tÉirí Amach

THALL i mBaile Átha an Rí faoi Shamhain, 1915, a chonaic mé Liam ó Maoilíosa an chéad lá riamh, agus é in éide na nÓglach. Ba gheall le buachaill coláiste é. Captain Mellowes a thugadh na hÓglaigh air, agus rachadh cuid acu idir uisce agus oighear dó. Le fáiltiú roimhe abhaile as an bpríosún a bhí an lá mór ann. Chuir an lá úd orm aoibhneas saolta nár chuir aon tionól riamh roimhe ná ina dhiaidh sin. B'fhiú go maith do scata againn, idir dhéagóirí agus eile, siúl isteach sé mhíle ar an iarnród ag an traein i nGaillimh.

Le bliain is ráithe roimhe sin bhí muid tuirseach ag breathnú ar fhógraí móra ar na ballaí agus ar pháipéir na Gaillimhe agus Bhaile Átha Cliath ag agairt ar fhir óga a dhul isteach san Arm Gallda; agus ag léamh ar na fir óga a thug aird ar na fealltóirí agus na mealltóirí a bhí á gcur i mbealach a mbasctha.

Ach an lá úd chonaic muid malairt saoil. Bhí a fhios againn go raibh a leithéid ann, ach is beag eolas a bhíodh faoi ar pháipéir ghallda na hÉireann. Facthas do chuid mhaith againn freisin gur tháinig athrú beag ar mhuintir na hÉireann ó shochraid mhór Dhiarmuid uí Dhonnabháin Rosa i mBaile Átha Cliath scaitheamh beag roimhe sin.

Ní i ngach uile áit faoin tuath an tráth úd a bhféadfaí ocht gcéad Óglach a thabhairt le chéile as na paróistí máguaird. Déarfainn nach bhféadfaí é a dhéanamh in aon áit eile i gCúige Chonnacht. Bhí an t-ocht gcéad úd ar na fir a bhí faoi Liam ó Maoilíosa san Éirí Amach.

Bhí blas agus boladh na saoirse agus a mbaineann léi ar an

93

lá úd, agus bhí dúshlán ann freisin. Ní raibh bearna ná geata den pháirc gan Óglaigh, agus na gunnaí faoi réir acu ar fhaitíos go dtiocfadh aon phíléir isteach. Níorbh fhurasta sárú Bhaile Átha an Rí a fháil in áit bheag ar bith an t-am sin mar ba é croí agus anam na 'gluaiseachta' é. Ba threoir agus údar misnigh don chontae uilig é díreach mar ba eiseamláir agus údar misnigh d'Éirinn uilig é Contae Chorcaí in aimsir na Tans. Ba é Baile Átha an Rí cruithneacht Chonnacht an uair úd, idir Chumann na mBan agus eile. B'iontach iad na cailíní úd an tráth nach raibh ag marú cuid de mhná na Gaillimhe, agus mná bailte eile, ach 'comforts' don arm gallda – 'comforts' don namhaid.

Is ann a bhíodh cruinnithe an Bhráithreachais, na nÓglach, Chumann Lúthchleas Gael agus gach uile rud a bhí in aghaidh dhlí Shasana. Bhí an Bráithreachas an-láidir ann agus thart air. B'ionann é nó geall leis agus Cumann Lúthchleas Gael, mar b'iad na fir chéanna a bhí ina mbun. Ba é an taobh tíre sin is mó a bheathaigh ocht gcéad nó míle fear le linn an Éirí Amach.

Ba as na ceantair ba treise an báire agus na camáin a tháinig na hÓglaigh an lá úd: Órán Mór, Creachmhaoil, Droichead an Chláirín, Baile an Chláir, An Caisleán Gearr, Doire Dhónail, Mearaí, Ard Raithin, An Gort agus mar sin de. Ní shílim go raibh mórán as baile mór na Gaillimhe, nó as na bailte margaidh ann. Bhí a mbunáite lofa, gallda, mar bhí fir astu san arm Gallda agus mná agus páistí ag fáil airgid dá bharr. Murach Baile Átha an Rí agus na paróistí eile ní bheadh aon éirí-amach sa chontae.

Ba é Seosamh ó Flaithearta as Baile Locha Riach, siopadóir agus seanFhínín a raibh féasóg fhada liath air, an cathaoirleach. I gcosúlacht bhí sé na ceithre scór, ach níor choinnigh sé sin an príosún uaidh tar éis an Éirí Amach. Ag caint ar 'the myrmidions of Dublin Castle' a bhí sé nuair a rug fear mór láidir ar dheasóg an nuachtóra a bhí ina sheasamh díreach amach romham agus chuir deireadh lena chuid peannaireachta. Fágadh an peann agus an leabhar nótaí aige. Ba é Séamas mac Gabhann an nuachtóir, agus b'as Sligeach é, sílim. Níor scríobh sé tada eile. Chuala mé nach raibh sé in aghaidh na nÓglach, ach bhí an páipéar, an *Connacht Tribune*. Chuir mé suim sa luathscríbhinn a bhí aige mar bhí mé féin tar éis Sloan-Duployan a fhoghlaim. 'Pitman' a bhí aigesean agus níor fhéad mé meabhair ar bith a bhaint as.

Duine amháin féin a rinne caint ann níl beo leis na blianta: An Rathailleach a maraíodh in aice le Teach an Phosta i mBaile Átha Cliath, san Éirí Amach; Liam ó Maoilíosa é féin, Seoirse mac Niocaill, dlíodóir; an tAthair Seán ó Míocháin, an tAthair P. ó Conghaile, Béal Átha na Sluaighe, Pádhraic Mór ó Máille, Leas-Chathaoirleach na Dála tráth, agus daoine eile. Bhí fios ag na sagairt roimh ré, agus ag sagairt nach iad, faoin Éirí Amach.

'A dtuigeann sibh an Ghaeilge sin?' arsa duine den mhuintir seo againne.

'Sílim go bhfuil a fhios agam céard atá siad ag iarraidh a rá,' arsa duine eile.

B'iad ab fhearr ar bith, ach b'shin é an chéad uair a chuala cuid againn ón ardán an sórt cainte a bhí ag roinnt acu.

Cé gurbh as Conamara Pádhraic ó Máille ní raibh aithne ach ag duine amháin againn air, ach an nóiméad a thosaigh sé bhí a fhios againn gurbh é tús an phota a bhí aige.

Shiúil muid sé mhíle abhaile an t iarnród sa dorchadas agus gan greim ite ó mhaidin againn ach brioscaí, ach b'fhiú siúl an oiread eile an lá céanna ar do throscadh.

'Beidh sé ina chogadh, a bhuachaillí,' a deir Marcas mac Dhonncha, an captaen, ar an mbealach abhaile dúinn. 'Nár léir ar chaint agus ar chúrsaí an lae inniu é?'

Níorbh fheasach sinn ach amháin go raibh cineál tuairim againn go raibh sé ag tarraingt air.

Is beag a shíl sé go mbeadh sé sách gar don chuid ba ghéire den chogadh céanna thuas i bPríosún Mhuinseo agus é ag éisteacht le Sráid Uí Chonaill ag titim as a chéile. Dúirt sé liom go raibh torann an bhalla nó an cheann tí a thiteadh anuas an-soiléir istigh sa phríosún, ag tarraingt ar mhíle bealaigh uaidh.

Má imríodh cleas beag orainn roimh an Éirí Amach ba é ár

95

Gan Baisteadh

gcionta féin é. Ní raibh aon cheann críonna orainn. Buach-
aillí idir ocht mbliana déag agus ceithre bliana fichead bunáite
na nÓglach. Domhnach tar éis an dara hAifreann bhí cruinniú ag an
Arm Gallda ar an sráidbhaile. An lucht leanúna suarach a
bhí acu sa cheantar b'fheasach iad nach bhfaighidís amadán
amháin féin. Ach más d'fhonn dochar a dhéanamh dúinne
a thángadar d'éirigh leo. In áit fanacht amach uathu ní
dhéanfadh tada na hÓglaigh ach a neart a thaispeáint, cé
nach bhféadfadh a leithéid aon mhaith a dhéanamh dóibh.
Shiúil leathchéad nó trí scór againn thar na saighdiúirí agus
ar ais arís. Níor smaoinigh aon duine ar an dlí. Scaitheamh
beag ina dhiaidh sin thóg na píléirí an captaen. Tugadh go
Baile Átha Cliath é agus chuir giúistís go Muinseo ar feadh
ráithe é.

Ba dhrochiarraidh dúinne é sin. Bhí oifigigh oilte, nó
leathoilte féin, uireasach orainn. Cailleadh Marcas faoi
Cháisc, 1970, in aois a shé bliana agus ceithre fichid.

Ní dhearna 'scoilt' na nÓglach ar fud na hÉireann amach
sa bhfómhar sa mbliain 1914 aon dochar dúinne ach amháin
gur éirigh muid as mórán gach uile rud go fómhar na bliana
1915 – bliain imithe amú orainn. Choinnigh Stair na hÉir-
eann agus cuspóirí agus teagasc Chonradh na Gaeilge agus
Chumann Lúthchleas Gael agus *An tÓglach*, ar ndóigh, ar an
mbóthar ceart sinn. Bhí *An tÓglach* go cumasach i dtosach.
Ní bheadh a fhios agat é nó go léifeá an *National Volunteer* a
bhí ag an taobh eile. Ba leis an dream úd a thaobhaigh an
lucht ceannais a bhí orainn – dochtúir, máistir scoile agus
giúistis. Ní an oiread sin dochair a rinne an abairt úd a bhí sa
Teagasc Críostaí dúinn:

> Pray for kings and all others who are in high station that we
> may lead a quiet and peaceable life!

Nuair a tugadh leid dúinn nárbh fhada uainn 'rud éigin'
thosaigh muid orainn ag druileáil arís agus na píléirí ag faire
orainn. Is mó druileáil ná traenáil – an rud is mó a theastaigh
uainn – a rinne muid. Agus thosaigh fir óga á gcur faoi mhóid

96

faoi dheifir.

Mé féin a rinne cuid de sin. Micheál ó Droighneáin, oide scoile as an Spidéal, a thug dom an mhóid:

Mionnaím agus móidím le Dia Uilechumhachtach go ndéanfad mo chroí dícheall le hÉire a shaoradh ó smacht na nGall, go mbeidh mé dílis do phríomhrialacha an Chumainn: go nglacfaidh mé comhairle Bhun-Rialachais Chumann Saortha na hÉireann agus nach sceithfead rún ar bith a bhaineas leis; agus go neartaí Dia mé chuige sin.

Níor chall dom leas a bhaint as an rún scaoilte:

Mionnaím agus móidím le Dia Uilechumhachtach nach ligfidh mé le duine ar bith aon eolas a fuair mé de bharr a bheith i mo bhall de Chumann Saortha na hÉireann; agus go neartaí Dia mé chuige sin.

Bhí an dá mhóid agam i mBéarla freisin.

Dóbair dhom mo phost a chailleadh mar mheas daoine áirithe go mba mhó ómós a bheadh don mhóid dá mba dhuine níba shine ná misc a bheadh á cur, agus don Bhráithreachas freisin, ach fágadh agam é de bhrí gur i luathscríbhinn Ghaeilge a bhí na hainmneacha agus na cuntais agus eile agam, agus nach ndéanfadh píléirí na hÉireann amach iad agus a mbundún a chur amach.

Cé nach raibh a fhios againn é ní raibh ach ocht mí againn le réiteach faoi chomhair an Éirí Amach, agus bhain deifir le mórán gach uile rud. Níorbh iad na buachaillí ab fhearr a cuireadh faoi mhóid i gcónaí. Fágadh buachaillí maithe as ar leithscéal ar bheagán céille uaireanta. Bhí roinnt acu siúd a bhí an-Ghaelach ar gach uile bhealach.

Thapaínn mo dheis i gcónaí. B'fhada ag fanacht mé le beirt bhuachaillí a liostáil. Bhí a fhios acu faoi agus ní raibh le déanamh ach an mhóid a chur orthu.

Ar Lá Fhéile Muire Beag sa bhFómhar 1915 chonaic mé uaim ar lúthchleasa an Rosa iad agus beirt chailíní ('Yanks') in éineacht leo. Seálta a bhí ar na cailíní. Ba ghnás lena leithéid an uair úd seál a chaitheamh ar fhaitíos go gceapfaí

97

go raibh leithead nó mórchúis iontu seachas mar bhí roimh imeacht dóibh. Cailíní breátha ar gach uile bhealach a bhí iontu. Bhídís sna drámaí Gaeilge agus an-cháil orthu. Shíl mé go scarfaidís le chéile gach uile nóiméad agus mé tuirseach ag fanacht.

Ag teacht an tráthnóna agus rás ag tosú soir liom chucu agus thug liom an bheirt bhuachaill. Bhí trua agam do na cailíní. Sílim gur shíleadar gur le drochmheas ar na Yanks a rinne mé é. Bhíodar coimhthíoch, rud a thugadar le fios go binn dom. B'fhéidir go raibh sé ag dul dom agus nach raibh mé sách caothúil.

Agus na píléirí agus eile ag breathnú ar an rás chuaigh an triúr againn cúpla céad slat ón réileán isteach i scáth eallaigh – tom mór de choll agus de shaileach Ghaelach – agus chuir mé an mhóid orthu agus iad ina maoil.

Bhí na cailíní imithe ar fhilleadh dúinn. Ní bhreathnóidís orm nó gur imíodar leo arís.

Cuireadh an-fháilte roimh Liam ó Maoilíosa i Maigh Cuilinn Domhnach go luath sa bhliain 1916. Bhí an seanhalla lán suas. Ba é P.L. ó Madaín, meánmhúinteoir as Tiobraid Árann, a raibh cónaí air sa pharóiste agus é ag múineadh i nGaillimh, an cathaoirleach. Rinne Laoiseach ó Deá, dlíodóir, Seoirse mac Niocaill, Liam é féin agus Pádhraic Breathnach as Maigh Cuilinn caint ann. Chuir an titim chainte a bhí ag an mBreathnach iontas ar Liam agus é ag breathnú suas san éadan air ar feadh na faide. Chaith an Breathnach ceathair nó cúig de bhlianta i gColáiste Mhaigh Nuad, agus is ina mhúinteoir thíos i gCarraig an Tobair a chaith sé a lán dá shaol.

'Nár chumasach an tseanmóir a rinne an Breathnach, a bhuachaillí?' arsa Peadar ó Tuathail, deartháir do Lorcán, an drámadóir Gaeilge, linn, tar éis an chruinnithe. Le barúlacht a dúirt sé é.

Domhnach, tamaillín roimh an Éirí Amach, thug Liam agus Ailbhe ó Monacháin as Béal Feirste, trí scór againn siar ar an Sliabh, bealach an Spidéil. Bhí Óglaigh Bhearna agus an Spidéil ansin romhainn. Tar éis dreas druileála thug Liam dúinn léacht bheag agus ar ndóigh, moladh – rud nach raibh ag dul dúinn. Mholadh sé na hÓglaigh i gcónaí.

Lá Fhéile Pádraig, 1916, bhí paráid mhór ag Óglaigh an chontae istigh i nGaillimh – idir míle agus míle go leith a dúradh, agus gunnaí ag a lán acu. Measaim nach raibh duine amháin as an mbaile mór sa pharáid úd. Bhí Óglaigh agus dream beag den Bhráithreachas i nGaillimh, ach b'fhánach iad le hais na mílte a bhí ina n-aghaidh. Is fada amach uainn a d'fhan mná agus clann agus gaolta na saighdiúirí gallda an lá úd.

D'fhéadfaí gunna foghlaerachta a cheannach sa bhliain 1915. Gine a d'íoc mé ar ghunna aon-bhairille i mBaile Átha Cliath – Harrington & Richardson. B'iontach an margadh é agus níor dheacair cartúis a fháil dó. Mharaigh mé crotach leis agus é os cionn trí scór slat uaim. Ar feadh tamaill roimh an Éirí Amach is taobh amuigh a bhíodh na gunnaí agus eile againn ar fhaitíos go bhfaigheadh na píléirí iad.

Is beag an cúnamh a fuaireamar. Dúradh linn neart ola *Three-in-One* a choinneáil ar na gunnaí. B'éigean dúinn í sin a fháil as na Junior Army and Navy Stores i mBaile Átha Cliath mar ní raibh aon fháil uirthi i nGaillimh. Dúradh linn go raibh Óglaigh Bhaile Átha Cliath ag ceannach cótaí móra buí ó na saighdiúirí gallda agus á ndathú, agus go rabhadar thar cionn. Ní fhéadfadh muide é sin a dhéanamh.

I dtús na bliana 1916 tháinig timire ón mBráithreachas – staic a raibh croiméal mór dorcha air – againn as Baile Átha Luain. Is maith a shaothraigh sé an t-aistear ar a rothar ar dhrochbhóthar sa dorchadas. Mac Craith a bhí air. Bhain sé cóip de bhunreacht an Bhráithreachais amach as scoilt ina chóta mór donn. Clúdach gorm a bhí ar an leabhrán – an t-aon cheann acu a chonaic mé riamh. Léigh sé amach dúinn píosa as le solas seanlampa istigh sa halla. Ní cuimhneach liom focal amháin de.

Nuair a d'fhiafraigh sé dínn an raibh 'manual' againn níorbh fheasach sinn a leithéid a bheith ann! Chuaigh sé

99

isteach go Gaillimh ar a rothar arís. Is beag tairbhe a bhain muid as an oíche sin ná as cúpla cuairt a thug daoine eile orainn ach oiread. Is géar a theastaigh traenáil uainn. Níor tugadh dúinn ach trí ghunnán. Is cosúil nach rabhadar ann le tabhairt dúinn. Níor múineadh dúinn tada faoi ghunnaí ná pléascáin ach amháin an beagán a d'fhoghlaim muid féin as a bheith ag caitheamh le héanacha agus coiníní. Ba leisc linn mórán urchar a ídiú ar fhaitíos go gcuirfí stop le díol na gcartús sna siopaí.

Ó lá Márta amach chloistí corr-luathrá gurbh fhogas dúinn cogadh, agus go bhfaighfí cabhair ón nGearmáin, cé nár dúradh cén saghas cabhrach. Is mó dóchas ná cinnteacht a bhain leis na scéalta úd.

'I believe you will soon see German helmets in this country,' arsa strainséir linn – go dtiocfadh oifigigh Ghearmánacha leis na hÓglaigh a stiúradh. Scéala a chuala sé féin is cosúil. Níorbh fheasach sinn faoin lasta gunnaí nó go raibh sé ar thóin na farraige.

Dúradh linn an Luan roimh Dhomhnach Cásca a bheith faoi réir. Tháinig an scéal cinnte Dé Céadaoin. Róluath a tháinig sé. Dúirt Ailbhe ó Monacháin ar Radió Éireann go raibh a fhios ag dá mhíle duine roimh ré i gContae na Gaillimhe faoin Éirí Amach.

Bhí a fhios ag go maith os cionn céad i Maigh Cuilinn amháin é. Bhí a fhios ag aithreacha agus ag seanaithreacha é agus ag máithreacha agus seanmháithreacha. Níor chóir go mbeadh fhios, ach níorbh fhurasta rún a dhéanamh air ó dúradh le leathchéad nó trí scór fear dul ar faoistin agus Comaoineach. Chuirfeadh rud is lú ná é amhras ar dhaoine. Agus bhí cailíní, ar ndóigh, ag cuid de na hÓglaigh! Chuir sé iontas orm, agus cuireann fós, nár chuala na píléirí ná duine amháin dá gcuid cairde focal air.

Bhí a fhios ag an oiread sin daoine faoi is go raibh faitíos agus imní orainn go sciorrfadh sé go fánach ó dhuine éigin, ach níor sciorr, mar chuaigh beirt phíléir dá gcois siar go Cúirt Dhroim Chonga ag manaois leis na searbhóntaí go luath tráthnóna – míle bealaigh – mar ba ghnás leo mórán gach uile Dhomhnach. Sin é díreach an cruthúnas a bhí uainn. Agus níor dhúnadar doras na beairice ina ndiaidh! Bhí dea-scéala dúinn ag na faireoirí. Dhá mbeadh an tÉirí Amach ann ní ligfí ar ais iad nó go mbeadh an bheairic gafa againn.

Lúcháir a chuir an scéala orainn i dtosach go mór mór nuair a dúradh go mba é Liam ó Maoilíosa ceannfort an chontae, mar bhí an-mhuinín ag na hÓglaigh as. Níorbh fheasach sinn go barainneach céard a bheadh le déanamh againn. Seilbh a ghlacadh ar an mbeairic, agus í a dhó, b'fhéidir? Níor dheacair é sin a dhéanamh – sul dá gcloisfeadh na píléirí tada. Bhí a fhios ag gach uile Óglach a chaith oíche istigh sa mbeairic, agus Óglaigh nár chaith, cá raibh na gunnaí agus eile sa *Day Room*. Dá mbeadh an doras dúnta orainn agus bolta air, ní móide go n-éireodh linn.

Chuir an clár oibre a tugadh do na hÓglaigh éadan eile ar an scéal.

'Gearraigí na sreangaí ar bhuille an seacht a chlog: gabhaigí an bheairic, teach an phosta agus stáisiún an iarnróid, agus tugaigí libh gach uile ghunna agus piléar atá sa mbeairic. Buailigí le hÓglaigh an Spidéil agus Bhearna i nGaillimh.'

Cuid a dó ansin: beairic na bpíléirí i Sráid Eglinton agus beairic Shráid Doiminic agus beairic an Airm Ghallda ar an Rinn Mhór (Dún uí Mhaoilíosa) a ghabháil agus ar aghaidh go Baile Átha Luain i lár na hÉireann, agus gan raidhfil amháin againn! Dá mbeadh féin níorbh fheasach sinn a láimhseáil.

'Ach beidh buachaillí as a lán áiteanna eile in éineacht libh,' a deir an teachtaire nuair a dhearc óglach amháin go hamhrasach, mórshúileach air.

'Nárbh fhearr dúinn seilbh a choinneáil ar bheairic Mhaigh Cuilinn?' arsa óglach eile nár thaitin an t-aistear fada leis agus gan é i bhfeiliúint dó.

Ba mhinic a rinne sé gáire nuair a thuig sé beagéifeacht an árais chéanna agus éirí amach ar siúl.

Ba í beairic Shráid Eglinton an ceann ba mhó dá leithéid i

gCúige Chonnacht, déarfainn, agus í istigh i lár an bhaile mhóir. Bhí sí ar cheann de na hárais a tháinig slán aimsir Chogadh na gCarad. Ag na gardaí atá sí ó bunaíodh iad agus gan aon athrú taobh amuigh uirthi ó aimsir na bpíléirí.

Más lúcháir a bhí orainn i dtosach níor mhoill gurbh fheasach sinn go raibh a liacht rud oireasach orainn, go mór mór faoi chomhair an bhóthair. Bhí os cionn leath na nÓglach gan gunnaí. Ní raibh againn ach cúpla rothar. Ní raibh a leithéidí ach ag na píléirí óga, buachaillí posta, múinteoirí óga, an dochtúir agus sagairt óga, agus ag corrbhuachaill a bhí ag obair i nGaillimh agus ag fir cheirde. Bhíodh ar na daoine siúl mórán gach uile áit. Ní raibh aon bhealach againn le cartúis a iompar ach na pócaí, agus ní raibh cóta mór ach ag fíorbheagán againn – rud ab fhíor faoin tuath i mórán gach uile áit.

Ní raibh na hÓglaigh sách fada ar bun. Ba ghéar a theastaigh oifigeach catholite, saolchruaite uainn. Cé go mbíodh muid ag léamh *Ruthless Warfare* le Séamas ó Conghaile agus an *Gaelic American* agus an *Irish World* – ní raibh na buachaillí sách cruachroíoch.

Baineadh geit as cuid againn Céadaoin an Bhraith agus scéala faighte againn faoin Éirí Amach : ní rachadh formhór na gcartús isteach sna gunnaí! Bhíodar ata ag an taise, ach leigheas an teas iad.

Chuir an bheairic i dteannta sinn – céard ba chóir a dhéanamh léi? B'aisteach linn nár dúradh í a dhó. Dearmad a síleadh. Nach bhfaigheadh na píléirí gunnaí agus eile as Uachtar Ard, áit nach raibh ach naoi nó deich de mhílte uathu, agus gan aon Óglach ann, nó as áit éigin eile? Má bhí Óglaigh ab fhaide siar ná an Spidéal agus Maigh Cuilinn ní raibh fhios againn é. Dá mbeadh an bheairic slán agus gunnaí agus eile ag na píléirí arís Luan Cásca ba díol magaidh dáiríre sinne. Ní shílim go raibh saighdiúir gallda amháin i gConamara uilig. Bhí ceisteanna nár chuimhnigh aon duine orthu cheana le réiteach agus driseacha cosáin de gach uile chineál le gearradh. Siad a leithéid atá i riocht duine a chrá.

'Mura ndéana sibh rud éigin leis an mbeairic nach mbeidh

na píléirí ansin le fáiltiú romhaibh ach a bhfille sibh – sé sin
má fhilleann sibh choíche!' arsa óglach amháin nár lig deis
ghrinn thairis riamh. 'Ach, a bhuachaillí, nach mbíonn obair
agus imní ag baint le hÉirí Amach féin!'
D'fhéadfá a rá! Trócaire Dé air. Ba mhó fonn grinn a bhí
air ná mar a bhí ar an gcuid eile againn. Ag plé an scéil oíche
Aoine an Chéasta a bhí muid ach is ag méadú a bhí na dris-
eacha cosáin orainn.

Ba Shuibhneach as Contae Shligigh an sáirsint, agus ba
dheacair a leithéid a fháil an uair úd. Bhí sé díreach cneasta
agus ní raibh olc ag aon duine dó. Thaitin a bhean leis na
daoine agus bhí muirín mhór mhúinte orthu. A chneastacht
agus a chuid fianaise a thug an bóthar do cheathrar bithiún-
ach a bhí sa mbeairic leis. B'annamh a ghlan an Caisleán
beairic amach riamh mar sin, mar b'fhaisean duine nó beirt
a choinneáil a mbeadh eolas acu ar an áit, agus ar dhaoine
áirithe. 'Sáirsint maith' a thabharfadh corrdhuine ar a leith-
éid, ach níor thairbhe ná cabhair d'Éirinn sáirsint maith aim-
sir Éirí Amach. B'fhearr céad uair corp ropaire mar b'fhusa
an pobal a shéideadh ina aghaidh.

Ní raibh idir leathbhinn na beairice agus an teach cónaithe
ba ghaire dó ach bóthar cúng an tsléibhe, agus drochsheans
go dtiocfadh an teach úd slán ó thine, agus gaoth aniar nó
gaoth aniar aduaidh ann. Cé nár chuimhnigh aon duine
againn air, déarfadh páipéir Shasana, agus páipéir nach iad,
gur dhóigh muid an teampall gallda, mar bhíodh seirbhís ag
ministir Gallda as Gaillimh mórán gach uile Dhomhnach ann.
Muintir an tí agus Albanach, a bhean agus a mhac an pobal a
bhíodh aige.

Dá nglacfadh sé sin tine ghlacfadh dhá theach óil agus dá
theach cónaithe eile tine freisin mar bhíodar greamaithe dá
chéile agus tarra ar cheann amháin acu. Bheadh dhá dtrian
den sráidbhaile imithe ansin agus gean agus beannacht na
ndaoine a d'fhágfaí gan dídean le fáil ag na hÓglaigh! Ach an
t-údar imní ba mhó uilig, bean an tsáirsint a bheith ar leaba
an bháis, nó geall leis istigh sa mbeairic. Céard a dhéanfaí
léi?

Gan Baisteadh

Le scaitheamh roimhe sin, agus sinn ag coinneáil súil ar an áit, ba mhinic ag casacht de shiúl oíche í. Níorbh fhada a mhair sí. Dá ndófaí an bheairic déarfaí gurbh shin é siocair a báis, nach bhféadfadh an t-ádh a bheith orainn, agus go mba mheasa muid ná na Huns – an leasainm tarcaisneach a bhíodh ag na Sasanaigh agus ag páipéir ghallda na hÉireann ar Arm na Gearmáine. Bhí a fhios ag naimhde na hÉireann le leas a bhaint as a leithéid. D'iompódh roinnt bheag inár n-aghaidh b'fhéidir – ar feadh seachtaine nó coicíse. Chuirfidís carthanacht agus grá-dia roimh shaoirse na hÉireann – i dtosach. Nuair a dódh an bheairic sa bhliain 1920 dúirt daoine gur mhór an náire áras breá mar é a scrios, ach nuair a chualadar Dé Luain gur dódh na céadta beairic ar fud na hÉireann an oíche chéanna ba é an rud ceart é!

Ní raibh aon chraobh de pháirtí an Réamonnaigh (United Irish League) riamh sa bparóiste, ach bhí drochthionchar ag Séamas ó Donnchú as Gaillimh ar dhream an-bheag ann. B'as Cois Fharraige a athair, agus thugadh cuid dá leithéidí cúl le dúchas uaireanta agus an saol ag teacht leo.

Ba Náisiúnaí é an mac nuair a sheas sé in aghaidh an Tiarna Chill Aithnín le haghaidh na Comhairle Chontae, agus thosaigh na hamadáin ag baint na scairteacha as a chéile fúthu beirt. Agus é ina chathaoirleach ar an gcomhairle d'fháiltigh Mac uí Dhonnchú roimh Rí Shasana (duine de na hEdwards úd nach mbreathnódh ar bhean!) agus rinneadh de ridire – onóir gan deis dósan. Nuair nach raibh fionnadh an pheanna aige isteach leis san Arm Gallda. Bhíodh a lán ar na páipéir ar Private Sir James O'Donoghue agus Lady O'Donoghue. Fearacht tuilleadh dá leithéidí ba lorg lachan ar loch a oidhreacht ag Éirinn.

Ag tarraingt ar an Éirí Amach ní raibh inár n-aghaidh ach lucht leanúna an ridire – doscán a shíl go mba chóir do Éireannaigh óga dul isteach san arm gallda, agus a fhios acu nach mbeadh glacadh leo féin in aon arm sa domhan ach amháin b'fhéidir i dTír na nDall, an áit is rí fear na leath-shúile.

An tÉirí Amach

Cé gur sheas an chaint go tráth an mheán oíche níor soc-
raíodh tada faoin mbeairic, mar ní raibh a fhios againn céard
ba chóir a dhéanamh léi.

Ní mórán eolais a bhí againn ar rialacha, ná dlithe cogaidh,
ná ar chéadchabhair, agus ní raibh aon Chumann na mBan
san áit. Ar an mbean a bhí ag fáil bháis, agus ar an mbail a
bheadh uirthi féin agus ar a clann dá ndófaí a n-áit dídine
agus a raibh acu ar an saol, a bhí cuid de na hÓglaigh ag
cuimhneamh.

Ní raibh muid saor ó údar drochmhisnigh ach oiread. Ní
fhéadfaí tréas a thabhairt air.

'Déarfainn gur díchéillí an rud atá fúibh a dhéanamh: bual-
adh isteach bóthar na Gaillimhe agus gan a fhios agaibh
céard atá i ndán daoibh,' arsa óglach amháin, agus é ag lig-
ean críonnacht agus scil chogaidh air féin. 'Cá bhfios nach
baracáid a chaithfeadh na píléirí trasna an bhóthair istigh ag
an bpríosún agus sléacht a dhéanamh oraibh?'

'Crochfar daoine de bharr na hoibre seo,' a deir sé.

Níor luaigh sé lámhach. B'údar misnigh é ar aon nós!

Cén bhrí ach bhí sé sa mBráithreachas. Bhí a fhios aige
nach mbeadh sé linn mar ba cheann tí é. Chuir a chuid cainte
roinnt óglach le buile, ach níorbh fhéidir tada a dhéanamh
faoi mar bhí beirt dheartháir dó le bheith sa troid. Agus níor
thráth achrainn ná easaontais é. Na deartháireacha a bhí ag
cur imní air, déarfainn.

Bhuail amhras buachaill eile nuair a d'inis mé dó gur dúr-
adh linn dul ar faoistin agus Comaoineach.

'Bhfuil tada suas?' ar seisean.

'Éirí Amach. Rún é. Fáisc do bhéal air, in ainm Dé.'

Baineadh léim as agus chuir sé dathanna de. Ní inseoinn
dó é murach gur casadh liom ar an mbóthar é.

'D'imir sibh orm,' ar seisean, nuair a tháinig an chaint dó.

Chuir an chaint ar an 'imirt' saghas feirge orm. Dá mba
mhian leis féin é ní ligfí linn é mar ba cheann tí é. Ní raibh
aon lámh ar ghunna aige agus bhí ár ndóthain dá leithéidí
againn cheana.

'Nach uait féin a tháinig tú ag druileáil i gcónaí,' arsa mise.

105

'Nach raibh a fhios agat nach le haghaidh treabhadh agus fuirse ná le dul ag baint fhéir nó mhóna a théas buachaillí ag druileáil?'

'Ach bhí a fhios agaibhse chuile rud i gcónaí, agus ní raibh a fhios agamsa tada. Choinnigh sibh uaim é.'

'Má éiríonn linn déarfaidh daoine amach anseo go mbeidís féin sa troid dá mbeadh a fhios acu faoi.'

'Cén chaoi a n-éireodh libh? Cén seans atá ag buachaillí tuaithe in aghaidh gunnaí agus piléir agus saighdiúirí traenáilte – má tá ciall ar bith agaibh. Agus an tír ar fad in bhur n-aghaidh.'

'An rabhadar inár n-aghaidh an dá lá a raibh Mellowes anseo thuas?'

'Cén bhrí an áit seo nó a leithéid? Céard faoi na bailte móra? Céard faoi Ghaillimh? Nach stróicfidís ó chéile istigh ann sibh? Ba chóir duit cuimhneamh ar do mháthair agus gan a croí a bhriseadh. Níl a fhios agat céard í máthair nó go mbeidh sí imithe. Dá bhfeicfeá an bhail a bhí uirthi agus tú sa phríosún an Nollaig úd.'

B'fhíor dó nach raibh a fhios aige mórán, ach níl a fhios agam an raibh sé baileach chomh simplí sin. Ó tharla nach raibh sé sa mBráithreachas ní ligfí aon rún leis. Ba shine é ná bunáite na mbuachaillí eile. Chloisinn go raibh sé seanórach, seanchríonna sula ndeachaigh sé cun na scoile riamh. Ní furasta éirí amach a chur ar siúl in áit a mbeadh mórán dá leithéid. Ní go maith a thagann farasbarr céille agus éirí amach le chéile.

Cuireadh siar ceannach na gcartús i stór an pharóiste go dtí an oíche Dé Sathairn i riocht is go bhféadfadh an bainisteoir a rá leis an sáirsint go raibh sé ródheireanach scéala a chur chuige faoi, agus go mb'fhéidir nach mbeadh beairic nó píléirí ann maidin Dé Luain! B'iomaí buachaill níba mheasa ná an bainisteoir úd a bhí sa mBráithreachas. Bhí a fhios aige faoin éirí amach ó Aoine an Chéasta, mar b'éigean é a insint dó.

Níorbh fhada ansin é nó gur mheas mé go raibh sé 'ceart' nuair a chuala mé ag aithris véarsa as dán le Rosa é:

An tÉirí Amach

The whisper through the grating
Has thrilled through all my veins:
Duffy is dead! – a noble soul
Has slipped the tyrant's chains.

Bhí sé bródúil as Éamann ó Dufaigh, ceannaire na bhFíníní i gCúige Chonnacht, a cailleadh i bPríosún Millbank i Sasana, mar b'ionann contae dóibh beirt – Ros Comáin. Thug sé dúinn gach uile chartús a bhí aige. Agus gan ceadúnas gunna ag óglach amháin againn! Cheannaigh mé féin leathchéad acu agus os cionn leathchéad eile agam cheana. B'fhurasta a gceannach, ach ba scéal eile a n-iompar slán achar aimsir fhliuch. Ní raibh orthu ach dhá scilling nó leathchoróin an bosca (25) in áit a sheacht n-oiread anois – má tá sé taobh leis. Ghabh gach uile óglach chuig an altóir ar maidin. Bhí an lá an-chineálta agus gach uile chosúlacht air nach dtiocfadh an sneachta de chúnamh ar Shasana mar a tháinig in Éirí Amach na bhFíníní i dtús an Mhárta sa bhliain 1867. Róchineálta a bhí sé. Bhí súil againn go mbeadh an oíche tirim, ach d'iompaigh sé amach scrábach go luath san iarnóin.

'Beidh slaghdán ar bhuachaillí de bharr na hoíche anocht,' arsa fear liom ar an mbóthar agus é tar éis a raibh de chartúis aige a thabhairt dúinn, cé nach raibh sé sna hÓglaigh. Na buachaillí a shiúlfadh isteach go Gaillimh gan cóta mór a bhí sé a rá.

Níor chaith a mbunáite oíche riamh as baile cheana, ach b'fhéidir sa mbeairic nó sa bpríosún. An mhuintir a ghabh ar coláiste féin thagaidís abhaile gach uile oíche. Agus bhí an bháisteach reathach ag teacht go tréan as gaoth aniar aneas agus droch-chosúlacht air.

Ansin san iarnóin tháinig scéala aisteach, iontach, dochreidte: nach mbeadh aon éirí amach ann an oíche úd! Bhí an buachaill óg a thug chugainn é tar éis trí mhíle bealaigh a shiúl sa mbáisteach.

'Tá an scéala imithe chuile áit,' ar seisean, ach ní raibh aon eolas aige dúinn thairis sin. Saothar in aisce saothar na dtrí ráithe!

'Agus cá bhfuil na buachaillí ar fad?' arsa mise.
'Cá mbeidís ag dul agus chuile rud curtha thart?'
Bhí drochbhail air le fliuchán agus eile.

Ag tarraingt ar an seacht a chlog suas le beirt againn
féachaint cén bhail a bheadh ar an mbeairic an uair úd; agus
na gunnaí agus eile faoin stáitse thíos sa seanhalla againn. I
ndoras an bhóthair ba mhó ár spéis: an mbeadh sé oscailte?
Bhí, agus chonaic muid an dochtúir ag teacht amach as. Bhí
bean an tsáirsint tar éis drochráig.
Ba í an bheairic a bhí ár marú le scaitheamh roimhe sin. Ar
bhealach ba mhó ár suim inti ná san éirí amach féin!
Ar an Máirt dúradh go raibh éirí amach nó rud éigin mar é
ar an taobh thoir de Ghaillimh agus in áiteanna eile. Bhí na
scéalta ag bréagnú a chéile agus ár naimhde ag scaipeadh
bréaga as éadan. NaGearmánaigh a thúsaigh agus a chothaigh
an trioblóid uilig! Bhí ór Gearmánach ag teacht i mbarr
toinne thíos i mbuidéil ag daoine áirithe i nGaillimh! Agus
creideadh é!
B'fheasach sinn go raibh raic éigin ann nuair a d'inis tal-
mhaí dúinn nach raibh aon bheatha á ligean amach as an mbaile
mór. An mhuintir a thug leo gráinne plúir bealach iargúlta
chuir an t-arm Gallda faoi ndeara dóibh é a thabhairt isteach
go Gaillimh arís.
Dé Céadaoin nó Déardaoin tháinig ordú chugainn nár thuig
mé riamh: scéala a chur chuig Óglaigh an Spidéil a bheith san
airdeall mar go mb'fhéidir go dtiocfadh bád le gunnaí go Cois
Fharraige. Bhí an lasta ón nGearmáin ag na portáin le
ceithre lá roimhe sin, agus cá as a dtiocfadh gunnaí eile, nó
cé a chuirfeadh chugainn iad? Súil le muir, b'fhéidir?
An t-oifigeach a tháinig againn an oíche chéanna anoir
trasna Loch Coirib ba mhaith a chruthaigh sé agus an namh-
aid a sheachaint. B'iomaí timpeall a rinne sé, déarfainn. Is
cosúil go raibh treoraithe maithe aige. Theastaigh uaidh go
ndéanfadh na hÓglaigh rud ar leith dó san oíche Dé hAoine.
Ní raibh mise ann nuair a chruinnigh óglaigh as ceantar
amháin den pharóiste agus as Bearna ar an Áth Buí, idir
Maigh Cuilinn agus Gaillimh san oíche Dé hAoine. Ach 'níor

tháinig an Major.' Is cosúil nár fhéad sé teacht. Bhí an tÉirí Amach geall le bheith thart agus an cluiche curtha ar Chlanna Gael!

Déardaoin, nuair a tháinig scéala faoin lámhach a bhí idir na hÓglaigh agus na píléirí agus an t-arm Gallda dhá lá roimhe sin soir ó Ghaillimh thosaigh seanfhir ag caint ar thairngreacht nár cloiseadh riamh cheana acu: 'Go ndoirtfí fuil agus go ndéanfaí sléacht ar Chrosbhóthar an Chairn Mhóir.' Bhí an tairngreacht amuigh mar maraíodh píléirí agus loiteadh duine nó beirt eile acu!

B'shin é an lá a ndeachaigh cuid de cheannaithe móra na Gaillimhe, agus daoine nach iad, ag cúnamh le Sasana in aghaidh bhuachaillí an Chaisleáin Ghearr agus Bhaile an Chláir agus a n-aghaidh acusan ar Bhaile Átha an Rí, ceannáras an Éirí Amach. Cé go raibh ainm na gceannaithe uilig ag an mBráithreachas níor bacadh riamh leo. Is beag dá shliocht nó de shliocht a sleachta atá i nGaillimh inniu – má tá duine ar bith acu.

Ar na fir úd bhí beirt athair agus a mbeirt mhac. Rinneadh dochtúirí den bheirt mhac. Níorbh fhada a mhaireadar. Aisteach go leor ba ar an lá a crochadh Caoimhín de Barra, Lá Samhna 1920, a cailleadh duine acu – i bhfad ó bhaile. Déarfainn gurb í cuimhne ar Chaoimhín is faide a mhairfeas.

Dá mba aon sáirsint eile a bheadh i Maigh Cuilinn déarfainn go gcaithfeadh deichniúr nó dáréag óglach tamall i ngéibheann – dá mbeadh fáil orthu. Ní dhearna sé ach cur faoi ndeara do bhainisteoir an stóir na cartúis a dhíol sé linn a fháil ar ais. Fágadh mo leathchéad féin agamsa gan a fhios agam cén fáth. B'fhéidir nár chuimhnigh an bainisteoir orainn uilig?

Urchar amháin féin níor scaoileadh in aon áit siar ó Ghaillimh. Bhí Loch Coirib agus Gaillimh agus Cuan na Gaillimhe eadrainn féin agus an mhuintir eile.

Nuair a tháinig an captaen abhaile amach sa mBealtaine, agus féasóg fhada air, shíl mé go n-íosfadh sé muid. 'Agus ní dhearna sibh tada!' a deir sé. 'Tar éis a mbíodh de chaint, agus gaisce agus druileáil agus eile agaibh!'

Gan Baisteadh

Ansin leis an dochar a bhaint as (má chuir sé aon dochar ann): 'Nil mé a' rá go ndéanfaí tada dá mbeinn féin sa mbaile ach oiread.'

Níor thuig sé an scéal faoi ordú Eoin mhic Néill. Ní go maith a thuig muid féin a bhrí ach oiread agus muid saor. Is iomaí rud a míníodh ó shin a bhí an-doiléir an uair úd. B'fhánach é ár ndícheall ar aon nós ó cuireadh caoi ar na doirse agus ar na fuinneoga sa mbeairic.

Ghoill an dobrón, is deartháir don bhriseadh agus don chliseadh, orm. Bhí an bheairic gan ghabháil agus na píléirí níos teanntásaí ná mar a bhíodar riamh. Chuimhnigh mé ar na laochra a bhí faoin bhfód; ar an lasta gunnaí a bhí ar thóin na farraige; nach raibh san éirí amach ach rud fánach le hais an éachta a bhí ceaptha amach dó; nár éirigh amach ach cúpla contae; ar a laghad stró a fuair na gaill an troid a chur faoi chois agus a liacht fear óg as mo chontae féin a bhí i gcrúba na ngall nó imithe i bhfolach orthu. Agus mar bharr ar an mí-ádh d'ionsaigh cléir éigin na cumainn rúnda agus ar bhain leo. Chuir mé romham dul ar faoistin agus insint don sagart go raibh mé i gceann acu.

Ag Íosánach i nGaillimh a raibh sloinne Muimhneach air a chuaigh mé. Is aige a théadh a lán den Bhráithreachas cé nach raibh mise aige riamh cheana.

'I don't think you can do very much at present!' ar seisean.

Ruaig an chaint sin díom a lán den dobrón, agus níor chuir na cumainn rúnda ná an mhóid aon imní riamh ó shin orm. B'iontach liom scéala i leabhar nach raibh sa mBráithreachas ach thart ar 2,000. Shíl mise go mbeadh 5,000 ar a laghad ann. Déarfainn go raibh na céadta acu i gContae na Gaillimhe.

Níorbh fhéidir tada ar fónamh a dhéanamh in aghaidh Shasana gan dúrúndacht. Ba chabhair Cumann Lúthchleas Gael agus Conradh na Gaeilge – in áiteanna; ach murach an Bráithreachas ní móide go mbeadh na hÓglaigh ná aon éirí amach ann.

Tá moladh céatach agus onóir na laoch ag dul do na fir a ghabh ag troid, agus iad cinnte nach n-éireodh leo, agus an lasta gunnaí a bhí ina údar dóchais acu caillte.

Bhreathnaigh an t-éirí amach céanna agus ar bhain leis chomh haisteach, baoth, díchéillí, 'réabhlóideach' sin nach furasta é féin ná staid na tíre an uair úd a mhíniú do mhuintir an lae inniu. Bhí Seán Réamoinn agus a pháirtí in uachtar agus greim daingean doscaoilte ar mhuintir na hÉireann acu – má bhí. Má cuireadh scaipeadh ál a mhada orthu cúpla bliain ina dhiaidh sin tugtar a lán den mholadh don Éirí Amach.

An tráth a raibh an tír báite i ngalldachas, agus na mílte Éireannach ag troid do naimhde na tíre sin thug doscán Éireannach ar bheagán arm, agus traenála, agus lucht lean-úna, dúshlán an airm ghallda agus dúshlán cúpla milliún Éireannach ina theannta sin. Chuireadar rompu fuascailt a thabhairt ar phobal a raibh an fonn saoirse caite suas acu, agus nár shantaigh fuascailt. Níor mhór a saoradh dá mbuíochas, nó geall leis! Sháraigh ar gach uile éirí amach in aghaidh Shasana in Éirinn riamh i riocht is go raibh Éireann-aigh nach raibh ar thaobh Shasana féin in aghaidh éirí amach eile mar nach bhféadfaí Sasana a bhualadh, dar leo. Níor mhór saoirse a bhrú orthu!

Casadh liom ar fud na tíre fir nár mhiste leo dul i gcontúirt a mbáis Domhnach Cásca 1916, dá ligfí dóibh, fir nach ndearnadh mórán cainte ó shin orthu agus nach bhfuil a fhios ag a lán go rabhadar riamh ann.

Déarfainn gur thiar ar an Spidéal a bhí an complacht de Ghaeilgeoirí dúchais ba mhó in Éirinn. Bhí a lán acu sa mBráithreachas agus iad faoi réir Domhnach Cásca. Ba é Micheál ó Droighneáin (a bhfuil trácht air in áiteanna eile) an ceannfort. Orthu freisin bhí Conchúr ó Laoire, a bhí ag foghlaim leighis san Ollscoil, agus ina dhochtúir ar an Spidéal tráth. Cailleadh óg go maith é. Óglach eile, Tomás mac Conaola, oide scoile óg as ceantar an Spidéil, agus duine de na scríbhneoirí ba ghlaine agus ba dhúchasaí Gaeilge a casadh riamh liom.

Suaimhneas síoraí do na seanÓglaigh atá imithe agus sláinte agus fad saoil ag an mbeagán acu atá fágtha!

Gan Baisteadh

Tigim leis an nGinearál Tomás de Barra – A rising for which the country was not prepared.

15

Bás Liam

NUAIR a tháinig an scéala isteach san *Irish Independent* ar an 8ú lá de mhí na Nollag 1922 go raibh Liam ó Maoilíosa agus triúr eile curtha chun báis gan triail thuas i bpríosún Mhuinseo níor chreid beirt shean-nuachtóir é – fir arbh fhada a bplé leis na cúirteanna dlí. Murach Liam ní chuirfinn féin an oiread sin suime ann mar níor chuala mé ainm an triúir eile riamh cheana agus níorbh fheasach ann iad mé.

'Ní fhéadfadh aon rialtas fir a bhí i bpríosún le cúig mhí a chur chun báis mar sin,' arsa fear amháin. 'Ní chreidim an scéal.'

Thug a chuid cainte beagán misnigh dom ach bhí imní orm. Na hurchair a chuala mé ar mo leaba dom cúig chéad slat ón bpríosún cúpla uair an chloig roimhe sin, mhéadaíodar ar an imní agam. Bhí an mhaidin an-chiúin agus an lámhach ansoiléir. Níorbh urchair chorra iad mar a scaoiltí gan siocair gach uile lá, ach pléascadh tobann mar a scaoilfí os cionn uaighe. Ba léanmhar an scéal é dá mba leo a thitfeadh duine de cheannairí an Éirí Amach.

Níor mhoill go dtáinig an scéala oifigiúil, an scéala brónach. Bás Sheáin Hales, T.D., as Corcaigh, le piléir, agus drochloiteadh Phádhraic uí Mháille, T.D., as Conamara, agus iad ar an mbealach chun na Dála ar charr cliathánach an lá roimhe sin, ba bhunúdar le bás an cheathrair, a dúradh.

Amach liom faoi dheifir agus isteach sa 'Prince's Bar' le hais La Scala gur ól mé dhá phionta den phórtar láidir.

Tá an ceo liath ar Bh'leá Cliath na Mallacht.
Is ní léir dom an spéir os mo chionn ná an talamh.

113

Ní ceo a bhí ann ach scamall aisteach. Ní raibh sé ina lá ná ina oíche, agus ní raibh sé ag báisteach ná tirim. Bhí solas sna tramanna agus i mórán gach uile áit eile. Mheabhraigh dreach an bhaile mhóir dom na scéalta faoin néal smúite agus dúchain a bhí os cionn Chluain Meala an lá ar crochadh an tAthair Nioclás mac Sithigh ann.

Ar mo bhealach chun an phríosúin dom bhí an cosán sleamhain, greamannach, bealaithe agus gan deannóid ghaoithe ann. Bhreathnaigh gach uile rud fliuch agus na crainn agus na sceacha thart ar Ospidéal an Mhater mar a bheidís ag sileadh.

Ar an mbealach mheabhraigh bás Liam dom a liacht rud. Mheabhraigh sé dom 'Lally of the Brigade.' 'Murach Lally bhí Fontenoy caillte againn,' a dúirt Michelet, an staraí mór Francach. Ach dhícheann na Francaigh an fear a ghnóthaigh dóibh Cath Fontenoy! Agus é thíos sa talamh dúradar nach raibh sé ciontach chor ar bith! An ndéarfaí rud éigin mar é faoi Liam fós? Fianaise bhréige agus scéalta bréagacha ba mhó ba chiontach le bás Lally. Níor tugadh aon fhianaise in aghaidh Liam. Is cosúil go raibh scéala a bháis imithe ar fud an cheantair faoi seo mar bhí sioscadh cainte ar siúl ag corrdhoscán ar na cosáin.

Tar éis dom féachaint amháin a thabhairt ar ionad mallachtach úd Mhuinseo d'fhill mé i dtram mar bhí mé ag déanamh faillí ar rudaí eile.

Cúig mhí ina dhiaidh sin chuala mé Pádhraic ó Máille ag rá ar chruinniú poiblí thíos i dTuaim agus gan é leathleigheasta: 'Tá mé sásta lámh an té a chuir na piléir ionam a chroitheadh' – de ghrá na síochána, agus na carthanachta, agus an réitigh. A raibh baint acu le Cogadh na gCarad, agus a ndéarfadh a leithéid an uair úd, níor dheacair a gcomhaireamh. Ní raibh an cogadh tubaisteach baileach thart agus ba threise an nimh agus an ghangaid agus an fonn díoltais ná a malairt.

An oíche roimh an gcruinniú úd i dTuaim, agus Cogadh na gCarad beagnach thart, rinneadh ionsaí ar bheairic Áth Cinn

siar bealach Loch Coirib. Go gairid ina dhiaidh sin tugadh
seisear buachaill óg as príosún na Gaillimhe síos go Tuaim
agus rinneadh a lámhach ann. B'as ceantar Áth Cinn a
mbunáite. 'I cried when I heard about it,' arsa Micheál Staines liom.
Fear mór i gCumann na nGael a bhí ann. 'Colonel – was
responsible for the executions. He did not understand the
West. Seán Maguire was a lovely boy.'
Ba dhuine den seisear é. B'as an gCrois i gContae Mhaigh
Eo é.
Na Gaillimhigh a raibh mise ag caint leo faoi is ar Aire
áirithe a chuireadar an milleán. Measaim gur ag Micheál
Staines a bhí an ceart. Duine carthanach trócaireach a bhí
ann.

Ba mhaith an scéal é nár caitheadh aon Teachta eile mar
dhéanfaí tuilleadh príosúnach a lámhach, déarfainn. Bhí an-
imní ar chara dom as Ciarraí faoi phríosúnach a bhí ar liosta
an rialtais, mar ba é féin a thug an buachaill úd isteach sna
hÓglaigh. Dúirt duine leis a raibh an-chumhacht aige nach
bhféadfaí aon gheallúint a thabhairt nach gcuirfí an príosún-
ach úd chun báis dá maraítí aon Teachta Dála eile.
Déarfainn féin nach ndeachaigh aon phríosúnach eile
chomh gar don bhás an uair úd is a chuaigh Corcaíoch
iomráiteach. Compánach dom as Tiobraid Árann a bhí ina
oifigeach airm a dúirt liom go raibh an príosúnach sin ag
éisteacht le gearradh an tsáibh agus buillí an chasúir agus an
chónra á déanamh dó thíos i gCluain Meala! Tháinig a phard-
ún díreach roimh uair na cinniúna – an seacht a chlog ar
maidin, sílim.
Scaitheamh ina dhiaidh sin bhí cúpla dreas seanchais agam
leis thíos i gCill Airne agus é ina thaistealaí tráchtála. Ba
dhuine breá gnaíúil é agus ba mhór an feall dá mbeadh air an
seaicéad adhmaid úd a chaitheamh.
Roimh Nollaig na bliana 1921 an babhta deiridh a bhfaca
mé Liam ó Maoilíosa – ag cruinniú a bhí aige i mBéal Átha na

Bás Liam

Sluaighe. Ní mórán a raibh baint acu le cogadh na Saoirse a bhí chomh dáiríre leis. Nuair a d'fhiafraigh mé de an mbeadh glacadh leis an gConradh le Sasana séard a dúirt sé: 'Dá mbeadh an vótáil ann roimh Nollaig déarfainn nach mbeadh, ach tá faitíos orm anois go mbeidh.'

An bhrí a bhain mise as sin go n-éireodh leis an gcanbhasáil agus eile idir an dá linn.

B'ait liomsa barúil oifigigh oilte faoi na gunnaí seanaimseartha Rúiseacha a cuireadh go tóin farraige i gCuan Chóibh. An mbeadh mórán maitheasa iontu do na hÓglaigh, go mór mór don mhuintir nár rug ar aon raidhfil riamh cheana? Nó ar mhó contúirt dóibh iad agus dá gcuid comrádaithe ná do naimhde a dtíre? Dá dtiocfaidís slán i dtír féin níorbh fhéidir eolas a chur orthu mar bheadh an t-éirí amach ar siúl sula mbuailfidís a gceann scríbe. Níl ansin ach mo bharúil féin ach is minic ag cuimhneamh air mé.

Déarfainn nárbh shin é a shíl Liam.

'Dá dtiocfadh na gunnaí againn ní míle fear a bheadh againn i nGaillimh ach na mílte,' a dúirt sé agus é ag caint ar an Éirí Amach liom. 'Ní fhéadfainn dearmad a dhéanamh choíche ar an gcaoi ar sheas Baile Átha an Rí agus an taobh tíre thart air linn, agus an chaoi ar bheathaíodar sinn ar feadh na seachtaine úd.'

Bhí sé ar na fir ba lú gaisce a casadh riamh orm.

'Domsa a tugadh an moladh faoin oiread sin Óglach a bheith sa chontae,' ar seisean. 'Bhíodar ann romham. Rinne mé mo dhícheall le ord agus eagar a chur orthu. Sin é a raibh ann.'

Mar sin féin is dó a bhí an ceann trom den mholadh agus den chreidiúint ag dul.

'Seomra Liam a bhíodh againn ar an seomra seo,' arsa Proinsias ó hEidhin liom istigh ina theach féin i mBaile Átha an Rí sa bhliain 1965. B'ann a chodlaíodh Liam. Tar éis an Éirí Amach chuaigh Proinsias, agus é ina fhear pósta, in éineacht le Liam agus Ailbhe ó Monacháin ar a gcaomhnú. Chaitheadar leathbhliain istigh i scioból thíos i gContae an Chláir i ngar don Tulach. Faoi Cháisc, 1970, a cailleadh

Gan Baisteadh

Proinsias. Saighdiúr iontach a bhí ann. Agus chum sé filíocht i nGaeilge agus i mBéarla.

Is mó moladh a thug na Peelers do Liam ná mar a thabharfadh sé féin dó féin.

Ag an bhfiosrúchán a chuir Rialtas Shasana ar bun tar éis an Éirí Amach dúirt County Inspector Clayton:

'Mellowes came to Athenry in April 1915 and enrolled practically all the young men of the countryside. He was paid a salary of £3 a week. The black spots of the district included portions of Athenry . . . .'

B'shin moladh dáiríre! Trócaire Dé ar Liam.

Tar éis an tsaoil bheadh obair ar Liam mórán dul chun cinn a dhéanamh i dtosach murach Proinsias ó hEidhin agus buachaillí Bhaile Átha an Rí, agus an IRB i ngach uile áit, agus an tAthair Anraí ó Fiannaí, sagart óg as an gCaisleán Gearr, a théadh amach go Scoil Éanna ag súil le faisnéis nua ón bPiarsach faoin Éirí Amach.

Is beag tuiscint a bhí ag Liam ar shaol agus ar bhealaigh na tuaithe. Níor chúnamh dhó a chanúint agus go mór mór a shloinne aduain, ach mhéadaigh gean na nÓglach agus na ndaoine uilig air de réir a chéile nó go raibh sé ina úillín óir acu, nó geall leis.

Sé an tAthair ó Fiannaí a bhí ina shéiplíneach i gCaisleán Mhaigh Fhóid, an campa Gaelach, gar do Bhaile Átha an Rí san Éirí Amach, agus a ghunna beag faoina cheannadhairt san oíche aige! B'éigean dó glanadh leis go Meiriceá agus an tÉirí Amach thart.

[*Éamann ó Corbáin agus*
an tAthair ó Fiannaí

16
Gunnai agus Airgead

OBAIR amháin nár thaitin riamh liom: ag iarraidh airgid
ar chomhaltaí de Chumann Lúthchleas Gael, Chonradh
na Gaeilge, Shinn Féin agus a leithéidí. Níorbh annamh ar
phócaí folmha iad. Bhíodh údar maith clamhsáin acu freisin:
gurbh iad an dream céanna a bhíodh ag coinneáil mórán gach
uile rud ag imeacht. Bhí airgead gann. Cheannódh dhá
phingin pionta pórtair, agus seacht bpingin dhá unsa tobac.
Ní raibh beann ag fear an dá thuistiún ar aon neach i dteach
an óil. Ach thug an chéad Chogadh Mór malairt saoil leis.

Bhí an cúram míthaitneamhach céanna orm tamall i
mBaile Átha Cliath ag cruinniú airgid ó nuachtóirí le hagh-
aidh cumainn áirithe, agus a fhios agam go mbíodh cuid acu
do mo sheachaint lá an phá. Níor mhór duit croí agus intinn
an bháille, nó an chigire cháin ioncaim, lena aghaidh.

Níor lú liom an diabhal ná dul ag tóraíocht gunnaí i dtithe
tuaithe. B'aoibhinn lena ais gunnaí a bhaint de phíléirí nó
de shaighdiúirí gallda, nó de lucht cúnta an tSasanaigh, dá
mba Éireannaigh féin iad. Níor mhaith liom a bheith ag
scanrú mná tuaithe agus páistí, ag ransáil seomraí le daoine
cneasta gnaíúla, nach raibh linne ná inár n-aghaidh, b'fhéidir,
agus nach ndearna blas as bealach ach amháin go raibh gunn-
aí acu a cheannaíodar lena gcuid airgid féin nó a fuaireadar
go cneasta ar bhealach éigin.

Ba bheag fáilte a bhí agam roimh an ordú a tháinig i dtús
na bliana 1920, go gcaithfí a raibh de ghunnaí agus eile i
bparóiste amháin a chruinniú de shiúl oíche − paróiste nach
raibh an IRA ná an IRB ann.

Gunnaí agus Airgead

'Mura bhfaighfidh muide iad nach bhfaighidh na píléirí iad?' a deir an ceannfort. 'An dúinne nó dóibhsean atá na gunnaí ag dul? Agus cé againn is mó ina gcall?' Thost an chaint sin mé, go mór mór ó tharla scéala aige go raibh faoi na píléirí na gunnaí a chruinniú lá ar bith.

Ar aghaidh linn ag coisíocht ar an mbóthar mór agus gan é ach ina chontráth. Ba le strainséir a bhí inár n-aghaidh, agus an-mhór leis na píléirí an chéad teach.

Lig sé béic nuair nár ligeadh dó an doras a dhúnadh amach inár n-aghaidh agus é ar faonoscailt aige. Déarfainn go raibh sé san airdeall ar ár leithéidí .

'Agus an páiste bocht a thug sibh in éineacht libh!' arsa bean an tí. 'Céard a tháinig ar do mháthair agus tú a ligean amach a leithéid d'oíche, a stór?'

Déarfainn gur shíl sí go labhródh duine éigin agus go n-aithneodh sí a ghlór mar bhí púicín gaelach baile ar gach uile dhuine againn.

Shílfeá uirthi gur chineál mascot é an 'páiste' céanna. Má bhí sé beag féin ní fiacla diúil a bhí ann.

Fuarthas gunna breá dúbailte ansin agus glac lóin lena aghaidh.

Bhí an tae díreach thart sa chéad teach eile agus cailín ard dathúil ag níochán na soithí ar an mbord. Níorbh í an chéad chailín í a thug suntas agus taitneamh do óglach amháin. Déarfainn gur aithin sí é ainneoin an phúicín agus eile agus gur mó fáilte ná doicheall a bhí aici romhainn. Shíl mé gach uile nóiméad go gcloisfí pléascadh – go ndéanfadh sí smidiríní de na gréithe, bhreathnaigh sí chomh hoibrithe sin agus an t-athair ag faire uirthi.

'Tabhair aire do do chuid gnótha féin tusa,' ar seisean léi.

Bhí sé ina léine le hais na tine agus é ag stolladh tobac. Déarfainn go raibh cúpla failm istigh aige mar bhí sé tar éis ? theacht ó shochraid. Nóiméad ina dhiaidh sin chuir sé an fhainic chéanna ar an iníon.

'Tá gunnaí sa teach seo,' arsa an ceannfort leis.
'Má tá fáigí iad.'
'Gheofar iad.'

121

'Bhur ndúshlán. An lá ar sháraigh sé ar na píléirí ní móide go n-éireoidh libhse.'

B'fhíor dó. Chuaigh acu orainn.

Tamall ina dhiaidh sin chuala muid nach raibh idir na gréithe agus an dá ghunna ach an clúdach boird agus clár amháin! Níor chuimhnigh aon duine againn ar an áit chéanna.

Thuas ar lochta beag istigh i gcúb na gcearc a bhí gunna eile a sháraigh orainn féin agus ar na píléirí a fháil. Bí ag caint ar shiúinéireacht! Agus gobáin a rinne an dá éacht.

Cé go mba oíche lán gealaí í, agus é ag sioc go tréan as gaoth anoir, bhí muid imithe an fad sin as baile nach mbeadh a fhios againn cá raibh an chéad teach eile murach treoraí a bhí ag fanacht linn ar cheann bóithrín agus suaitheantas ar leith air. Ní raibh sé san IRA ná san IRB. Rinne sé léarscáil na sráide a bhí uainn dúinn ar an mbóthar lena leathbhróg!

Ag tarraingt ar an áit dúinn lean fear de mhuintir Eidhin muid – sloinne a bhí an-tréan san áit chéanna – agus níor thug sé aird ar bhagairt ná ar ghunna. Tar éis muid a thionlacan ceathrú míle chas sé go tobann agus muid imithe thar a theach féin.

'Bhí faitíos orm go scanródh sibh mo bhean,' ar seisean.

Níor chall dó a bheith in imní fúithi mar ba shaolaithe fiche bliain í ná é. Ní annamh imní gan údar ar an té nach mbíonn ar fónamh é féin.

An teach a bhí uainn ba leis an Maor Persse, deartháir don Bhantiarna Greagóirí é, istigh in aice le Loch Coirib. Bleitheach timpeall is fiche cloch meáchain a bhí ann. Bhí geolbhach mór feola tite aige agus dreach drabhlásach fíorghallda air. Nuair a théadh sé suas ar charr cliathánach go dtí stáisiún Mhaigh Cuilinn bhíodh sé thíos in aice an bhóthair agus an tiománaí beag thuas san aer.

Cineál teach samhraidh nó teach iascaireachta a bhí aige ann. Measadh i dtosach gur briseadh anuas sa saol é agus é a theacht ansin os cionn deich míle fichead. Chuala mé gurbh é an chaoi ar fhág sé Cúirt Mhór Roxboro i gceantar Bhaile Locha Riach, nó gurbh éigean dó é fhágáil, nuair a phós sé searbhónta. Ba mhór an t-athrú é ó chúirt Roxboro go háit atá ina theach talmhaí leis na blianta. Ba bheag áit in Éirinn ar roinneadh an t-anraith chomh flaithiúil is a roinneadh i Roxboro é. Bhí rud eile ann freisin nach raibh i mórán de na tithe móra dá dhonacht iad: bhí íomhá den Mhaighdean Bheannaithe ann, ach ní lena hadhradh ach le smugairlí a chaitheamh uirthi. B'as an áit sin a chuaigh Augusta Persse siar ar an gCúil nuair a phós sí Greagóirí. Ba í ab fhearr ar bith.

Tá Roxboro ina luaith
Agus féach an Chúil mar atá.

Moladh muintir Ghreagóirí, agus b'fhéidir moladh ag dul dóibh. Deirtear go raibh duine acu go han-mhaith do na boicht agus dá chuid tionóntaí féin aimsir an drochshaoil, ach de réir an amhráin ní rabhadar uilig ionmholta.

Murach Éamann Buí Máirtín
Agus Greagóirí ón gCúil
A's Lamport Chraig a Chláire
Chuirfí Seán Mór anonn.

Murach an triúr úd ní chrochfaí Seán Mór mag Fhloinn as Ard Raithin i dtús na bliana 1799 – duine de na báireoirí ab fhearr i nDeisceart na Gaillimhe. Bhí an chuid eile den choiste sásta é a chur thar sáile anonn, agus bheadh súil le muir ansin.

Tá mo chamán is mo liathróid
Ina liathán faoi mo leaba
Is mo bhean is mo cheathrar páistí
Ag súil le mo theacht abhaile.

Tá tuilleadh sa chaoineadh agus é leagtha ar Raifterí.
Ligeann Dia tamall leis an éagóir, a deirtear.
Bhí togha urchair ag an Maor, má b'fhíor. Bhí slabhra leis na doirse aige agus caoi ar leith ar na fuinneoga aige. Níor theastaigh uainne aon urchar a chaitheamh ná aon torann a dhéanamh. Ní shílim go raibh plean ar bith againn mar ní

raibh a fhios againn cén sórt áit a bhí thart ar an teach ach muid a bheith ag tarraingt air de réir a chéile agus súil againn nach dtosódh aon mhada ag tafann.

Ar éigean ann muid nó go ndearna slabhra torann agus chrom muid síos ar an tsráid. Osclaíodh an doras, tháinig bóithrín solais amach ar fud na sráide agus shiúil cailín amach i gcoinne dhá channa fíoruisce leathchéad slat ón doras. Rinne muid capall Traí di agus isteach linn in éineacht léi. Murach an t-ádh ní móide go n-éireodh chomh héasca sin linn.

Ina shuí síos ar shuísteog taobh istigh den doras a bhí an Maor. Níor ligeadh dó corraí nó go raibh an cuardach thart. 'You boys must have come a long way,' ar seisean nuair a chuala sé an Ghaeilgeoireacht.

Baineadh mealladh asainn a laghad brabach is a fuair muid ann. Athraíodh trí gunnaí breátha as lá nó dhó roimhe sin! Chuaigh aigesean orainn freisin.

B'fhusa buidéil phoitín a fháil i gcuid de na tithe eile ná gunnaí, agus dá dtiocfadh na píléirí gheobhaidís gan stró iad. Tar éis an mheán oíche bhain aistíl do bhuachaill amháin. Baineadh de a ghunna – agus buidéal poitín!

Bhí súil le trioblóid sa teach deiridh, áit ar chónaigh fear agus a bheirt mhac. B'iad an t-aon dream amháin a sheas inár n-aghaidh iad.

'Má chuireann sibh an gunna amach an fhuinneog chugainn ní bheidh tada eile faoi,' a deir an ceannfort.

'Ní bhfaighidh sibh an gunna seo gan fuil agus coirp,' arsa duine éigin taobh istigh.

'Gheofar de do bhuíochas é, agus nárbh fhearr duit é a thabhairt uait go ciúin socair?'

'Ní bhfaighidh sibh gan fuil é, a deirim libh.'

Dóbair don fhuil a bheith ann freisin.

'Aire dhaoibh, a bhuachaillí!' a deir an ceannfort nuair a scaoileadh an chéad urchar. Cuireadh cúpla gráinne in óglach amháin – sách gar do leathshúil leis. An tráth ba ghéire an comhrac cuireadh an dá dhoras isteach ar fud na cistine le guaillí agus ghabh ceathrar buachaillí isteach i mullach a gcinn ina ndiaidh. Ghabh an triúr síos ar a nglúine ar a

dteallach féin agus d'iarr cara agus coimirce ar lucht a
n-ionsaithe. Bhí trua ag cuid againn dóibh mar rinneadar
troid chumasach. Dá mbeadh slabhra nó maide Éamainn
féin leis na doirse bheadh obair orainne.

An té is lú a rinne coisíocht an oíche sin chuir sé fiche míle
de, mar bhí muid ag dul anonn is anall ar an aistear. Shiúil
cuid acu seacht míle fichead. Agus ar aonach na Gaillimhe
ina dhiaidh sin! Má bhí léasracha ar shála ba bheag an
dochar dóibh. Ní raibh orm dul amach an dara hoíche –
buíochas le Dia.

Níor bhaileach ina lá é nó gur tháinig na píléirí as Uachtar
Árd ar thóir na ngunnaí!

Bhí sé socraithe go dtabharfaí gach uile ghunna ar ais ach
go mbeadh an troid thart. Cé cheapadh go dteastóidís i gCog-
adh brónach na gCarad!

'Tháinig tú an-mhoch,' arsa an bearrbóir i nGaillimh liom,
agus mé in mo sheasamh taobh amuigh nuair a d'oscail sé an
doras. Ceapann duine i gcónaí go dtugann daoine rudaí faoi
deara ar a leithéid d'ócáid.

'Cén sórt méanfach sin ort – nó cá raibh tú aréir?' an chéad
cheist a chuir comrádaí orm thíos i dteach na cúirte.

'Tórramh,' arsa mise.

'Téirigh a chodladh, in ainm Dé, agus déanfaidh mise do
chuid oibre duit.'

Go ndéana Dia trócaire air!

Ghlanfainn liom ar an toirt murach go raibh cás ar leith ar
an gclár agus tuairim agam go mbeadh na gaill i dteannta dá
bharr. Bhíodh teangadóir i gcónaí sa chúirt chéanna mar ní
raibh aon déanamh dá uireasa. Níorbh fhurasta duine
amháin acu (fear de chlann Domhnaill as Conamara nó as
Árainn) a shárú. Seanphíléir de Mhaolánach a bhí taobh le
dallamullóg agus cur-i-gcéill a tháinig ina dhiaidh. Ní raibh
a fhios ag na gaill nach raibh sé chomh maith le hEoghan ó
Neachtain! Agus gan fáil air sin féin an lá úd.

Nuair a tugadh fear óg as Conamara os comhair na cúirte

de bharr mionghadaíocht chonaic mé rud nach bhfaca mé faoi dhó riamh: chonaic mé píléir ag plé cúise i nGaeilge. Déiseach de mhuintir Nuanáin a bhí ann, Gaeilgeoir dúchais agus greim maith aige ar Ghaeilge Chonamara. Níor náire leis Gaeilge a labhairt le duine ar bith. *Head Constable*, gairm idir sáirsint agus cigire, a bhí ann.

Nuair a shéan buachaill Chonamara gach uile rud thosaigh Ó Nuanáin á chroscheistiú agus é á dhéanamh go rímhaith, dar liom. Agus thosaigh Hill, an giúistís gallda, ag croscheistiú seisean agus é ar dheirge chírín coiligh fhrancaigh le teann feirge, mar níor thuig sé focal amháin den fhianaise.

'Tuige nach gcuireann tú faoi ndeara dó Béarla a labhairt?' ar seisean agus goic an oilc air.

'Ach níl aon Bhéarla aige.'

'An lá a bhfuil Béarla ag an athair tuige nach mbeadh sé ag an mac?'

'Chaith an t-athair scaitheamh i Sasana.'

Bhí an t-athair tar éis fianaise a thabhairt agus cineál lapaireacht Béarla aige.

Lean Ó Nuanáin leis agus é cinnte go raibh sé ag déanamh gaisce – rud nach bhféadfadh aon neach eile den dream gallda a dhéanamh. Bhí Hill i gcruth ceangail. Bhí sé ag síorchorraí sa chathaoir le teann mífhoighne agus binibe agus é ag breathnú chomh míshuaimhneach míchompordach is dá mba ghráinneog a bheadh faoi. Shíl mé gach uile nóiméad go spréachfadh sé, agus ní raibh aon iontas orm nuair a lig sé alla: 'Stop it! I can stand it no longer.'

Ní bhfuair Mac uí Nuanáin aon chéim suas de bharr an lae úd.

Seo sampla de staid na Gaeilge sna cúirteanna gallda i nGaillimh sa bhliain 1918:

> Bhí Seisiún Ceathrúnach ar siúl sa gCúirt i nGaillimh tráth na feise agus is mó an Ghaeilge agus na Gaeilgeoirí a bhí sa gcúirt ná a bhí ag an bhfeis. (*An Stoc* Lúnasa 1918)

Poitín in áit ghunnaí a bhíodh uaireanta á lorg ag na póilíní a bhí ann cúpla bliain ina dhiaidh sin, agus iad ag iarraidh an stiléaracht a chur faoi chois. Cé go raibh a fhios acu go raibh braon i dteach amháin i gceantar Uachtar Ard chinn orthu striog féin a fháil.

Níorbh fhada imithe iad nó gur fhill an captaen leis féin agus shuigh sé síos sa chúinne le hais na tine gan cuireadh, gan iarraidh, agus gan mórán fáilte roimhe. Duine lách neamhurchóideach a bhí ann.

'Thabharfainn mo dhá shúil ar fhliuchadh mo bhéil,' ar seisean le bean an tí.

'Ní údar meallta dh' ainnir ar bith na súile céanna.'

'Níl uaim ach lán méaracáin dom féin.'

'Níl le trust díot, a fhleascaigh.'

'Nár fhága mé amach an áit seo choíche mura bhfuil mé le trust.'

'Nár lige Dia go gcaillfí istigh anseo thú.'

'Is tuige?'

'B'fhearr linn uainn thú mar ní ball deas troscáin i dteach ar bith do leithéid.'

'Tá tú an-dian orm. Tabhair dom adharc de agus ná bí ag caint.'

'Dheamhan a fhios agam nach é mo dheargaimhleas atá mé ag dul a dhéanamh.'

'M'fhocal duit nach é.'

'Tá tú te ó tháinig tú isteach – déarfaidh mé an méid sin leat.'

'Agus nach breá nach bhfaighim aon bholadh?'

'Ní ceal sróine atá ort mais.'

(Bhí srón fhada fhciceálach air.)

'Tá sé faoi do thóin – tá tú i do shuí air!'

Roimhe seo bhíodh poll luaithe faoi leac le hais na tine agus is isteach ann a sháigh sí na buidéil agus na strainséirí chuici. Ní mórán acu atá fágtha déarfainn.

Níor fheall sé uirthi.

Ní feasach mé arbh é gaisce an lae úd a thuill dó an pinsean nó nárbh é.

Níor shíl mé riamh cheana go mbeadh aon phinsean chomh

mór sin ina údar éada agus buile nó gur chuala mé beirt ag
caint – beirt a mheas nárbh fhearr an aghaidh ar phinsean aon
neach eile ná iad féin agus é cinnte orthu é fháil.

Ar theacht na bpinsean facthas dom athrú ar intinn nó
mana cuid de na seanóglaigh. Lá den saol ní raibh aon
chuimhneamh ar íocaíocht ná ar chúiteamh, ach saothar in
aisce d'Éirinn.

'Ar ndóigh tá pinsean agat?' 'Tá mé ag ceapadh go bhfuil
pinsean deas anois agat?' – cuid de na ceisteanna a chuirtí
orm nuair a théinn siar abhaile.

Níor shíl mé go raibh aon phinsean ag dul dom agus níor
iarr mé é. Dúradh liom cúpla babhta cur isteach air, ach níor
bhac mé leis. Agus ní bhacfad.

Buachaillí a d'fhulaing cuid mhaith níor tugadh dóibh aon
phinsean. Ní bheadh a fhios agat cén chaoi a bhfuair daoine
eile é.

Bhí aithne agam ar fhear óg a dúirt: I am not joining the
Volunteers to fight; I am joining to defeat Conscription!'

Ní móide go gcuimhneodh aon duine ar a leithéid de im-
scoilteadh gaoise ach fear dlí. Thug rialtas dó posta mór,
agus ba mhaith an aghaidh air é, ar ndóigh!

17
An Bhainis

NÍORBH fhada istigh i dteach an tséiplínigh, an tAthair ó Cuinneáin, mé an oíche roimh an mbainis nó gur thosaigh sé do mo chomhairliú. Ó tharla é féin sáite in obair na nÓglach bhíodh fios aige ar mórán gach uile rud i Maigh Cuilinn, ach amháin ar chúrsaí an IRB. Tháinig bród air agus é ag insint dom go raibh mórán gach uile shagart óg thart ar Ghaillimh ar thaobh na nÓglach, agus cuid de na seansagairt freisin. Ba mhinic é féin ar an mbóthar lena rothar preabach Fear beag tanaí, lasánta a bhí ann agus é thart ar dheich mbliana fichead. Ní cheapfá choíche go mbeadh aon luí le saighdiúireacht aige, ach bhí sé an-dáirire. B'as Baile an Róba, in Ard-Deoise Thuama, é, agus é ar iasacht i nDeoise na Gaillimhe.

'Bígí cúramach in ainm Dé, agus ná déanaigí tada nach call daoibh a dhéanamh; agus ná téigí in áit ar bith nach call daoibh a dhul,' ar seisean. 'Is bocht an rud a bheith ar leathchois nó ar leathláimh le do ló de bharr do chionta féin.'

Trí ráithe ina dhiaidh sin b'éigean dó féin dul ar a chaomhnú ar 'Tans' Shasana. Ghoideadar leath a raibh sa teach aige. 'Gentlemen' a thugadh Lloyd George, príomhaire Shasana, ar na gadaithe agus na dúnmharfóirí úd.

Ina shagart paróiste i gContae an Chláir a bhí an tAthair ó Cuinneáin nuair a cailleadh é.

An córas iompair a bhí ag na hÓglaigh i gceantar amháin a thug dom trácht ar an mbainis, mar tiocfaidh an lá nach gcreidfear é mura mbeidh sé ina dhubh ar an mbán, a athraithe is atá an saol ag luas de gach uile shaghas.

Gan Baisteadh

'Go deimhin ní carranna cliathánacha a bhí acu an oíche úd: rothair a bhí acu,' arsa Laighneach liom, deich mbliana fichead ina dhiaidh sin – fear a raibh eolas i bhfad níos fearr aige ar Chonamara ná mar a bhí agamsa, ach amháin nach raibh sé ann an uair úd.

Ba thrillíní gan éifeacht rothair an oíche úd do bhuachaillí a raibh orthu dul isteach i mbreaclacha agus i gcreagáin, agus thar chlaíocha agus carraigeacha d'fhonn beairic an Spidéil a sheachaint. Ina theannta sin b'fhurasta rothair an taobh tíre sin a chomhaireamh an tráth céanna – earrach na bliana 1920. Thug mé féin ceithre ghine dhéag ar *Lucania*. Is faide a ghabhfadh an méid sin an tráth úd ná deich bpunt fhichead ar an saol deiridh seo, nó b'fhéidir dhá scór féin. Ach fágfaidh muid é sin ag an muintir a chuireas dallamullóg ar an bpobal le figiúirí.

Ar dhá charr chliathánach a chuaigh an deichniúr againne as Maigh Cuilinn siar go Bóithrín Sheanach-Gharráin, cóngarach don Spidéal. Seán barúil, tráthúil ó hAlmhain (a maraíodh le gluaisteán sa bhliain 1963) an tiománaí a bhí ag cúigear againn. Go ndéana Dia trócaire air! B'ait uaidh aistear a ghiorrú le hamhráin agus scéalta. Tháinig muid anuas cúpla babhta agus na capaill ag dul in aghaidh na n-ardán ar bhóthar an tsléibhe – ocht míle bealaigh.

Thíos i bpócaí na gcótaí móra a bhí na cartúis agus greim bia againn. Cuireadh na gunnaí siar ann an oíche roimhe sin. 'Má thagann sé anuas beidh drochbhail ar phúdar agus eile,' a deir an captaen nuair a thosaigh sé ag braonachadh.

Sin é an imní is mó a bhí orainn.

'An bhfuil aon dochar a fhiafraí cá bhfuil sibh ag gabháil?' arsa fear an Spidéil agus an dá charr ag ceann scríbe, ar theacht na hoíche.

'Ara tuige a mbeadh – ar bhainis,' arsa Seán ó hAlmhain.

'Bainis sa gCarghas! Níor chuala mé go raibh duine ar bith thart anseo ag gabháil ag pósadh.'

'Bainis ar leith a bheas inti. Chuala mé nach mbeadh cailín ar bith ann.'

'Bainis aisteach go maith.'

An Bhainis

'Déarfar amárach nach raibh Bainis an tSliatháin Mhóir
ann léi.'
Thug treoraí muid trasna áit chomh crosta aimhréidh is a
casadh riamh liom. Níor léir cosán ná eile, ach d'airigh muid
na driseacha agus na sceacha dár stróiceadh agus dár ngearr-
adh. Agus muid amuigh ar bhóthar an rí tamall siar ón
Spidéal roinneadh na gunnaí sa dorchadas. D'aithin mise mo
ghunna féin ar an mant beag a bhí sa stoc.
Thosaigh buachaillí ag cruinniú as na paróistí máguaird
ann. Bhí beirt ábhar dochtúirí ann agus burla de fháisceáin
agus eile acu, agus beirt innealtóir óga amach as Ollscoil na
Gaillimhe. De réir a chéile thosaigh na capaillíní glasa ag
teacht amach as na bóithríní agus ag cruinniú in áit ar leith
nó go raibh deich gcinn nó dhá cheann déag acu ann. Cá
bhfios nach raibh seanathair nó seanmháthair Dundrum ann,
nó gaolta i bhfad amach dó?
Suas linn ar na carranna agus ár n-aghaidh siar ar an nGort
Mór, Ros Muc, leis an mbeairic a bhaint de na píléirí, cóngar-
ach do theachín an Phiarsaigh. Ní raibh solas ar charr ar bith.
Níor shamhail dóibh ach na carranna ag imeacht ón séipéal
faoin tuath tar éis an phósta. Is beag torann a bhí ann ach
clascairt na gcrúb, agus monabhar olagónach na farraige agus
scréachaíl na n-éanacha trá, agus na heachra á ghlacadh go
réidh in aghaidh na n-ardán – nó na gcarcair, mar a deirtear i
gCois Fharraige.
Déarfainn go raibh a fhios ag cuid mhaith faoi. Rug fir óga
na háite greim ar na carranna taobh thiar agus thosaigh á
leanacht agus ag léim le teann díocais, agus ag cur scaoth
bheannachta linn. 'Beannacht dílis Dé libh,' agus 'Go dtuga
Mac Dé agus an Mhaighdean Bheannaithe slán ar ais sibh,'
agus eile.
Facthas dom go raibh na buachaillí úd chomh corraithe sin
is go ndéanfaidís ionann is rud ar bith.
'Ara ní hionann iad sin agus muintir Mhaigh Cuilinn chor
ar bith,' a deireadh fear sa bhaile liom fadó. 'Fuil na farraige
atá iontu sin, a dhuine,' cé bith cén saghas fola í sin.
Tar éis tamaill thosaigh buachaillí ag gabháil fhoinn. Ba

Gan Baisteadh

as Cois Fharraige a déarfainn an buachaill ar an gcarr taobh thiar dhíom a chroch suas:

Fuair mé gloine fuisce,
Ó Stua na gruaige báine,
Agus shíl mé go raibh mil air,
Mar chuaigh sé trína lámha.

Agus ansin:

Chuir mé mo sheanfhear ag an Aifreann Dé Domhnaigh,
Agus uisce na bhfataí mar starch ina bhóna.

Ar aon charr liom a bhí an buachaill a thosaigh:

Rinne mé an pósadh tráth a raibh mé óg
Agus níor bheo mé féin mura ndéanfainn,
Níor iarr mé comhairle ar lucht an eolais –
Sin ní ba chóir dom a dhéanamh.
Ach dá mba liomsa an méid óir atá ag an Impireoir Mór
Thabharfainn é as ucht mé a bheith scaoilte,
Go mbainfinnse spórt as an saol a bheadh romham
Mura mairfinnse beo ach trí bliana.
Tá mná an bhaile seo thíos,
Agus iad ag sníomh lín agus barraigh,
Is mo bheansa ina suí ag an tine le mí.
Is gan í ag déanamh ní ar bith a thaitneodh liom,
A Mhuire is a Chríost céard a chas orm í!
A leithéid de shifrín seafóideach?
Is trua gan í i gcrí agus leac os a cionn
Is gheobhainn bean a shníomhfadh casóg dom.

Is cosúil gur shantaigh chorrfhear eile, roimhe agus ina dhiaidh, an rud céanna! Ar thart ar aimsir Napoleon a cumadh an caoineadh seo – An tImpireoir Mór?

Sé mhíle as trí mhíle fhichead a bhí curtha dínn againn nuair a stop an 'bhainis,' agus meall mór ar an mbóthar amach romhainn – leoraí as Stór Chamais, a bhí lenár dtabhairt an chuid eile den bhealach. Bhí drochscéala ag an tiománaí: nach bhféadfadh an leoraí casadh in aon áit níba ghaire ná trí mhíle don bheairic, go mbeadh orainn na trí

mhíle sin a shiúl, an bheairic a ghabháil, trí mhíle eile a shiúl
ar ais agus a bheith imithe thar bheairic an Spidéil roimh an
maidneachan! Bhí cuid de na hóglaigh an-mhíshásta. Dá mbeadh fhios
acu faoin scéal thiar ag an mbeairic ní bheadh seasamh ar bith
leo. Bhí buachaill amháin tar éis a theacht as Baile Átha
Luain – trí fhichead míle – in aon turas le bheith san ionsaí.
Ní feasach mé cé dó, nó dóibh, a bhí an milleán ag dul. Do
Aire Iompair agus Cumhachta na haimsire sin b'fhéidir.

Bhí buachaill a chonaic mé i nGaillimh an tráthnóna sin
ina sheasamh le m'ais agus an *council of war* ar siúl amuigh i
lár an bhóthair, agus cailín contúirteach thíos i mála barraigh
aige. Leagadh sé uaidh ar an talamh anois agus arís é mar bhí
meáchan ann. Leis an mbeairic a chur in aer a bhí sé aige.
Níor chall é, ná 'úlla rósta' féin mar chuala mé gur tugadh an
oircad sin poitín do na píléirí is go mb'éigean cuid acu a
iompar isteach sa mbeairic! Cineál 'softening up' roimh an
ionsaí nach raibh ann a bhí ansin.

De réir cosúlachta d'fhéadfadh leathscór fear an bheairic
chéanna a ghabháil gan stró. Dúradh liom go ndéanfadh
buachaillí na háite é dá mbeadh a fhios acu an bhail a bhí
orainne. Ach, ar ndóigh, ní raibh aon údarás acu.

Má bhí gabháil fhoinn agus gáire agus greann ann ag dul
siar dúinn ba gheall le tórramh an tilleadh – fearacht arm a
bheadh briste brúite.

Chuaigh sé rite liom fanacht i mo dhúiseacht istigh in oifig
an *Galway Express* an lá úd mar bhí sé ina lá nuair a bhuail
mé an baile agus ní raibh aon ionú codlata agam.

Sílim gur fhan beairic an Ghoirt Mhóir ansin nó gur tháinig
scaipeadh ar na píléirí cúpla bliain ina dhiaidh sin. Cailleadh
an-deis an oíche úd. Ach ní mórán aird a tugadh riamh ar an
saighdiúirín singil a cháin an marascal machaire nó an
t-ardghinearál!

(Trí bliana déag agus fiche a bhí mo ghunna agam sular
iarr mé ceadúnas! Ciarraíoch gnaíúil a thug dom é.

'Níorbh é a ghoid a rinneadh?' a deir sé.

'Níorbh é,' arsa mise.

133

Gan Baisteadh

Thíos faoi chláir an urláir in mo sheomra leapa a bhíodh sé
agam i mBaile Átha Cliath.)

18

An tAthair ó Gríofa

NÍ FURASTA trácht ar Sheoirse a Frionsa, an Gauger, gan trácht ar an Athair Micheál ó Gríofa freisin, mar measadh gurbh é bás an Gauger ba bhunúdar le bás an tsagairt, gur shíl Tans Shasana gurbh eisean a thug faoistin don Ghauger, sé sin nó go raibh a fhios aige faoi, agus go mbainfidís scéalta as le bagairt, nó lámh láidir, nó le leathchéasadh féin. Dhá bhfaighidís a raibh uathu d'eolas féin is léir nach scaoilfidís saor é tar éis é a mhealladh, nó é a fhuadach, as a theach féin i dtráth an mheán oíche, agus nach raibh i ndán dó ó fuaireadar greim air ach an t-anbhás.

Ní móide gur mórán Éireannach a shílfeadh go dtabharfaí sagart ag a dheargnamhaid agus fáil ar shagairt eile. Mar sin féin casadh liom corrÉireannach a shíl é.

Tomhas amháin nár fuasclaíodh fós: an chaoi ar mheall na gaill leo an sagart oíche ghála agus mhórbháistí agus é sa síorairdeall ar a leithéid de chleas. De réir cosúlachta ghabh sé leo faoi fhonn.

Ghoill a bhás ar Éirinn uilig, go mór mór nuair a fuarthas an corp, agus poll piléir sa chloigeann, i dtalamh corraigh trí mhíle siar ó Ghaillimh. Agus ar Dhomhnach na Fola, Bloody Sunday, an 21ú lá de Shamhain 1920 thar laethanta an domhain!

B'as Paróiste an Ghoirtín, in Oirthear na Gaillimhe, i nDeoise Chluain Fearta é. In aice le hArdeaglais Bhaile Locha Riach a cuireadh é. Seacht mbliana ina dhiaidh sin cuireadh leacht breá ar an uaigh. Cuireadh suas leacht de shaghas eile san áit ar fuarthas an corp.

135

Gan Baisteadh

Níor ghnáthspíodóir a bhí sa bhFrionsach. Measadh nach bhfuair sé pingin riamh as a chuid fill agus tréasa agus nach airgead a bhí uaidh. Céard a thug dó mar sin cabhrú le naimhde a thíre agus é ina chogadh dhearg idir Gaeil agus Gaill? Cad chuige a raibh sé in aghaidh gach uile rud Gaelach – an Ghaeilge í féin, Conradh na Gaeilge, Sinn Féin, na hÓglaigh agus eile? Corp oilc? Droch-chroí? Faltanas? Fonn díoltais?

'Déarfainn gur rud pearsanta a bhí ann, mar a déarfá,' arsa fear liom a bhíodh ag spíodóireacht ar an spíodóir, é féin.

Daoine a raibh aithne mhaith acu air séard a dúradar liom: 'Duine dorrga a bhí ann.'

'Bhí sé in ann daoine a chur ina aghaidh.'

'Ní raibh dea-chroí aige do dhuine ar bith.'

'Bhí sé in aghaidh Gaelachais de chuile chineál.'

Measadh gur amach sa bhfómhar, 1920, a thosaigh sé ag cur litreacha chuig na gaill. Ní raibh a ainm ar litir ar bith a fuarthas sa phost, ach b'fhéidir go raibh sampla dá láimh ag na hÓglaigh. Má bhí sé glic bhí sé simplí freisin. Ní móide gur smaoinigh sé riamh go mbeadh beirt, ar a laghad, i dteach an phosta i nGaillimh ag faire ar litreacha den saghas sin. Ba chléireach, cara dom, duine acu, agus ba bhuachaill posta an duine eile. B'as an mbaile mór an bheirt acu. Ní shílim go raibh a fhios ag ceachtar acu go raibh an duine eile ar an gceird chéanna.

Déarfainn nach raibh aon amhras ag na gaill ar an mbuachaill posta. Bheadh a fhios acu go mbeadh an cléireach cairdiúil leis na hÓglaigh. Gabhadh é ach níor coinníodh géibheann seachtaine air. B'annamh leis codladh san áit chéanna dhá oíche as a chéile. Mainistir na bProinsiasach gar dá theach féin, an áit is sábháilte a bhíodh aige, in aice le beairic na bpíléirí. Oíche amháin caitheadh gránáid isteach sa teach ba ghaire dá theach seisean. Is cosúil go raibh na píléirí ar meisce, nó gurbh olc an t-urchar a bhí acu!

Faisnéis faoi dhaoine áirithe a raibh sé ag dlí agus ag achrann leo, agus nach ndearna dreas druileála riamh, chomh maith le Sinn Féinithe agus Óglaigh, a chuir an Gauger sna chéad litreacha; ach níor mhoill gur thosaigh sé ag clamhsán faoi nach raibh aon aird á thabhairt air – cosúlacht gur shíl sé go mbuaileadh a chuid litreacha a gceann scríbe. B'iad na litreacha an chéad rud a shantaigh mé féin, agus baineadh mealladh asam nuair a dúradh liom gur dódh iad. 'Ach bhíodar róchontúirteach, a dhuine!' Dúirt beirt eile liom nár dódh iad ach gur sacadh síos i mbuidéal mór iad, gur chuir óglach an buidéal síos sa talamh sula ndeachaigh sé thar lear. Níor fhill sé riamh.

Ag comrádaí dom a bhí na litreacha céanna ar feadh tamaill. D'fhéadfainn iad a léamh, ach níor shíl mé go dteastóidís choíche uaim.

'Sé an tAthair ó Gríofa a bhíodh sa chéad áit i gcónaí, an tAthair ó Míocháin sa dara háit, agus Micheál ó Droighneáin, ceannfort na nÓglach as Conamara Thoir, sa tríú háit,' arsa fear liom a léigh go minic iad.

B'as Droichead an Chláirín, paróiste atá idir Gaillimh agus Baile Locha Riach, an tAthair ó Míocháin. Bhí sé ina shéiplíneach i nGaillimh agus é sáite i gcúrsaí na nÓglach agus Shinn Féin. B éigean dó dul i bhfolach ar na Tans. In aon teach a chónaigh an bheirt shagart thiar i Montpelier Terrace idir an Fhaiche Mhór agus Bóthar na Trá. B'as a mealladh an tAthair ó Gríofa chun a bháis.

Agus cúpla litir faighte ag na hÓglaigh bhíodar geall le bheith cinnte gurbh é an Gauger a scríobh iad. Bhíodar thar a bheith cinnte agus samplaí dá láimh faighte acu.

'Bhí a chuid scríbhneoireachta an soiléir ar fad,' arsa oifigeach liom.

Comrádaí dom a cuireadh suas go Baile Átha Cliath leis an scéal a mhíniú do Mhicheál ó Coileáin, agus céad litir an Ghauger aige. Ní fhaca sé an Coileánach ach chonaic sé duine údarásach eile agus é sínte ar a leaba.

'That is a terribly dangerous man and he should be got rid of as soon as possible,' ar seisean agus an litir léite aige.

Agus an 'buidéal' tabhartha suas agam, bhí sé de ádh orm casadh le seanÓglach a raibh baint mhór aige le fuadach agus triail an Ghauger, agus cuimhne iontach aige. Is beag nach

137

raibh na litreacha ina phort aige, a mhinice is a bhíodar léite aige. Sa chéad litir a chuir an Frionsach chuig ceannaire na dTans dúirt sé:

> I am a peaceful citizen with no axe to grind, but there can be no peace around here while the Sinn Féiners are allowed to assemble and drill as they have been doing lately.

Ansin thug sé liosta de na fir a bhí in ainm is a bheith ag druileáil – fir a raibh sé ag dlí agus ag achrann leo, agus nach raibh riamh sna hÓglaigh.

> I suggest that you send out ten or twelve of your men and take over the house of an ex-policeman who has been drilling the Volunteers since he left the Police Force.

Ní raibh aon bhaint riamh ag an seanphíléir úd leis na hÓglaigh, ná le Sinn Féin, ach ba mháistreás scoile í a bhean agus an Frionsach briste amach léi. Ní feasach mé cén fáth.

> Those Sinn Féiners are scared, but they are encouraged from the altar on Sundays by the curates Griffin and O'Meehan.

Sin é a thug sé orthu sna litreacha uilig.

Nuair nach raibh na Tans ná an t-arm gallda ag tabhairt aon aird air is chuig an 'Chief Secy for Ireland Dublin Castle,' a chuir sé an cúigiú litir, an ceann deiridh. B'shin í an litir ba ghéire clamhsán uilig.

> I do not know you personally but I knew your predecessor in office, Sir Ian MacPherson. Until now I have not disguised my name, but in future I will sign myself, '45'.

Socraíodh go bhfuadófaí é agus go gcuirfí cúirt mhíleata air ar oíche áirithe. Ach thit rud amach a chuir dlús leis an scéal: tháinig teachtaire amach as Gaillimh faoi dheifir i ngluaisteán agus trí litir aige a fuarthas i mbosca posta – an bosca ba ghaire do theach an Ghauger.

Le haghaidh Sir Hamar Greenwood, Dublin Castle, ceann acu: le haghaidh ceannfort an airm ghallda thall ar an Rinn Mhór (Dún Uí Mhaoilíosa) ceann eile: agus an tríú ceann le haghaidh ceannfort na Lancers in Oileán an Iarla (Earls

Island) in aice na hOllscoile. An scríbhneoireacht chéanna agus an liosta céanna de ainmneacha i ngach litir acu, agus géarchasaoid faoin bhfaillí a bhí á déanamh ag an arm gallda agus ag na Tans i nGaillimh, agus nár tugadh aird ar bith ar a chuid litreacha – litreacha nach bhfuaireadar, ar ndóigh. Is cosúil gur chuir sé roimhe gan a bheith 'ag caint leis na cosa' feasta.

Ba mhinic iontas orm nár bhuail amhras é nuair nach raibh aon mheas ar a chuid litreacha de réir cosúlachta, go mór mór an tráth ar chóir na mílte fáilte a bheith roimh a leithéid i mórán gach uile bheairic in Éirinn! Is léir ar na trí cinn a chuir sé chun bealaigh roimh lá a bháis nach raibh sé in amhras. Nó an raibh sé dallta ag rud éigin a d'fhág gan tuiscint gan réasún é?

'Mac contúirteach é seo,' arsa oifigeach de na hÓglaigh agus na litreacha léite aige. 'Tá sé ar eire againn bualadh faoi ghníomh gan mhoill – anocht!'

'Ó Dia á réiteach!' arsa an teachtaire. Cuireadh scéala chun an Spidéil, chun Óglaigh Bhearna agus go Maigh Cuilinn agus go na Forbacha.

'Níor chuala tú ar thit tada amach aréir,' arsa an tAthair ó Gríofa liom ar Shráid na Siopaí i nGaillimh lá arna mhárach.

'Níor chualas,' arsa mise.

Facthas dom go raibh rud éigin ag cur air. In áit breathnú go haoibhiúil idir an dá shúil orm mar ba ghnás leis sé an chaoi ar fhéach sé go smaointeach in airde, leathmhaig ar a cheann agus an leathshúil dúnta aige mar a bheadh sé ag iarraidh cruacheist éigin a scaoileadh.

'Bhí rud éigin le bheith ann mais,' ar seisean.

Ar an oíche sin a bhí mise ag súil le 'rud éigin,' ach ní ligfinn ach le comhalta den IRB amháin é. Déarfainn go raibh eolas aige nach raibh agamsa, cé bith cá bhfuair sé é. Ó ghiolla na dtrí litir, b'fhéidir.

An tráthnóna roimhe sin nuair a ghabh mé amach go Maigh Cuilinn i dtraein an Chlocháin bhí sagart óg agus mo chomrádaí a cuireadh go Baile Átha Cliath, ina seasamh ar an mbóthar in aice an stáisiúin ar an taobh ó thuaidh de gheataí

an iarnróid ag fanacht go mbeadh an traein imithe siar agus deis ghluaiseachta arís acu.

'Anocht nó san oíche amárach,' arsa mise le mo chomrádaí ag siúl amach thairis dom.

Dhearc an sagart go hamhrasach orm.

'San oíche amárach, sílim,' arsa mo chomrádaí.

Ní raibh a fhios ag ceachtar againn faoi na litreacha eile a bhain lá agus oíche de shaol an Fhrionsaigh.

Ó tharla nach raibh ach mearaithne agam féin agus ag an sagart ar a chéile bhí leisce orm aon cheist eile a chur. Bhí siad beirt tar éis trí mhíle dhéag a chur díobh as Contae Mhaigh Eo – sé mhíle ar an taobh thall de Loch Coirib, míle trasna caol an locha agus sé mhíle eile ó Chalafort go Maigh Cuilinn. Cúig nó sé de mhílte eile a bhí amach rompu ar an dá rothar ar bhóithre pollta garbha.

Ansin dóibh chualadar na Tans agus iad leathmhíle uathu ag baint macalla as cnoc agus coill ar a mbealach isteach go Gaillimh as Conamara i leoraithe. Ba ghnás leo an lámhach úd le muintir na tuaithe a scanradh.

Leis an bhFrionsach a réiteach amach faoi chomhair an tsaoil eile a tháinig an sagart. Ba shagart paróiste i gcontae eile é nuair a cailleadh é. Ní móide go bhfaigheadh an mhuintir a shíl an Frionsach na Tans a chur chucu sagart ar bith!

Nuair a d'oscail an Frionsach doras a thí féin do na hÓglaigh tar éis titim na hoíche scuabadh chun bealaigh é thuas ar charr cliathánach go seanteach folamh. Cuireadh cúirt mhíleata ansin air agus púicín air ar feadh na faide.

É a lámhach gar dá theach féin agus lipéad, Shot as a Spy a chur air mar ba ghnás, a bhí faoi na hÓglaigh a dhéanamh, ach bhí faitíos ar dhaoine eile go bhfágfadh na Tans an tír thart air ina luaithreach. B'shin é an fáth gur thiar i lár an tsléibhe i bparóiste Mhaigh Cuilinn a cuireadh é in aice le Loch na Tamhnaí Airde agus gan de sholas ag lucht déanta a chónra ach lóchrann rothair.

'Bhí corp truaí agam d'iníon an Ghauger agus don bhean mar bhí mé cinnte nach raibh a fhios acu tada faoina chuid fill,' arsa an t oifigeach liom a bhí i gceannas.

An tAthair Micheál ó Gríofa, dhá phictiúr]

Gan Baisteadh

'My nephew belongs to the IRA,' a deireadh sé gach uile uair a caintíodh ar na hÓglaigh ag an triail. B'fhíor dó, agus d'fhan sé iontu i ndiaidh bhás a uncail.

Ba mhinic a dúirt sé gur theastaigh sagart paróiste áirithe uaidh – sagart nach raibh cáil an Ghaelachais nó an tírghrá amuigh air. Solas ó lóchrann rothair agus coinneal a bhí ag an gcúirt. Ba leo a léadh amach don Fhrionsach a chuid litreacha féin. Shéan sé gach uile rud. 'Leave me where some friendly soul can find me,' ar seisean agus fios a shaoil aige.

Níor mhaith le hóglach ar bith acu é a bhású, agus d'impíodar air a bhás a mhaitheamh dóibh. Dúirt sé nach maithfeadh agus nach raibh sé ciontach. Dúirt sé leis an sagart freisin roimh an bhfaoistin nach raibh sé ciontach. Chuir an sagart an Ola air.

'Ghabh mé isteach i dteach oíche le spíodóir a mharú agus mé cinnte go raibh sé ciontach, ach nuair a chonaic mé na páistí chuir mé an gunna ar ais i mo phóca,' arsa oifigeach as Contae Mhaigh Eo liom, fear a chaith tamall i gConamara. Chreid mé é.

Ghoill bás an Fhrionsaigh ar chuid de lucht a fhuadaithe. Bhíodar óg agus gan iad chomh cruachroíoch, éadrócaireach leis na gaill. Níorbh é an rud ba lú a ghoill ar chuid acu gur dhúirt sé nach maithfeadh sé dóibh a bhás agus é ag dul i láthair a Bhreithimh.

Rud eile, bhí trua acu don bhaintreach mar bhí a fhios acu gur bhean ghnaíúil í. Bhí imní agus sclábhaíocht ag baint leis freisin. B'éigean ábhar cónra a fháil agus é a iompar cúpla míle gan fhios. Ní furasta rún a dhéanamh dá leithéid san áit a mbíonn mná.

Inis do Mháire i gcogar é,
Agus inseoidh Máire don phobal é.

Chuardaigh agus ransáil na gaill stiall mhór den tír máguaird. Ghoideadar agus thugadar leo earraí agus eile. Lascadar sean agus óg, ach ní dheachadar i bhfogas míle don uaigh. Cuireadh síos leis an bhFrionsach a uaireadóir, pingin bheag airgid agus fáinne buí a bhí ar mhéar den chiotóg aige.

Fuair buachaill deas óg bás éagórach de bharr an Fhrionsaigh: Pádhraic ó Flaithearta as Sráid Doiminic i nGaillimh, deartháir do Mhicheál ó Flaithearta, a bhí ina mhéara ar Ghaillimh tráth, agus uncail do Phádhraic ó Flaithearta, a bhí ina mhéara sna blianta 1964-1965. Tamall gearr tar éis bás an Fhrionsaigh fuarthas marbh ar an mbóthar é. Dúradh gurbh éard a rinneadh leis é a chaitheamh anuas dá charr cliathánach féin, ceann faoi. Ní raibh ansin ach tuairim, ar ndóigh.

Scaithín tar éis fuadach an Fhrionsaigh cloiseadh an cloigín agus an Flaitheartach ag filleadh ón Spidéal, agus shíl na Frionsaigh gurbh é a charr seisean a bhí ag na hÓglaigh. Dá mba é ní bheadh aon chloigín aige. Cé nach raibh an Flaitheartach sna hÓglaigh bhí sé leo agus a mhuintir freisin, agus dhéanfadh sé soilíos dóibh.

Chuir bás an Fhrionsaigh deireadh leis na litreacha. Tá roinnt faoin bhFrionsach nach féidir a chur i gcló fós – ábhar spéisiúil a chuirfeadh iontas ar dhaoine. Ar aon nós deirtear nach bhfuil scéal ar bith nach fearr (nó nach fearrde é) cuid de a fhágáil gan insint.

Tharla comhtharlú aisteach cúpla lá i ndiaidh an fhuadaigh. Bhí an buachaill (duine de mhuintir Áinlí) a thug an Frionsach leis ar a charr cliathánach ar an muintir a buaileadh leis na Tans. Mar sin féin is lú a buaileadh airsean ná ar fhir nach raibh aon bhaint riamh acu leis na hÓglaigh! Agus mharaigh na Tans le piléar an capall a bhí faoin gcarr aige an oíche úd agus gan eolas dá laghad acu air – an t-aon chapall amháin a mharaíodar san áit sin!

Domhnach, agus an Sos Cogaidh ann, siar liom féin agus oifigeach airm agus cuartaí chun na huaighe. B'iontach é samhradh na bliana 1921. Is beag nach sílfeá go bhféadfá breith ar an teasbhach, bhreathnaigh sé chomh feiceálach sin idir thú agus léas, agus é mar a bheadh sé ag rince ar sliabh agus ar portach. Stop an t-oifigeach go tobann in áit ar fhan sé i bhfad amach uaidh ar feadh trí ráithe roimhe sin.

'Nach beag a shílfeadh inniu gur thíos ansin atá an Gauger?' ar seisean.

Ba bheag, mar b'iontach an dul chun cinn a rinne an dúlra ó lá Aibreáin roimhe sin. Dá mba mí an Mhárta féin í ní bheadh lusanna buí an chromchinn ann.

Ina n-áit bhí an fraoch agus an paílle, agus an lasair léana, agus an inchinn sléibhe, agus i gcorráit an chíb agus an tseisc, agus an ceannabhán bán agus an fionnán.

'Cé mb'fhearr dúinn rud a dhéanfaimis ná paidir a chur lena anam,' a deir an t-oifigeach, ag breathnú timpeall dó ar fhaitíos go mbeadh aon duine inár ngaobhar.

Síos leis ar a dhá ghlúin ar an bhfraoch. Rinne mé féin agus an cuartaí amhlaidh.

'Cé do mheas ar an taobh tíre seo?' arsa mise leis an gcuartaí.

'Áit iontach ag creabhar luí ar bheithíoch!' ag féachaint uaidh dó ar an réimse mór criathraigh, gan fál gan bac, roimh an mbeithíoch a bheadh i gcos in airde.

Ach ba bheag aird a thug an t-oifigeach orainn. Rud eile b'ábhar imní dó.

'D'éagóir Dé nach i reilig éigin atá sé curtha,' ar seisean.

B'é sin mian na nÓglach uilig.

Níor bhaileach sa bhaile é nó gur tháinig scéala gur theastaigh an corp ó na Frionsaigh. Bhíodar tar éis impí ar Mhicheál Staines as Baile Átha Cliath, (an t-oifigeach ceangail a bhí ag cur faoi thiar ar Bhóthar na Trá), iarraidh ar na hÓglaigh an corp a thabhairt dóibh. Théinn siar ag Micheál corruair ar thóir eolais. Ba dhuine dea-chroíoch é. Bhí trua aige do na Frionsaigh, go speisialta don bhaintreach, agus b'ait leis go dtabharfaí di a raibh d'eolas uaithi.

B'shin é díreach a bhí ó na hÓglaigh agus b'shin é fáth na cónra. Shíleadar go dtarlódh a leithéid am éigin. Chuir an scéala áthas ar an mbeagán acu a chuala é. Scéala mór nuachta a bheadh ann agus bhí ábhar aiste réidh agam. B'aiste í nach bhfaca aon dúch riamh.

Cuireadh scéala ag na Frionsaigh, ach b'shin é a raibh faoi. Tar éis seachtaine ba léir malairt intinne acu. An rud a raibh cruóg mhór leis lá amháin ní raibh focal air. B'aisteach liom féin é – ionann is chomh haisteach leis an ordú a chuir stop leis an Éirí Amach agus é ar tí tosú.

'Ní hé amháin nach raibh a fhios againn cén fáth, ach ní raibh tuairim féin againn,' arsa oifigeach liom.

Sin é a d'fhág an Frionsach san áit a bhfuil sé, agus gan de chomharsana aige ach an giorria agus an naoscach agus na cearca fraoigh.

Bhí mo thuairim féin agamsa faoi, ach b'fhéidir di a bheith contráilte.

Oíche an lae a fuarthas corp an Athar uí Ghríofa, an 21ú lá de Shamhain 1921, tháinig na saighdiúirí gallda isteach sa teach lóistín againn i nGaillimh ag comhaireamh na lóistéirí. Bhí *Amhráin Mhuighe Seola* ar an mbord le m'ais.

'This seems rauthuh haumless,' arsa an t-oifigeach, ar fheiceáil dó leagan Béarla an chéad amhráin.

Níorbh fheasach mé céard a chonaic sé in *Amhráin Choilm a' Bhailis*, ach sháraigh orm é chur ina luí air gur shean-leabhar a bhí ann. Ní cheadóinn ar a lán é a chailleadh. Bhí sé ina láimh aige mar a bheadh sé ar tí é a thabhairt leis nuair a d'fhiafraigh sé díom céard a bhí ar siúl agam.

'Nuachtóireacht,' arsa mise. Níor chuir sé orm an dara ceist. D'éirigh an rud céanna dom cúpla babhta eile. Níor mhaith leo poiblíocht.

Ba leis an Athair ó Gríofa an leabhar. Cúpla mí roimhe sin thug sé siar chuig a theach mé agus dúirt liom mo rogha leabhar a thabhairt liom as a leabharlann. Is aige a bhíodar. Péire a thug mé as, agus clúdach teann dúghorm orthu.

'B'ait liom iad seo a fháil mar chuimhneachán,' arsa mise le sagart óg (Cláiríneach) á dtabhairt ar ais dom. Dúirt sé go labhródh sé le duine éigin faoi. Focal níor chuala mise orthu riamh ó shin.

19

Im Fhear Nuachta

IS ANNAMH a fhaightear sladmhargadh mar a fuair Sinn
Féin nuair a cheannaíodar an *Galway Express* ar chúpla
céad punt – oifig, inneall, troscán agus a raibh ann. Páipéar
gallda seachtainiúil a bhí ann. Ní raibh aon inneall línechló
ann nó gur cheannaigh Sinn Féin ceann. In áit dheas ar an
bhFaiche Mhór a bhí an oifig.

Fuair an páipéar úd an-deis nuair a thaobhaigh an tír le
Sinn Féin, go háirithe tar éis an Olltoghcháin roimh Nollaig sa
mbliain 1918. Ní raibh aon pháipéar mór seachtainiúil eile
roimhe ná ó shin a mbíodh an oiread sin Gaeilge ann. Ach
ba mhó suim an lucht ceannais i gcúrsaí polaitíochta ná i
gcúrsaí gnó agus nuachta, agus ní i gcónaí a thagann an dá
rud le chéile. Bhí an páipéar an-láidir in aghaidh na ngall ach,
ar ndóigh, ba le cabhrú le Gaeil sa troid a bunaíodh é.

Bhíodh píosa Gaeilge ag seanPhádraic ó Conaire mórán
gach uile sheachtain ann ar feadh tamaill, agus léinn an
lámhscríbhinn. Bhíodh píosaí ag daoine eile freisin ann.

Tomás mac Niocais (Tom Nix) a bhí ina eagarthóir ar an
bpáipéar, agus ní dhéanfaidh mé dearmad choíche ar a chineál-
tas liomsa. Ba é mo chéad eagarthóir é agus ní raibh a leithéid
arís orm. Mhill sé mé. Níorbh fheasach mé é nó go raibh
daoine eile i mo chionn nach raibh chomh lách leis. B'as an
Míleac in oirthear an Chláir é. B'aisteach liom mar shloinne
i dtosach é, 'Nix', nuair a d'fheicinn Tom Mix, an buachaill
bó, ar na pictiúir reatha.

Tháinig Robert Lynd, an t-údar cáiliúil, isteach chugainn
lá samhraidh sa bhliain 1920 agus shuigh sé thuas ar stól ard

mar a bhíonn sna tábhairní. Ní raibh aon mheas aige ar an gcathaoir bhog íseal a tugadh dó. B'fhéidir gur ar an suíochán ard ba mhó a chleachtadh. Bhí sé ag dul thart ag scríobh do *Daily News* Londan. Stop ní dhearna sé ach ag caitheamh toitíní. Facthas dom gur bheag fear a casadh liom níba fheosaí, mheata ná é idir dhath agus eile. Bhí sé cromtha agus é ar nós duine a mbeadh an eitinn i ngreim ann, ach b'iomaí bliain a mhair sé ina dhiaidh sin. Ba fhíorchara d'Éirinn an Preisbitéireach céanna as Béal Feirste. Is thuas ansin atá sé curtha cé gur thall i Londain Shasana a cailleadh é.

Ba fhuath leis na píléirí an *Galway Express* agus ba namhaid leo gach uile dhuine a bhí ag obair dó, agus cuid den cheart acu. Níorbh fhearr leo tada ná thú a chur ar míthreoir agus aistear dúfholamh a bhaint asat. Dá bhrí sin is ag na hÓglaigh a théinn ar thóir eolais.

Rinne píléirí na Gaillimhe scrios ar shráidbhaile an Óráin Mhóir de shiúl oíche de bharr marú beirt phíléir i luíochán i nGoirtín an Airgid idir Gaillimh agus an tÓrán Mór i samhradh na bliana 1920. Is mar gheall ar an méid robála a rinneadh ansin fadó a tugadh Goirtín an Airgid air.

Ar éigean ar an Órán Mór mé le heolas a fháil faoin loisctreán nuair a lean beirt phíléir mé. Níor aithníodar mé ach amháin gur strainséir mé. Ní dhearna mé ach mo Lucania nua a leagan leis an mballa agus dul ag breathnú ar cheithre cinn de ghamhna trí ráithe i lár na sráide nár díoladh ar an aonach. Agus gan luach bhainbhín agam! Nuair a stop mise stop na píléirí.

Ag beirt fhear tuaithe a raibh hataí ísle agus casóga bréidín orthu a bhí na gamhna. B'ait uathu díol agus ceannach i nGaeilge. Agus ní raibh béarlagair an aonaigh caillte agam féin ach oiread. Ar chloisteáil na margaíochta i nGaeilge dóibh chrap na píléirí leo. D'fhilleadar ach níor mhoillíodar mórán.

Mura mbíodh na gamhna úd i bhfásach go súile ba léir nach bhfuaireadar aon chall, ach lochtú a bhí uaimse i gcaoi is go bhféadfainn tarraingt siar dá mba bhreá liom agus na píléirí

imithe ar fad. Fuair mé dhá locht nó ainm locht orthu.
'Bhfuil fhios agat gurb shin í an ceann is sothóigthe orthu
uile?' arsa fear acu agus mé ag grinndearcadh bodóg bhán,
má b'fhíor dom féin. 'Féach an craiceann atá uirthi. Agus
bheadh an oiread eile inti dá mbeadh aon fhairsingeacht
bainne againn ansin roimh Nollaig.'
'Murach an dath.'
'Stop a dhuine. Dhéanfadh sí sin togha bó bhainne. Agus
mura maith leat an tarbh a thabhairt di b'fhurasta í a chur
ag crith le feoil. Bheadh sciobadh uirthi sin lá aonaigh.'
'Níor thaitin an dath céanna riamh liom, agus bheadh
faitíos orm go bhfágfaí ar mo lámha í. Dath ar bith eile – '
'Ara beannacht Dé ort, a dhuine, nár díoladh na céadta acu
ansin aimsir an chogaidh agus ríméad ar dhaoine a bhfáil.'
'Ach tá an lá sin thart – nó go dtiocfaidh an chéad chogadh
eile.'
'I bhfad uainn an anachain.'
Thosaigh mé orm ag breathnú an chéad locht eile – gamh-
ain breac a raibh cloigeann tairbh air agus na píléirí ina
seasamh cúpla scór slat uainn.
'Cén dochar slat a bheith faoi?' a deir an díoltóir. 'Nár
mhór an neartú air é a ligean an fad seo?'
'Nach fada gur admhaigh tú é? Is mór an chontúirt a
leithéid.'
'Nach féidir é a choilleadh lá ar bith?'
'Agatsa é sin a dhéanamh,' agus mé ag ligean orm féin go
raibh sé ag ceilt rudaí orm.
Isteach liom i dteach óil agus ghlaoigh mé pionta agus na
píléirí imithe achar siar an bóthar. Fuair mé ann a raibh uaim
d'eolas ar an loisctreán agus bhí roinnt agam cheana.
Is iomaí duine a dúirt nach seasfadh an *Galway Express* –
nach ligfí dó. Oíche fhómhair sa mbliain 1920 rinneadh steig
meig den inneall le hoird agus gróite agus eile. Is minic a dúr-
adh gurbh iad na Tans a rinne é. Píléirí – Éireannaigh uile –
a rinne é. Bhí aithne agam ar chuid acu. Níor athbhunaíodh
riamh an páipéar sin.
Dá bhfaigheadh na píléirí greim ar Thomás mac Niocais ní

raibh i ndán dó ach an bás. Sínte istigh i leoraí gainimh a
d'imigh sé as Gaillimh! Go ndéana Dia grásta air.

Níorbh fhada i mBaile Átha Cliath mé nó gurbh fheasach mé
go mb'fhearr an tsláinte ná na táinte, agus go raibh thiar ar
fhear an fhabhta. Agus bhí a leithéid ann. Níorbh annamh
fear nó beirt buailte síos in éineacht. Bhí ceathrar ag obair in
aon seomra liom a raibh réama nó criotán nó plúchadh orthu.
Préachadh agus fliuchán ag cruinnithe poiblí, agus fuireach
fada ar phutóga folmha ba chiontach le cuid de, a measadh.
Facthas dom go raibh an-dúil ag lucht an réama sa bhfuis-
ce. Cheapaidís go dtugadh sé faoiseamh dóibh. Is cosúil
gurbh amhlaidh i gcónaí é: 'Do lucht casacht agus réama is
mé a dhéanfadh an réiteach.' D'fheicinn duine amháin acu ag
síorchogaint lasóga i gcaoi is nach bhfaigheadh an t-eagar-
thóir boladh na biotáille air, mar ba mhór anuas ar an ól
eisean. Déarfainn nach ndearna na lasóga cúis i gcónaí. Ach
níor mhór misneach bréige don té a ghabhfadh i láthair leoin,
nó bodaigh féin.

An fhanacht is mó a ghoilleadh orm féin, go speisialta i
dteach na cúirte. Bheifeá ansin agus gan goir agat tada a
dhéanamh, agus faitíos ort go mbeadh an áit dúnta romhat dá
n-imeofá amach le greim bia a ithe.

Satharn breá sa samhradh ghabh an giúiré 'amach' ag a sé
a chlog agus dúnmharú curtha i leith fear agus bean as Contae
na hIarmhí. D'fhilleadar ag an dó dhéag le 'easaontas.' Bhí
neart le hithe acu agus chuireadar féin fios ar chása pórtair,
agus rinneadar dearmad ar an gcúirt agus ar an dúnmharú.
As sin níor chorraíodar nó go raibh gach uile bhuidéal folamh
acu. Ar an teach a bhí an costas, ar ndóigh. Bhí an breith-
eamh le buile, ach ba bheag an mhaith dúinne é sin.

Theastaigh foighne an diabhail ón nuachtóir a bhíodh ag
cruinnithe Eamoin de Valera agus Liam T. mhic Coscair. Go
hiondúil ní thosaíodh siadsan ag caint nó go mbíodh na mion-
pholaiteoirí réidh agus gan blas maitheasa iontusan dúinne.
Ach ní éisteodh aon duine leo dá mbeadh na daoine móra

críochnaithe rompu.

Sna fichidí níor dhíol molta a lán de óstlanna na hÉireann.
Ní gach uile cheann díobh a bhíodh saor ó 'eallach' ach oiread,
agus eallach scafánta! 'Níl a fhios cé acu is fearr luas nó moill
(ach deir an dreancaid gur fearr luas).' Dúirt an dochtúir
liom go raibh an t-ádh orm nár tháinig fiabhras cnámh orm as
leaba thais. Oíche shamhraidh, agus gan mé i bhfeiliúint do
chith mór toirní b'éigean dom a raibh orm a thabhairt do
ghiolla an teach aíochta i gCill Chainnigh mar bhí orm
imeacht go moch ar maidin. Bhí mo chuid éadaigh triom-
aithe ar an urlár taobh amuigh de dhoras mo sheomra ar
maidin.

Oíche gheimhridh le linn olltoghcháin tháinig mé amach as
gluaisteán i mBaile Locha Riach ag a haon a chlog agus an
Domhnach caite agam ag dul thart ag cruinnithe i dTiobraid
Árann. Bhuail mé cúpla iarraidh ar dhoras na hóstlainne ach
freagra ní bhfuair mé. Sin é an faitíos a bhí orm ar an mbeal-
ach.

Bhí na táinte réiltín ag spréacharnach agus é ina shioc
láidir. Ag cuimhneamh ar m'aghaidh a thabhairt ar bheairic
na ngardaí a bhí mé nuair a chonaic mé léas beag solais i
seomra an itheacháin. Aisteoirí taistil a bhí ag imirt chártaí
istigh ann, agus lig fear acu isteach mé.

Ní raibh aon bhráillín ar an gcéad leaba. Nuair a d'oscail
mé doras seomra eile bhuail amhras mé mar fuair mé boladh
láidir púdair, nó cé bith céard a bhíonn acu. Lig cailín
scréach: 'Robbers! Robbers!' Ní raibh na bróga taobh
amuigh aici ná aon chomhartha go raibh duine istigh ann.

Bhí bráillín sa tríú seomra, ach bhí an oíche an-fhuar.
Chaith mé siar an 'Baby' a sháigh fear fiúntach i dTiobraid
Árann síos i mo phóca le haghaidh an bhóthair an áit nach
n-ólfainn deoch uaidh. Ní móide go mbacfainn leis dá mbeadh
a fhios agam an t-aoibhneas a bhí i ndán dom. Ag dul faoin
bpluid dom baineadh geit bheag áthais asam: bhí dhá bhuid-
éal te ar an leaba!

Cheap mé go raibh súil le duine mór éigin – T.D. nó a
leithéid, ach nuair nach raibh aon fháil air gur ar éigean a

thiocfadh sé. Ar fhaitíos go dtiocfadh chuir mé an bolta ar an doras.

'Cé a chuir isteach sa seomra sin thú?' arsa banchléireach ar maidin liom.

'Ghlac mé seilbh air.'

'Bhí súil againn le sagart ach caithfidh sé nár tháinig sé.'

Bás an chapaill leas an mhada.

Ag léamh an pháipéir tar éis an bhricfeasta dhom, tháinig cailín a raibh na cúlfhiacla curtha go maith aici isteach Ní féidir gurbh sheo í bean na scréiche, arsa mise i m'intinn féin.

'Feictear dom gur osclaíodh doras mo sheomra aréir,' ar sise le cailín eile agus iad ar aon bhord.

'Ag brionglóid a bhí tú.'

'Bhí mé ag brionglóid ar phictiúr a raibh gadaí ann.'

Bhuail fonn gáire mé agus rinne mé scáth den pháipéar nuachta.

Le linn Chogadh na gCarad thug dream amháin a lán oibre le cois dúinn agus saol contúirteach ina theannta sin. Is iomaí caitheamh aimsire a bhíodh acu: tithe daoine nár thaitin leo a chur in aer nó a loscadh; traenacha a ionsaí nó a dhó: iarnróid a réabadh agus eile. Agus gach uile rud á dhéanamh acu ar son na hÉireann. Ba é an bealach é a bhí acu le poblacht a bhaint amach.

De 'war flour' a dhéantaí na pléascáin – 'plúr' nach raibh ciondáilte. Níorbh annamh pléascadh ann sula rachainn amach ag obair – ón seacht a chlog go dtí an ceathair ar maidin. Ba chosúlacht i gcónaí é nach dtiocfadh a néal ar aon nuachtóir an oíche sin.

Ba le daoine a raibh dlúthbhaint acu leis an IRB agus le Sinn Féin cuid de na tithe agus iad ar thaobh an rialtais nua, ar ndóigh. Chuir pléascán drochbhail ar shiopa Dhonncha mhic Con Uladh i Sráid Dásoin – ardcheannaire an IRB tráth. Nuair a síleadh tine a thabhairt do theach Sheáin mhic Garaidh dódh gasúr leis chomh dona sin is nár tháinig sé as. Throid Seán san Éirí Amach, agus bhí sé ar an mbeirt a d'éalaigh as Príosún Lincoln le hEamon de Valera cúpla bliain roimhe sin.

[*Donncha mac Con Uladh*

An chéad oíche Shathairn ag obair riamh dom dúnmhar-
aíodh le piléar seanfhear istigh i dteach óil thuas i Sráid
Shéamais. Ba uncail do Liam T. mac Coscair é. B'éigean
dom siúl ann agus as mar bhí na tramanna stoptha. B'aistear
trí mhíle é agus mé ar bheagán eolais ar an gcathair.

Níor shamhail do sheanáras an *Independent* ach beairic
píléirí thuas sna Sé Chontae le linn na troda. Bhí málaí gain-
imh taobh amuigh den phríomhdhoras, bhí cosaint láidir ar
na fuinneoga agus garastún saighdiúirí de lá is d'oíche ann. Ba
mhinic a ionsaíodh le gunnaí agus gránáidí iad. Bhí lorg na
ngránáidí ar an gcosán os comhair an dorais.

Níorbh annamh na meaisínghunnaí ar siúl thuas i mbarr
an tí agus sinne thíos fúthu ag iarraidh a bheith ag scríobh.
Deireadh na nuachtóirí go mbeadh sé chomh maith dóibh a
bheith ag scaoileadh leis na réaltaí, mar níor léir aon duine sa
dorchadas.

Bhí cosaint láidir ar áras an *Freeman's Journal* i Sráid
Townsend freisin, ach ba beag dochar a rinneadh dó mar bhí
sé ró-ghar do bheairic mhór na ngardaí i Sráid an Choláiste.
Níor bacadh leis an *Irish Times* beag ná mór agus é gan
chosaint.

Maraíodh créatúir neamhchiontacha. Oíche gheimhridh
agus mé ag teacht anuas de thram barroscailte faoi dheifir in
aice le Sráid Grafton thit fear le m'ais anuas de shuíochán.
Shíl mé gur mheirfean a tháinig air ach dúradh gur philéar
strae a mharaigh é. Bhíodh lámhach ar siúl mórán gach uile
oíche. Níor mhaith le haon nuachtóir dul tríd a leithéid arís,
déarfainn. Díocas na hóige a sheas dúinn.

Bhíodh sochraidí saighdiúirí a maraíodh ann mórán gach
uile mhaidin. Obair mhíthaitneamhach dul chuig teach ar
fuarthas corp buachaill óg as caite ar leataobh an bhóthair.
Mheas na nuachtóirí gurbh oifigí in Arm an tSaorstáit a
dhéanadh a leithéid ar a gconlán féin, agus go mba as Baile
Átha Cliath a mbunáite nó gur dhaoine iad a raibh an-eolas
acu ar an mbaile mór.

Ba orthu a leagadh bás Nollaig Lemass a bhí ar iarraidh
cúpla mí nuair a fuarthas a chorp agus poll piléir ann, thuas

ar shléibhte Bhaile Átha Cliath roimh Nollaig na bliana 1922 – sílim. Bhí áthas orm nár fhéad mé dul isteach i siopa a mhuintire i sráid Chéipil nuair a cuireadh síos ann mé tar éis an mheán oíche sular chuala siadsan tada faoi. B'shin é an chéad uair riamh a chonaic mé a dheartháir, Seán Lemass. Ligeadh amach as géibheann le haghaidh na sochraide é.

Fuarthas corp saighdiúir darbh ainm Bergin sa chanáil thíos i gContae Chill Dara agus teilgeadh oifigeach airm chun báis dá bharr. Níor cuireadh chun báis é ach cailleadh i bpríosún Phort Laoise é. Bhí gluaisrothar ag an saighdiúir agus dúradh go mbíodh sé ag cabhrú leis an IRA. Idir samhradh na bliana 1922 agus deireadh earrach na bliana 1923 an tráth ba mheasa an troid agus an marú. 'Ní buan é cogadh na gcarad cé go mbíonn sé fíochmhar,' a deireadh Pádhraic mór ó Máille liom. Rófhada a sheas sé.

Chonaic mé séala gormdhearg an chrochadóra ghallda ar mhuineál lom oifigeach airm amháin agus é sínte ina chónra chaol bhaile istigh i bPríosún Mhuinseo scaithín tar éis a chrochta. Níor léir aon mharc eile air. Ní raibh air ach a léine agus a bhríste. De mhuintir Ghaifnigh as Baile Átha é. Dúradh go raibh sé sna hÓglaigh aimsir throid na Saoirse. Thíos i gCiarraí a bhí sé nuair a cuireadh dúnmharú ina leith faoi Nollaig na bliana 1923.

Bhíodh faitíos agus inní ar na sean-nuachtóirí nuair a stopadh saighdiúirí óltacha sinn ag dul abhaile dúinn ar maidin. Shílfeá gur gró a bhíodh ag cuid acu, a mhístuama a bhíodar leis an raidhfil.

'Would'nt it be great to get out of this country and live in the South of France?' arsa Liam ó Cionnfhaolaidh liom maidin amháin.

'What about another invasion?'

'Who is to invade it? You will never see another invasion of France.'

Ba dheacair a theacht ina aghaidh agus an Ghearmáin briste brúite cloíte.

B'as cathair Chill Chainnigh é Liam. Bhí sé mór le hArt ó Gríofa agus baint aige le *Sinn Féin,* an páipéar lacthúil, ach

Gan Baisteadh

ba fho-eagarthóir san *Irish Independent* é an tráth ar chuir mise aithne air. D'inis sé dom scéala faoi Sheán ó hÉilí, eagarthóir an *Irish Times*, nár chuala mé cheana. Ba mhór le rá Seán ó hÉilí i measc lucht na bpáipéar an uair úd. Ba bheag é a eolas ar chúrsaí nuachta, agus d'fhágadh sé an obair úd faoi dhaoine eile, ach ba scríbhneoir cáiliúil é. Bhí le rá faoi nach bhféadfadh sé aon aiste a scríobh gan abairt nó focal Laidine, nó Fraincise, nó Gréigise. Ní shalódh sé a pheann le focal Gaeilge!

Ar shochraid 'Father Healy of Bray' do Liam mar nuacht-óir d'impigh Seán ó hÉilí air gan a rá go raibh sé féin ar an tsochraid, agus go mór mór gan a rá go mba uncail dó an tAthair ó hÉilí, nathaire agus duine deisbhéalach a mbíodh a lán scéalta faoi leathchéad bliain ó shin.

Ba Chaitliceach athair Sheáin, a dúradh liom, ach nuair a cailleadh go hóg é thóg an mháthair Seán ina Phrotastúnach, chuir go Coláiste na Tríonóide é agus rinneadh togha 'díl-seora' de.

Oíche Shathairn roimh Nollaig na bliana 1922 tháinig scéala gur ionsaíodh traein thart ar an Muileann gCearr agus gur in áit éigin i mBaile Phib, Baile Átha Cliath, a chónaigh an tiománaí. Sin é a raibh de fhaisnéis againn faoi agus mé ar bheagán eolais ar an áit.

B'annamh a chonaic mé a leithéid de bháisteach, agus chaith mé cúpla uair an chloig ag dul ó shráid go sráid agus ó theach go teach ag tóraíocht mo ghadhair agus gan fios a dhatha agam.

Nuair a rinne mé amach an teach, agus gan aon tram ag imeacht, dúirt bean an tí liom nach bhféadfainn dul chun cainte leis an tiománaí, go raibh sé ina chodladh, go raibh sé scanraithe agus ag rámhaillí agus eile. Níorbh fhearr liom ar bith é agus an bhail a bhí orm. Ar an mbealach chun na hoifige dom d'airigh mé an bháisteach ag dul go craiceann liom i mórán gach uile áit.

'Aníos as an Life a tarraingíodh thú?' arsa Micheál mac

Fheorais liom – an t-aon nuachtóir a bhí istigh. Bhí sé 'gléasta' agus é tar éis a theacht ó dhinnéar éigin. 'Céard a dhéanfaidh tú chor ar bith agus tú anseo go dtí an ceathair a chlog ar maidin? Fan amach uaithi sin in ainm Dé,' ar seisean agus mé ag breathnú ar an tine bhreá ghuail. 'Údar contúirte duitse a leithéid sin. Bain díot go beo nó gheobhaidh tú do bhás as an oíche anocht.' Chuir mé mo chóta mór agus mo bhróga agus mo stocaí leis an tine. Bhain mé díom mo chasóg agus mo veist agus chuir Micheál páipéar bán agus donn le mo chraiceann gach uile áit a ndeachaigh an bháisteach isteach. A leithéid de 'chulaith' ní fhaca mé riamh cheana cé go gcloisinn go mbíodh páipéar láidir taobh istigh den veist ar gach uile charraeir a théadh idir Gaillimh agus an Clochán (leathchéad míle bealaigh) roimh aimsir an iarnróid mar chosaint ar an ngaoth pholltach ar bhóithre rite Chonamara.

'Nuair a bheas do chóta mór triomaithe d'fhéadfá rud is measa a dhéanamh ná é a chur ort agus do bhríste a chur leis an tine. Chuile rud ach droch-shlaghdán agus an leaba.

Níorbh annamh é féin ag éagaoin – Go ndéana Dia trócaire air. Murach é ní chuimhneoin choíche ar an gculaith pháipéir, agus ní móide go dtiocfainn saor ó shlaghdán ach an oiread.

Nuair a chuala an príomhnuachtóir an scéal dúirt sé liom gur orm a bhí an t-ádh agus nár chríonna rud a dhéanfainn ná scáth báistí a cheannach.

'I'm an old campaigner and I assure you that it is the best investment a reporter ever made.'

Sin rud nach bhfeicfí choíche agamsa, arsa mise i m'intinn féin. Mise a thriomaigh mo chuid éadaigh a liacht uair leis an tine agus iad orm agus gal ag éirí astu, nó ar thriomaigh grian agus gaoth iad laethanta aonaigh ar Fhaiche Mhór na Gaillimhe – scáth báistí a cheannach! An meas céanna a bhí agam air is a bhí agam ar spats nó plus fours nó a leithéid – meas an fhear tuaithe. Ní ligfeadh an náire dom é a iompar ar aon nós.

'What did I tell you?' ar seisean liom agus mé ag triomú mo chuid éadaigh leis an tine oíche eile. Ghlac beirt eile a

Gan Baisteadh

chomhairle agus dhéanfainnse fós é agus ciall cheannaithe agam b'fhéidir, a dúirt sé. Bhí farasbarr cúraim air le linn na troda agus níor mhaith leis go mbeadh aon nuachtóir buailte suas nó síos.

Thug sean-nuachtóir 'léacht' dom freisin agus dúirt go raibh leannán air féin de bharr fliucháin agus báistí nach scarfadh leis choíche. B'as cathair Chill Chainnigh é, agus é in amhras ar mhórán gach uile 'ghluaiseacht' ach amháin ar Chumann Lúthchleas Gael.

Míníodh dom an fáth. Ceannaí leathair a bhí ina athair. Chuir sé a raibh aige ar an Stiofánach agus ar na Fíníní. Briseadh é agus fearadh ar a chlann é.

'Tell me what is the Irish of gas meter,' ar seisean liom agus a chúl leis an tine aige.

'If you tell me the English of it.'

'Ah, ye have no word in Irish for it.'

'Tá bronntanas ag fanacht leat,' arsa bean an tí liom tráthnóna amháin.

Scáth báistí! B'fhada go raibh a fhios agam cé a chuir chugam é. Trócaire Dé air!

Thosaigh mé ag méirínteacht leis thuas i mo sheomra mar a rinne mé le mo ghunna nua uair eile. Bhí mé ar siúl nó gur fhéad mé é a oscailt agus a dhúnadh.

Ansin a d'fhan sé nó gurbh éigean dom míle bealaigh a shiúl ag an traein drochmhaidin. Bhain taistealaí tráchtála croitheadh as a scáth féin sular dhún sé é ag dul isteach sa stáisiún dó. Rinne mise amhlaidh mar shíl mé gurbh é an rud ceart é. D'fhan an chos agam agus thug an ceann agus é teann cúpla truslóg mar a thabharfadh snag breac nó bruachalán. Dhún garda na traenach dom é. Shíl mé go raibh maitheas éigin ann agus a laghad báistí a thit orm.

Ag cruinniú poiblí i mBaile Átha Cliath a d'oscail mé arís é agus an tráthnóna ag caitheamh ceathanna toirní. Bhí sé ag dul rite liom scríobh nuair a tháinig fear meánaosta anall chugam agus straois lúitéiseach air. Níor phlámásaí fear na

158

naoi n-iníon ná é nuair a chuir sé aighneas orm agus an leathlámh sínte amach aige.

'Will you give me the umbrella for the lady?' a deir sé.

Mheabhraigh sé sin dom an scéal faoi sheanPhádraic ó Conaire lá a ndeachaigh sé féin agus a bhean isteach i dteach óil thall i Londain Shasana agus lig an bainisteoir grág as: 'No ladies! No ladies!'

'My wife is no lady!' arsa seanPhádraic.

Sa chás seo ba í a bhean féin an 'lady' agus í thuas ar an ardán. Is cosúil nárbh fheasach é go raibh aithne mhaith shúl agamsa ar an mbeirt acu. Dúirt mé leis dá scarfainn le mo chosaint nár dhóigh go mbeadh focal faoi dhea-chomhairle nó faoi chríonnacht an lady ar an bpáipéar ar maidin, agus go mba mhór an buille d'Éirinn uile é sin. Is fada áit fheiceálach ar dheis na gréine i Reilig Glas Naíon ag an mbeirt acu.

Nuair a d'fheicinn lochán uisce ar shuíochán na cathaoireach a bhíodh le m'aghaidh ar ardán d'fhanainn i mo sheasamh ag scríobh dom agus an scáth ag lonnú ar mo cheann, agus an t-uisce ag scardadh anuas de hata nuachtóra eile ar a leabhar nótaí. Uaireanta bhéarfadh duine soilíosach éigin greim air agus bhíodh dídean ag an mbeirt againn. Ní bhfuair mé riamh aon bhronntanas a raibh an oiread droch-mheasa agam air a d'fhóin chomh maith sin dom leis.

Ní minic náireach éadálach, a deirtear. Murach an bronntanas ní móide go mbeadh a leithéid choíche agam.

Nuair a ghabh mise go Baile Átha Cliath bhíodh cuid mhaith cainte ag na sean-nuachtóirí ar an Éirí Amach agus ar an mbaint a bhí ag Liam ó Murchú (William Martin Murphy) le stailc mhór na bliana 1913, mar chuadar tríd an dá rud. Chuir mé romham fios a fháil cad chuige ar cuireadh an aiste úd a raibh tagairt inti do Shéamas ó Conghaile agus do Sheán mac Diarmada ar an *Irish Independent* tar éis an Éirí Amach – aiste a tharraing a lán drochmheasa ar an bpáipéar agus a chuir a lán daoine ina aghaidh. Séard a dúirt sean-nuachtóir liom:

'Cé nach gcuirfinn tada mar sin thar mhuintir Mhurchú ní raibh baint dá laghad ag aon duine leis an aiste sin, ach ag

fear amháin a raibh post mór aige anseo. Ní raibh a fhios ag muintir Mhurchú faoi nó go bhfacadar ar an bpáipéar é.'
'Ach tuige ar scríobhadh a leithéid riamh?' arsa mise.
'Sén tuairim a bhí againne gur shíl an fear úd go dtaitneodh sé le William Martin mar gheall ar an raic a bhí idir é féin agus Séamas ó Conghaile le linn na stailce.'
Mar sin féin is ar mhuintir Mhurchú a bhí a lán de phobal na hÉireann anuas faoi. Caintíodh air ag na scórtha cruinnithe poiblí ar fud na hÉireann na blianta ina dhiaidh sin. Ba smál é nárbh fhurasta a ghlanadh.
Níorbh fhurasta údar na haiste sin a mhúineadh. Murach é ní cháinfí an t-ionsaí ar an Tiarna French cúpla bliain ina dhiaidh sin. Ghabh sé gar don bhás an tráth sin. Theastaigh ó dhaoine móra sna hÓglaigh piléar a chur ann in áit innleán an *Independent* a scrios. 'Comhréiteach' a bhí ansin.
'Peadar Clancy was in charge of the attack,' arsa nuachtóir as Contae Luimnigh liom, fear a raibh aithne mhaith ag Peadar air. ' "You take down your hands, Jack," he said to me. The — never forgave me for that. Peadar Clancy failed to carry out his instructions. He should have shot — .'
Níorbh fhíor é sin. B'éigean don mhuintir eile a lámha a choinneáil in airde le linn an ionsaithe.
An fear a tharraing an raic ba chumasach an t-oibrí é. Mharaigh sé é féin le obair agus imní. Dóbair dó daoine eile a mharú freisin. Thug sé tús áite do leas an pháipéir ar shaoirse na hÉireann. Ní raibh seasamh aon bhac ar an bpáipéar ann. Ar leaba a bháis féin bhí sé ag cáineadh agus ag ceartú daoine. Ní raibh aon neart aige air mar ba sa pháipéar a bhí a chroí agus a intinn. Chonaic mé tuilleadh dá leithéid.
B'iontach an mac é Jack agus é i dtiúin. Corruair dhéanadh sé dreas den 'Fenian drill' dúinn i seomra na nuachtóirí mar a chuala sé féin i gContae Luimnigh é. Agus an chríoch chéanna i gcónaí: 'Sharge!' díreach mar a déarfadh Gaeilgeoir ar bheagán Béarla é.
D'inis sé dúinn maidin amháin: 'I was thinking of my past last night, and I am convinced that there is no sin on my soul

except that I hate — ' an fear a d'ordaigh an dá aiste úd.

'You'll see that man going up to Glasnevin some morning and it will be the most popular funeral that has ever been in Dublin!'

20

Baisteadh Fhianna Fáil

NÍ RAIBH ar bhaisteadh Fhianna Fáil ach mé féin agus Eamon de Valera faoi Bhealtaine 1926. Bhí dhá 'n' in Eamon an uair úd agus síneadh fada ar an E. Is binne le Gaeilgeoir 'Stair Éamoinn uí Chléire' ná 'Stair Eamoin . . . .' Ba lag éidreorach an scalltán é Fianna Fáil an lá sin, agus is beag a shílfeadh go scuabfadh sé mórán gach uile rud roimhe sé nó seacht de bhlianta ina dhiaidh sin. Ní móide go ndéanfadh murach go raibh De Valera é féin ina chionn. Tharla an baisteadh tar éis Ardfheis Shinn Féin sa Rotunda, i mBaile Átha Cliath. Cé go raibh an cruinniú 'príobháideach,' agus na daoine sách corraithe scaití, bhí a fhios ag na nuachtóirí go mbeadh 'scoilt' ann agus go raibh faoi De Valera gluaiseacht eile a bhunú, agus dul isteach sa Dáil. Bhí roinnt daoine go naimhdeach ina aghaidh, ach thaobhaigh formhór a raibh ann leis.

Thug De Valera amach i ngluaisteán chuig a theach ar an gCarraig Dhubh mé leis an gcéad ráiteas a thabhairt ar an bpáirtí nua. Bhí aiféala air nach raibh an bhean ag baile. Tar éis béile thug sé dom trí chéad nó ceithre chéad focal. D'fhiafraigh sé díom cé mar thaitin an t-ainm 'Fianna Fáil' liom. An faitíos a bhí air go dtabharfadh daoine 'Fianna Fale' air, agus is minic a thug. Déarfainn go raibh an t-ainm socraithe roimh ré aige. B'ait leis é a thabhairt don *Irish Times* freisin ach theastaigh uaimse é a bheith ag an *Irish Independent* amháin de bharr an trioblóid a chuir mé orm féin agus eile. Ghéill sé. Ní bhfuair mé aon mhullachín dá bharr! Cé go raibh an cuntas in áit fheiceálach ní shílim gur

162

mhórán suime a cuireadh ann.

'Do you know Tom that Dev has made the greatest mistake of his life today and that he will live to regret it?' arsa Éamann ó Donghaile liom tar éis na hArdfheise.

Bhí sé ar buile faoin scoilt agus an páirtí nua, ach ina dhiaidh sin rinne sé cion fir lena chur chun cinn. B'iontach uaidh spreacadh agus fuinneamh a chur i dtionól poiblí. Cé go raibh an *Independent* in aghaidh Fhianna Fáil bhí Éamann an-mhór le cuid de na sean-nuachtóirí agus níor chliseadar riamh air. Dá dteastódh eolas uait ní rachadh sé anonn nó anall leis ach é a insint duit i nglan Bhéarla. Corruair thagadh scéal gutháin isteach gan tada a chur ar an bpáipéar faoin timpiste a d'éirigh dá ghluaisteán agus é ag timireacht do Fhianna Fáil – ar fhaitíos go gcloisfeadh na daoine móra é. Dhéantaí rún dá leithéid i gcónaí.

Níorbh fhada istigh sa traein i Sráid Amiens, Baile Átha Cliath mé, tráthnóna tamall tar éis Chogadh na gCarad nó gur thosaigh an bheirt nuachtóir eile ag cur geall: an Sasanach ag rá go gcinnfeadh ar Eamon de Valera dul go Béal Feirste de bhuíochas Rialtas na Sé Chontae, agus fear Chill Chainnigh ag rá nár bhaol dó dul suas ansin gan gach uile leagan-amach a bheith déanta aige le dallamullóg a chur ar an namhaid. B'fhearr an t-eolas a bhí ag an Sasanach ar na Sé Chontae ná mar a bhí ag an bhfear eile.

Sular fhág mé Baile Átha Cliath fuair mé leid bheag faoin leagan-amach: go dtiocfadh De Valera amach as an traein ag stáisiún éigin agus go dtabharfadh gluaisteán an chuid eile den bhealach é go Halla Naomh Muire i mBéal Feirste, áit a mbeadh a lán daoine ag fanacht leis.

De Valera, Proinsias ó Fathaigh, agus Bean Thomáis uí Chléirigh, sílim, an mhuintir ba ghaire dúinn sa traein. Nuair a stop an traein sna Sé Chontae tháinig beirt phíléir óga isteach inti. Bhreathnaíodar ar a raibh ann, ach níor chuireadar aighneas ar aon duine. Ní amháin nach raibh aon aithne acu ar De Valera ach de réir cosúlachta ní raibh tuairim dá laghad acu faoin saghas duine a bhí ann. Déarfainn go raibh leis an babhta sin murach gur thaispeáin an Sasanach do na píléirí le sméideadh fabhraí é. Níor le droch-chroí a rinne sé é ach b'ait leis go mbeadh an scéal mór in am aige le haghaidh an pháipéir Shasanaigh a thagadh go hÉirinn.

'Dá ndéanfá é sin ar an taobh eile den Teorainn chuirfí piléar ionat,' arsa mise leis.

Níor léir dósan aon dochar ann. Séard a dúirt sé mura dtógfaí De Valera ansin go dtógfaí in áit éigin eile é agus é ródheireanach aigesean! Tugadh De Valera amach as an traein agus i ngluaisteán go Béal Feirste, áit ar cuireadh mí phríosúnachta air. Ba mhór a bhí idir é sin agus an lá ar tharraing píléirí na Sé Chontae a ghluaisteán amach as an sneachta mór agus é ar shochraid an Chairdinéil D'Altún thuas ar Ard Mhacha! Agus gur ghlac Coimisinéir na nGardaí buíochas leo dá bharr!

Ag stáisiún Phort an Dúnáin a bhí an gluaisteán ag fanacht le hEamon de Valera lena thabhairt go Béal Feirste, agus ba le Andy Woods as Baile Átha Cliath é – fear a thugadh De Valera ar fud na tíre tráth.

Tamall ina dhiaidh sin d'inis sé dom nach raibh seans dá laghad go n-éireodh leis. Ó ghabh sé trasna na teorann bhí siad ag faire air ; agus ní raibh sé nóiméad i bPort an Dúnáin nó gur thug na daoine an carr strainséartha faoi deara. Ní fhéadfadh sé imeacht leathchéad slat ón stáisiún gan na píléirí agus muintir na háite a bheith á leanúint. Agus bhí tuairim aige go raibh na céadta súil nár léir dó chor ar bith ag faire air. B'fhéidir – agus ní raibh ann ach b'fhéidir, go n-éireodh le gluaisteán as an áit, ach d'íocfadh an t-úinéir ann.

21

An Dá Olltoghchán

MÁS cuimhneach liom dhá olltoghchán na bliana 1927 fuair mé an tsiocair. Ní raibh mé saor lá amháin as naoi seachtainí de bharr an chéad toghcháin i mí Mheán an tSamhraidh, agus an chruóg a bhí orainn roimhe agus ina dhiaidh. Agus ní bhfuair mé mo thrí sheachtain saoire go Nollaig. Chuir dúnmharú Chaoimhín uí Uiginn, an tAire Dlí agus Cirt, obair le cois orainn freisin. Dúradh go raibh baint ag a bhás leis an dara toghchán. B'fhéidir é, ach ní go maith a d'éirigh le Cumann na nGael sa chéad cheann. Agus Fianna Fáil sa Dáil (den chéad uair) bheadh an rialtas ar forbhás i gcónaí. B'éigean é a bheith ann déarfainnse. Ba threiside go mór an rialtas an toghchán sin, agus sheas sé go hearrach na bliana 1932.

Níl a fhios agam nach raibh méirín ag na páipéir nuachta i mbás Chaoimhín uí Uiginn – gan fhios dóibh féin. Ar an 26ú lá de Bhealtaine cuireadh suas go Cluain Eois mé, áit a raibh Ó hUiginn le caint a dhéanamh. Nuair a d'inis an Blaghdach dom gur i gCarraig Mhachaire Rois a bhí sé ghabh mé ann i ngluaisteán – fiche míle bealaigh.

A leithéid de ruabhúirtheach níor chuala mé ar aon chruinn-iú daoine riamh is a bhí ansin an lá úd. Níor bacadh mórán leis na cainteoirí eile, ach níor bhaileach an t-aire ina sheas-amh suas nó gur thosaigh an gleo agus an torann. Ba léir go raibh faoi na scórtha fear óg gan cead cainte a thabhairt dó. Ag dul i mboirbe a bhí sé, nó gurbh éigean dó éirí as agus gan é leath réidh.

'Is iad na Hibs is ciontach leis sin,' arsa fear le m'ais, ach

ní móide go gcuirfeadh na Hibernians an oiread sin suime i
gCogadh na gCarad.

'What about the 77 executions?' arsa fear le hÓ hUiginn.

'And 77 more if necessary,' ar seisean.

Dúirt sé é sin mar gur baineadh as é, agus thar a thoil,
b'fhéidir. Murach mise ní bheadh sé ar an *Irish Independent*
ná ar aon pháipéar eile ach an oiread, mar ní fhaca mé aon
nuachtóir eile ann. Agus ní móide go mbeadh a fhios ag an
bpobal choíche faoi murach gur chuir na nuachtáin os ard é.
Thug mé do nuachtóir den *Irish Times* é, mar thug seisean
domsa caint an Bhlaghdaigh i gCluain Eois.

Níorbh fhada gur chuala mé i mBaile Átha Cliath gur chuir
an chaint úd buile dhearg agus fonn díoltais ar dhaoine áiri-
ithe, cé nár bacadh le haon aire ó dheireadh Chogadh na
gCarad ceithre bliana roimhe sin. Mar sin féin bhí an nimh-
neadas ina leathchodladh ansin i gcónaí agus níor dheacair é
dhúiseacht.

Taobh istigh de sheacht seachtain imríodh díoltas dearg ar
Chaoimhín ó hUiginn ag triall chun Aifrinn dó Domhnach i
mBaile an Bhóthair ina cheantar féin. Dóbair do na gunnaí
agus fáilte an Aingil a bheith ar aon bhuille.

B'iontach liom é a bheith ag coisíocht leis féin lá amuigh ar
cholbha an bhaile mhóir tamaillín tar éis an lae úd i gCarraig
Mhachaire Rois. Casóg ghlas gharbh Ghaelach agus bríste
flainín a bhí air, agus hata íseal sleabhctha anuas ar a
bhaithis. Dhearc sé go grinn orm ag dul tharam dó mar is
cosúil go raibh mearaithne aige orm. Ní fhaca mé riamh ina
dhiaidh sin é, ach tamaillín tar éis a bháis chonaic mé cuid de
fhuil a chroí ina smearacha ar chulaith éadaigh Phádhraig uí
Ógáin, an tAire Talmhaíochta. Ba sa teach céanna a bhí
cónaí orthu.

Ní raibh aon gharda leis lá a bháis ach oiread. Tháinig
Eoin mac Néill agus an lámhach ar siúl ach níor bacadh leis
cé go raibh sé ina aire tamall. Is léir nach raibh ó na gunna-
dóirí ach duine amháin.

Chonaic mé ar nuachtán gur de bharr é a bheith ina Aire
Dlí agus Cirt a maraíodh é. Ní fhaca mé in aon áit, agus níor

[Caoimhín ó hUiginn
grianghraf le cead 'Irish Independent'

chuala mé, go raibh aon bhaint ag an '77 more if necessary' leis.

Ach céard faoin muintir eile a bhí sa rialtas in éineacht leis sna blianta 1922 agus 1923 agus nár bacadh leo? Théadh Pádhraig ó hÓgáin ar fud na tíre ag caint gan aon gharda, idir 1923 agus 1927, agus Séamas Breathnach (J. J. Walsh) as Droichead na Bandan, agus é ina Aire Poist agus Teileagraf. Maidin earraigh sa mbliain 1924 agus an bheirt againn sa traein ag filleadh as Cill Chainnigh dúinn, chaintigh sé ar an obair a bhí déanta ag an rialtas agus a bhí fúthu a dhéanamh. Dúirt sé go seasóidís lena ndearnadar.

'I think you will find it hard to justify one thing,' arsa mise.

'What is that?'

'The shooting without trial of Liam Mellowes and the other three who had been in jail for five months.'

'Not alone was it justifiable but it was essential.'

Ní dhearna mé dearmad riamh ar a chuid cainte, go mór mór ar an bhfocal 'essential.' Facthas dom gur chuir mo chaint (ó dhuine as an *Independent*) iontas air. Bhí cineál aiféala orm é a rá le haire ach ghoill bás Liam orm go speisialta de bharr é a bheith ina cheannaire ar Óglaigh na Gaillimhe san Éirí Amach.

Fiche bliain i ndiaidh bhás Chaoimhín uí Uiginn (1947) agus mé ag siúl suas an Cuarbhóthar Theas i mBaile Átha Cliath dúirt mé le comrádaí dom: 'Ar na hUltaigh a leagadh é.'

Ba dhuine é a raibh an-eolas aige ar chúrsaí an IRA, sean agus nua.

'Níorbh iad a rinne é,' a deir sé. 'B'as Contae — iad. In áit éigin thart anseo atá cónaí orthu.'

Déarfainn go raibh a n-ainm ag daoine eile freisin.

Bhí misneach ag Caoimhín ó hUiginn, déarfainn.

D'inis sé do Phádhraig ó Cuinn as an *Irish Independent*, gur tháinig beirt oifigeach airm isteach chuige i dTeach Laighean agus poist mhóra uathu. Ní cuimhneach liom ar tharraingíodar amach gunnaí, ach déarfainn go ndearnadar bagairt air, mar séard a dúirt sé le duine acu: 'I am under no delusion about your ability to assassinate me, but while I am Minister for Justice you will not become Chief Commissioner of the Garda Síochána.' B'fhear dá fhocal é. Tá an 'Coimisinéir' úd básaithe. Post mór san Oireachtas a shantaigh an fear eile. Níor éirigh leis.

As na scórtha leabhar nótaí a líon mé níor choinnigh mé slán ach an ceann a bhí agam i gCarraig Mhachaire Rois agus i mBealach an Doirín an lá dar gcionn. Choinnigh mé é sin mar bhí fear dlí ag fógairt dlí ar an *Irish Independent*. Caint a rinne Pádhraig ó hÓgáin i mBealach an Doirín ba chiontach leis. Cuireadh an dlí air dá bharr agus baineadh de meall airgid san Ardchúirt. B'éigean dom fianaise a thabhairt ar a shon an lá céanna. Ní thabharfainn í murach gur tugadh dhá ghairm dom. Níor thaitin a leithéid liom, agus b'fhearr liom fanacht glan ar gach uile dhream díobh.

Sheas Cumann na nGael an costas do Phádhraig ó hÓgáin. Facthas dom go ndearnadh éagóir air. Níorbh é an chaoi chéanna a dúirt seisean an chaint a cuireadh ina leith is a dúirt cuid de na mionnadóirí sa chúirt é, mar bhí 'nótaí' a chuid cainte agamsa.

Nuair a cuireadh suas an chéad mhonarcha bhiatais síleadh gur do Phádhraig ó hÓgáin a bhí a lán den mholadh agus den bhuíochas ag dul ó tharla ina aire talmhaíochta é, agus b'fhéidir gur dó, ach b'aisteach liom an chaint a chas sé ag cruinniú poiblí i gceantar Bhéal Átha na Sluaighe go gairid ina dhiaidh sin. Ag caint dó ar an muintir a raibh monarcha nó dhó eile biatais uathu dúirt sé gurbh éard a thiocfadh as a leithéid 'lowering the standard of living to that existing in the Balkans.' Lena mhalairt a bheadh daoine eile ag súil.

Is minic a shíl mé nach raibh ann ach seans go raibh sé ina aire rialtais riamh nó ina theachta Dála féin, agus gur ar éigean a bheadh murach gur cuireadh géibheann air amach sa bhfómhar sa bhliain 1920. B'iontach le daoine i mBaile Locha Riach, a raibh aithne mhaith acu air, gur gabhadh riamh é. Dúirt cuid acu liom gur bheag an bhaint a bhí aige le Sinn Féin ná lena leithéid – má bhí baint ar bith, ach amháin gurbh é an dlíodóir a bhí ag Proinsias ó Fathaigh in Olltoghchán na bliana 1918 é. Shíleadar gur dul-amú a rinne na píléirí agus go ndearnadh éagóir air. B'fhéidir go raibh baint aige lena bheirt deartháir, Séamas agus Micheál, a bhí sna hÓglaigh. Ar aon nós síleadh é a thabhairt as géibheann le fabhar. Ar Tom Ward, abhcóide a raibh cónaí air i nGaillimh, a cuireadh an cúram úd. Thagadh sé isteach in Oifig an *Connacht Tribune* corruair agus mise ann. Staic a raibh snua a chodach go maith air a bhí ann. Dornálaí, idir shrón agus eile, a bhí tite i bhfeoil, ba shamhail dó. Ba bheag duine a théadh chomh sciobtha ar rothar ar shráideanna an bhaile mhóir leis ach amháin b'fhéidir an Canónach ó Móráin as Baile an Chláir.

Bhíodh Ward go minic ag an gcúirt mhíleata thall ar an Rinn Mhór agus bhí aithne mhaith aige ar chúisitheoir na Cúirte úd, Major Neville, Sasanach agus Caitliceach. Is cosúil gur dá bharr sin a cuireadh an cúram úd air. Ba é an scéala a insíodh dúinne go n-éireodh leis dá dtéadh sé chuig Neville tamall gearr roimhe sin sular athraíodh Mac uí Ógáin go campa an ghéibhinn i bhfad ó bhaile. Bhí Ward 'mall' a dúradh leis.

Dá scaoiltí saor Pádhraig ó hÓgáin an uair úd ní móide go mbeadh sé sa Dáil choíche. Sílim gur sa ngéibheann dó a rinneadh T.D. de. Bhí sé ar an mbeagán de mhuintir Chumann na nGael nach bhfaca mé an 'léine ghorm' riamh orthu.

Ó tharla gur thiar i gContae an Chláir is mó a bhíodh Eamon de Valera roimh an dara Olltoghchán i mí Mheán Fómhair, is ann a cuireadh mé. Bhí Inis taobh le hóstlann amháin an uair úd agus is ann a chuaigh muid beirt. Bhí an *Queen's* leagtha síos go talamh agus é á athdhéanamh ó fhréamh aníos. San áit a bhfuil an *Old Ground* a mbíodh seomraí agus eile ag Fianna Fáil. Facthas dom nach mórán fáilte a bhíodh romhamsa ann, ní nár mhilleán orthu b'fhéidir.

Thart ar a hocht a chlog a thosaíodh Eamon de Valera obair an lae agus bhíodh sé ar siúl go meán oíche agus ina dhiaidh uaireanta, agus caint déanta aige i dtrí nó i gceathair d'áiteanna. Níl a fhios agam cén chaoi ar sheas sé é. Ní théinnse ach chuig an gcéad chruinniú, agus thagainn ar ais go hInis ansin le scéala a chur chun bealaigh.

Ormsa a thit sé dul in aon ghluaisteán le De Valera oíche Shathairn go hoirthear an Chláir mar ní raibh aon áit ann don dara nuachtóir. Bhí Seán ó Duibhir as Cill Rois agus fear eile ar an suíochán cúil liom. D'éirigh Seán an-mhór liom nuair a chuala sé go raibh aithne agam ar mhac leis, agus ar Sheán ó Sé as Cill Rois freisin, agus an bheirt acu sna hÓglaigh i nGaillimh an tráth a rabhadar ag foghlaim leighis san Ollscoil. Ba bhreá an bheirt iad ar gach uile bhealach.

Ba dhíreach cneasta an duine é Seán ó Duibhir ach níor mhaith an polaiteoir é. Chuir Fianna Fáil suas cúpla babhta é ach níor mhórán tacaíochta a tugadh dó.

Bhíodh an-chaint an uair úd ar 'Squandermania' an rialtais, agus daoine ag déanamh amach gurbh é a bhí ag bascadh agus ag craplú na tíre, ach is ina dhiaidh sin a thosaigh sé dáiríre. Sa ngluaisteán dúinn thug mé cúpla seanfhocal do De Valera le haghaidh na hócáide : 'Mo mhaide féin agus capall na comharsan,' agus 'Is flaithiúil é an coileach le cuid an chapaill.'

Shíl sé go raibh an dara ceann go hiontach agus an coileach ag tabhairt cuireadh glórach grágallach chun féasta do na cearca, mar ba mhinic a chonaic sé a leithéid faoin tuath.

'Bainfidh mé leas as an gcéad cheann ag cruinniú i gCora Droma Rúisc an chéad oíche eile,' ar seisean. Ach chuir duine éigin nár thuig a bhrí a chuma féin air : 'My own stock and the neighbour's horse.'

Bhí sé ina oíche agus an chéad chruinniú thart – i dTuaim Gréine. Dá mba mhian liom féin é ní fhéadfainn tada a scríobh sa dorchadas sna háiteanna eile. Ó tharla goimh ag teacht san aimsir is ag siúl thart agus ag ól corrfhailm fuisce sna tithe óil a chaith mé an t-am go meán oíche. B'fhaillíoch leis an ngluaisteán imeacht abhaile. Bhí an-

171

sioscadh cainte taobh amuigh agus mo néal ag teacht ormsa taobh istigh nuair a chaith bruinneall éigin í féin ar mo ghlúine díreach mar a dhéanfadh a leithéid istigh i scioból oíche bhainse nó éirí-amach agus ganntan suíochán ann. D'imigh an codladh díom de léim. Cheap mé go raibh faisnéis bharainneach aici faoin suíochán a bhí 'curtha in áirithe' di, a réidhe is a rinne sí amach é. B'fhéidir nach raibh aon bhealach abhaile aici agus go ndearnadh fabhar di agus go raibh ormsa an soilíos a rinneadh dom a chúiteamh.

Níor mhoill nó gur inis sí dúinn nárbh fhada uaithi bheith ina bean rialta – murach an easláinte. Is aici a bhí canúint Mheiriceá go paiteanta. Agus maidir leis na fuaimeanna! Shásóidís cigire ar bith déarfainn. Bhí misneach aici mar bhí brath aici dul ar ais sa gclochar ach go gcasfadh Dia a sláinte uirthi.

Ó tharla an oíche bundorcha níorbh fheasach mé cé acu beag deas nó mór mímhaiseach í, ach mheabhraíodh an codladh driúlaic agus luascadh an ghluaisteáin dom an meáchan. Agus bhí leisce orm mór a dhéanamh léi mar is geal an buí san oíche a deirtear.

'Tá faitíos orm gur crua cnámhach an suíochán a bheas agat, agus ní móide gur mórán cleachtaidh a fhaigheann sibhse ar a leithéid sin,' arsa mise le caint a bhaint as an ainnir.

'Ní féidir nó tá a fhulaingt ionam. Chuile rud ach a bheith fágtha ar an mbóthar tar éis an mheán oíche.'

'Ar ndóigh chuala tú ar Chúirt an Mheán Oíche agus Aoibheall, mar nach sheo í tír na Cúirte?'

Chloisinn De Valera ag aithris giotaí as tús na Cúirte ag na cruinnithe. Ní bhacadh sé leis an gcuid is fearr agus is spéisiúla de – an chuid a d'fhág uaigh Bhriain Mherriman bocht gan a leacht i Reilig na Fiacaile.

'Agus an ndeachaigh tú ar an gcruinniú leat féin gan fios agat cén uair nó cén chaoi a dtiocfá abhaile?' arsa mise nuair nár spéis léi an Chúirt ná Aoibheall.

'Shíl mé go mbeadh sé thart roimh an oíche. Ba mhaith liom é a bheith le rá agam sa gclochar go bhfaca mé De Valera agus gur chuala mé ag caint é. Shéasfainn i mo chosa boinn sa sneachta ag breathnú air agus ag éisteacht leis. Is fad ar mo shaol an ócáid seo, agus ní scarfaidh sé choíche le mo chuimhne. Sé an trua nach é an lá a bhí ann!'

Is iomaí a leithéid a bhí i gContae an Chláir an uair úd, déarfainn.

Bhí an tír ina gcodladh agus gan de sholas ann ach solas an chairr.

'Fainic nach bhfuil mé imithe thar an áit!' arsa an ainnir go tobann.

Stop an carr, agus shlog an dorchadas í. Cá bhfios nach ina máthairab thall i Meiriceá atá sí leis na blianta?

22

An Páipéar Nua

IS IOMAÍ tamall de lá sa mbliain 1931 a chaith mé in éin-
eacht le Proinsias ó Gallchobhair ina oifig i Sráid an Dama,
Baile Átha Cliath, agus é ag déanamh réidh faoi chomhair an
pháipéir nár baisteadh fós. Ar ndóigh, bhí mé mídhílis don
Irish Independent agus a leithéid a dhéanamh! Níor iarr sé
orm é a dhéanamh.

Bhí carnán iarratas ag Proinsias ó nuachtóirí nár aithin sé,
agus nárbh fhios dó cé acu olc nó maith iad. Bhí aithne agam
féin ar chuid mhaith acu agus mhol mé dó fir áirithe a chur i
bpoist áirithe.

Cé gurbh fheasach mé go mbeadh sé ina chruachoimhlint
idir an *Independent* agus an páipéar nua, agus go gcuirfeadh
sé obair agus imní le cois orainn uile, b'ait liom cuidiú leis cé
nach ar mhaithe leis ar fad é. Shíl mé go mbeadh ceantáil ar
nuachtóirí agus eile, agus go n-ardófaí tuarastail agus pá dá
bharr. Thit a leithéid amach ach ní de léim. Rud eile dhe,
bhí ceal cuideachta orainn ó fuair an *Freeman's Journal* agus
an *Evening Telegraph* bás seacht mbliana roimhe sin. Bhí
gach uile shúil agam freisin go ndéanfadh an páipéar nua
obair ar fónamh don Ghaeilge.

Oíche Shathairn tar éis cruinniú nuachtóirí chuaigh Proin-
sias in éineacht le scata againn soir sa 'Stags Head.' Facthas
dom nach mórán cleachtaidh ná eolais a bhí aige ar ól, ach
rinne sé aithris orainn uile: d'ól sé tancaird bheaga den phór-
tar láidir.

D'iarr banoide as Tír Chonaill orm iarraidh ar Phroinsias
eagarthóir Gaeilge a dhéanamh de Shéamas mac Grianna.

An Páipéar Nua

Mhol mé é agus dúirt leis dá gcuirfeadh sé Éire i bhfáinne nach
bhfaigheadh sé a bhualadh le haghaidh an phoist úd. Séard a
dúirt sé:
'His Irish is too hard, and that is the opinion of the Chief
too. We will get a good man for the job.'
Facthas dom go raibh an cheist sin socraithe cheana acu.
D'inis mé an scéal don chailín.

Is cosúil gur shíl Proinsias go raibh mé féin ag cur isteach ar
phost freisin, mar bhí litir 'phráinneach' uaidh ag fanacht
liom ar fhilleadh dom ó Chomhdháil na gCiníocha Ceilteacha
in Oileán Mhanann i mí an Iúil. D'inis sé dom an post a
thabharfadh sé dom. Dá mbeinn gan cúram féin ní chorróinn
mura mbeinn díomhaoin ar fad. Chaith mé scaitheamh
díomhaoin nuair a rinne na píléirí praiseach den *Galway Ex-
press* sa mbliain 1920. Chonaic mé dhá pháipéar laethúla agus
páipéar tráthnóna ag cliseadh i mBaile Átha Cliath agus an
drochbhail a bhí ar na fir a fágadh gan obair. Ní bhfuair cuid
acu aon obair riamh.

Dúirt mé leis go mbíonn saol crua ag páipéar laethúil i
dtosach; go dtógfadh sé tamall maith air greim a fháil agus
tosú ag íoc as féin; nach raibh fhios cén t-airgead a ídeodh sé;
nár mhaith liom cúrsaí polaitíochta agus gurbh iad a gheobh-
adh tús áite sa pháipéar nua. Níor inis mé dó nár thaitin aon
mháistir liom ná gur le Gaeilge a chaithfinn an chuid eile de
mo shaol dá bhféadfainn é. Níor lig mé leis nach raibh fúm
fanacht i mBaile Átha Cliath agus nárbh fhiú dom athrú, cé
nár shíl mé go gcaithfinn seacht mbliana déag eile ann.

'May God give you sense,' a deir sé, agus mhínigh dom gurb
é féin a bheadh ina eagarthóir agus gur páipéar nuachta
dáiríre a bheadh ann.

Dúirt mé leis go rachadh sé rite le haon eagarthóir a leithéid
a dhéanamh sa gcás sin, go gcaithfí tús áite a thabhairt don
'pháirtí' i gcónaí, agus nach bhféadfadh sé seasamh in
aghaidh an brú a thiocfadh air as gach uile chearn. Nuair ba
léir go raibh sé i bhfeirg liom dúirt mé leis nach bhféadfadh sé
a rá gur fheall mé air, ná gur lig mé orm féin go ngabhfainn in
éineacht leis. Ag cúnamh leis le fir a thoghadh a bhí mise.

175

Gan Baisteadh

Tar éis chomh mór is a bhí muid níor chroith muid lámh féin le chéile agus níor bhuail mé leis riamh ina dhiaidh sin.

Bhí a fhios agam an intinn a bhíonn ag lucht polaitíochta, agus an chaoi a mbíonn siad in éad le dreamanna eile, agus a dheacracht atá sé cuid acu a shásamh faoi phoiblíocht. Rinne muintir Chumann na nGael clamhsán faoi dhó fúm féin le daoine san *Independent* – go raibh mé ag taobhú le Fianna Fáil. An lá nach raibh mé ag taobhú leosan chaithfinn a bheith ag taobhú leis an dream eile, ar ndóigh! Ní raibh aon bhaint agam le Cogadh na gCarad, buíochas le Dia, agus ní fhéadfainn suim a chur i gcúrsaí polaitíochta. Níor mhóide mo gheansa ar Chumann na nGael na bréaga úd.

Níorbh shin é an chéad iarracht a rinneadh le páipéar laethúil a bhunú. Am éigin idir 1926 agus 1930 dúirt Muiris ó Lionáin, an príomhnuachtóir san *Independent*, liom go raibh Fianna Fáil agus dreamanna eile ag cuimhneamh ar pháipéar nua poblachtánach a chur ar bun agus d'iarr orm rud éigin a thabhairt dó lena aghaidh. Cúig phunt a bhí ar gach uile scair. Thug roinnt againn an méid sin dó.

I mBéal Feirste dom babhta d'iarr fear orm a bhí ar thóir scairshealbhóirí nó ag cruinniú airgid don pháipéar (agus a chuaigh isteach sa státseirbhís ina dhiaidh sin) é a chur in aithne do Sheosamh ó Doibhlinn ('Wee Joe'). Ní shílfinn gur mórán spéise a chuirfeadh 'Wee Joe' ina leithéid, mar bhí baint mhór aige le páipéar laethúil cheana i mBéal Feirste.

Tamall ina dhiaidh sin tugadh ar ais dúinn an chuid den airgead nach raibh caite le heagrú. Níor tugadh aon mhíniú dúinn faoi agus níorbh fheasach riamh mé cad chuige nach ndeachadar chun cinn leis mar bhí cuid mhaith timireachta déanta acu ar fud na hÉireann.

'Bhí caipín sonais ar an bpáipéar nua má bhí ceann ar a leithéid riamh,' arsa cara liom i nGaillimh agus gan an páipéar ach cúpla lá d'aois. 'Ní fhaca mé sciobadh ar aon rud nua riamh mar atá air agus Fianna Fáil ag cúnamh leis chuile áit.' Shíl mé go bhfuair an páipéar an-deis ar fad. Mura raibh fuath ag na scórtha míle do na páipéir eile bhí corp drochmheasa acu orthu agus gan mórán muiníne acu astu. Agus

[Proinsias ó Gallchobhair grianghraf le cead 'Scéala Éireann'

Gan Baisteadh

iad ag fanacht leis na blianta leis an bpáipéar a thabharfadh
go Tír Tairngire iad, agus a chabhródh leo le poblacht a
bhaint amach. Bhí na mílte sásta díol an pháipéir a chur ar
aghaidh in aisce agus gan buíochas féin. Ba chomhartha tír-
ghrá agus dílseacht d'Éirinn é a cheannach. 'Páipéar de
Valera' a thugadh na daoine air in áiteanna. Nuair a cuireadh
Fianna Fáil isteach sa mbliain 1932 d'fheicinn státseirbhísigh
agus an páipéar ag gobadh aníos as a bpóca agus, ar ndóigh,
an t-ainm le feiceáil i gcónaí.

Bhíodh cruinnithe cumasacha ag Fianna Fáil i mórán gach
uile áit an tráth úd agus go mór mór ag Eamon de Valera. Ba
mhó ná sin arís iad ar Scéala Eireann!

'Fáth do bhuartha?' arsa mise le nuachtóir maidin Luain.
Buachaill staidéarach tuisceanach agus gan mórán spéise aige
i gcúrsaí polaitíochta. Trí mhíle a dúirt sé a bhí ag cruinniú
Eamon de Valera an lá roimhe sin. Bhí seaneolas aige ar an
áit agus fios aige cé mhéad a d'fhillfeadh ann.

'Three thousand looks small,' arsa fear a bhí ina chionn.
Chuir sé náid eile leis agus rinne cruinniú diabhalta de –
30,000!

'Tá fhios agat féin a mbeadh de thraenacha agus eile ag
teastáil le 30,000 a thabhairt do ionad ar bith, agus a mbeadh
de áit ag teastáil uathu freisin,' arsa an nuachtóir liom.

'Ach cén neart atá agatsa air?' arsa mise.

'Ach céard a déarfar liom nuair a ghabhas mé ar ais arís
ann?'

B'iontach an spéis a chuireadh teachtaí na hArdfheise sa
bpáipéar i dtosach. Bliain amháin – 1932 nó 1933 déarfainn
– mhol buachaillí tuaithe caoi le feabhas a chur air go fiú is an
áit ar chóir nuacht áirithe a bheith! Seán T. ó Ceallaigh a bhí
ina chathaoirleach, agus b'iontach uaidh daoine a chur i
dtiúin agus a suaimhniú. Is aige a bhí an fhoighne! Facthas
dom gur dhóbhair dó tosú ag gáire cúpla babhta.

Nuair a bhíodar críochnaithe dúirt sé go bog séimh leo go
raibh faitíos air go gcaithfí obair an pháipéir a fhágáil faoin
muintir a raibh a bplé leis agus a bhí in eolas an ghnó sin.
Ansin chas sé an chaint seo nó caint arbh ionann brí di:

'But I promise you that when we meet next time there will be only the one paper in it.'

Le torann na gcos, agus greadadh na mbos, agus macalla na ngártha maíte agus bua, chrith an Seomra Cruinn. Bhí an tairngreacht úd ar *Scéala Eireann*, sílim. Agus mura dtáinig sí amach in achar bliana, ná in achar daichead bliain nár 'thug sé dúinn croí agus misneach?'

Is iomaí toradh a bhí ar shílteagasc *Scéala Eireann* i dtosach. Bhí toradh amháin air nár smaoinigh mise air agus mé ag cabhrú le Proinsias ó Gallchobhair, ach deirtear gur mhinic a bhain duine slat le é féin a bhualadh. Thosaigh rabharta tírghrá agus Gaelachais ag scuabadh agus ag glanadh chuile rud amach roimhe. Ag cruinniú mór a bhí ag Eamon de Valera i nGaillimh oíche sheaca i dtús na bliana 1932 ní ligfí suas ar an ardán mé mar b'as an *Independent* mé! Dúirt mé le fear mo bhactha go bhfaighinn a raibh uaim dá bhuíochas, agus thosaigh mé orm a scríobh faoi lampa sráide.

Lá i gContae Mhaigh Eo thiar dom, agus é ag tarraingt ar am traenach, dúirt mé le sagart óg go raibh sé cinnte orm mo chomrádaí as *Scéala Eireann* a fháil sa teach – buachaill lách múinte nach raibh blas suime sa Ghaeilge aige.

'I would be surprised if an *Irish Press* man would associate with you,' ar seisean go binbeach. 'You should be ashamed to be connected with such a paper.'

B'annamh a chlis orm an bealach a bhíodh agam le gobán a chur sa superpatriot, sé sin labhairt leis i nGaeilge.

'Bheinn an-ghann i gcuideachta sula santóinn do chomhluadarsa,' arsa mise leis, gach uile bhlas chomh binbeach.

Thosaigh sé ag briotaireacht, agus ag stadaireacht, agus ag lapaireacht Gaeilge.

'Ortsa ba chóir an náire a bheith agus gan tú i riocht "Dia le m'anam" ná "scat amach!" a rá i dteanga do thíre féin,' arsa mise.

Shíl duine nó beirt de lucht ceannais *Scéala Eireann* cineál 'segregation' a chur ar bun i gcaoi is nach gcaidreodh fir an pháipéir úd na fir eile go mór mór fir an *Independent*, mar ba é an páipéar sin an namhaid dáirire. Níor theastaigh a leithéid ó na nuachtóirí iad féin agus ar aon nós ba rud dodhéanta é. Ba mhugadh-magadh é nuair a thosaigh nuachtóirí i *Scéala Eireann* ag iarraidh tearmann polaitiúil ar an *Independent*. Maidin amháin agus toghchán ar siúl dúradh le nuachtóir *Scéala Eireann* ar an nguthán glanadh leis as an Royal Hotel i nGaillimh agus dul amach go Bóthar na Trá, tarraingt ar mhíle go leith bealaigh. Bhí a fhios aige go raibh sé ionann is a bheith chomh maith aige a bheith amuigh in Árainn. Isteach sa Royal a thagadh daoine de gach uile aicme ag ithe agus ag ól agus eile agus is ann a bhíodh mórán gach uile nuacht le fáil, cé go mba le duine de Chumann na nGael é. Nuair a theastaíodh eolas ar chruinnithe agus a leithéid ó mo dhuine bhíodh air teacht isteach go Gaillimh. Dúirt mé leis a rá lena mháistir gur sa Royal a chodail Éamann ó Corbáin, iarrthóir Fhianna Fáil, oíche áirithe, rud ab fhíor dom. Ligeadh ar ais ansin é.

Mhol mé do Phroinsias ó Gallchobhair post ceannais a thabhairt do fhear a bhí an-mhór liom. Níl mé ag rá nach bhfaigheadh sé an post ar aon nós mar ba dheacair a bhualadh a fháil an uair úd. Níor inis mé dó go ndearna an fear úd an-obair do mhuintir an Réamonnaigh in Olltoghchán na bliana 1918, agus na mílte fear óg ag iarraidh Sinn Féin a chur isteach.

Agus an post faighte aige thug sé cúpla cuairt orm, ach ó thosaigh an páipéar i dtús an Mheán Fómhair sa mbliain 1931 chinn orm casadh leis cé go ndeachaigh mé ag a theach agus gur scríobh mé chuige; agus níor casadh liom riamh ina dhiaidh sin é. I dtosach níor thuig mé nach coimhlint a bhí idir an dá pháipéar ach cineál cogaidh.

'Rinne sé scéal pearsanta den choimhlint,' arsa duine amháin liom.

Déarfainn gur thug imní agus saothar an pháipéir nua sna chéad bhlianta giorrachan saoil dó. Trócaire Dé air.

Mheabhraigh an chaint a chas an sagart óg liom sagart eile as Contae Mhaigh Eo Thiar, an tAthair Seán ó Raghallaigh, a scríobh *The Native Speaker Examined Home*. A dheartháir

Máirtín, seanphíléir a chuir faoi i mBéal Átha na Sluaighe a thug dom an leabhar úd le léamh. Aigesean amháin a chuala mé gur shíl an sagart a bheith ina Ollamh le Gaeilge in Ollscoil na Gaillimhe sa mbliain 1909. 'Ach fear ab fhearr ná é a fuair an post, an Dochtúir ó Máille,' arsa Máirtín. 'Tomás ó Máille,' agus 'An Máilleach' a thugadh Gaeilgeoirí an bhaile mhóir mórán i gcónaí ar údar *An Béal Beo*.

Bhí áthas orm nuair a dúradh go dtabharfadh an sagart sin léacht uaidh ag Oireachtas an Fháinne bliain amháin, mar bhí mé tuirseach de léachtaí tura, leamha. Shíl mé go mbeadh cuimhne ar an gcaint a dhéanfadh údar an leabhair úd. Leag sé carnán páipéar ar an mbord os a chomhair amach; ach céard a dhéanfadh sé ach tosú i mBéarla in áit nach raibh aon Bhéarla ceadaithe! Chuir Fáinneoirí ina aghaidh ar an toirt, cuid acu as a chontae féin.

Chruinnigh an sagart le chéile a chuid páipéar agus amach leis. Ní fhaca mé Gaeilgeoirí ag cur tost ar shagart ag aon chruinniú eile riamh!

Sílim gur sa mbliain 1909 a céadfhoilsíodh an leabhar sin leis.

23

Spiodóireacht

CÉN saghas oiliúna a fhaigheann an spíodóir? Agus cé na
tréithe nár mhór dó? D'fhéadfadh neach cúis a dhéanamh
in Éirinn gan aon oiliúint, ach é a bhéith ag ól agus ag com-
rádaíocht le daoine áirithe, in áiteanna áirithe agus beagán
airgid aige.

Triúr Laighneach agus Ultach a bhí istigh romham in áit
i mBaile Átha Cliath faoi Nollaig le linn an dara Cogadh Mór.
Ba táthaire a bhí san Ultach. Ní fhaca mé riamh cheana é.
' 'Twas wonderful boys. Seán Russell and — would never
have brought it off,' arsa duine acu agus iad ag trácht ar an
ngaisce a rinne an IRA oíche nó dhó roimhe sin nuair a
d'ardaíodar leo a raibh de philéir, nó geall leis, ag an rialtas
san armlann i bPáirc an Fhionnuisce. Ba nuacht domsa an
scéala.

D'fhan muid ansin ag ól ar feadh cúpla uair an chloig agus
iadsan ag caint ar an ngníomh a rinneadar. D'fhéadfainn
aiste fhada a scríobh faoi, ach níor scríobhas agus níor inis mé
é ach do dhuine amháin a bhí sa rud é féin. Níor theastaigh
an nuacht uaim. Bhí mé saor.

Cúpla bliain ina dhiaidh sin rinne pléascán an-damáiste
oíche gheimhridh istigh i gCaisleán Bhaile Átha Cliath in aice
le dúnáras na lorgairí. Chuala mé an torann ar mo leaba dhom
trí mhíle ón áit. Níl fhios cé na fuinneoga a briseadh taobh
istigh ann agus taobh amuigh den Chaisleán. Fuair daoine
airgead as. De réir na nuachtán shíl na lorgairí gur dhuine
éigin a thug an pléascán isteach ann an tráthnóna roimhe sin
agus daoine ag obair ann. Ba bharainní faisnéis iad tar éis

tamaill, déarfainn.

Dúradh liom gur thar an mballa ar an taobh ó dheas, i Sráid na gCaorach (Ship St) nó gar dó, a chuaigh fear an phléascáin isteach de cheann gluaisteáin. Rinne sé oíche eile i dtosach é le cleachtadh a dhéanamh, agus thomhais sé an t-achar idir an balla agus áras na lorgairí agus bróga rubair air. Clog a d'oibrigh an pléascán úd. Ag leathuair tar éis an dó a chlog a bhí an phléasc le bheith ann, ach tharla sé deich nóiméad roimhe sin.

Dúirt buachaill a bhí san IRA liom nárbh fheasach é cad chuige a ndearnadh é nó cén mhaith a dhéanfadh a leithéid dóibhsean.

Rinne pléascán sléacht i mbaile mór thall i Sasana i lár an lae agus é ceaptha le haghaidh rud éigin eile. Timpiste a bhí ann. Feictear dom gur dúradh gur ceangailte do rothar a bhí sé agus é á thabhairt go dtí áit éigin le cuaille aibhléise a chur in aer nó ó rath.

Níor mhoill go raibh na póilí ar thóir Ultaigh áirithe. Measadh dá bhfaighidís greim air nach raibh i ndán dó ach 'an téidín cnáibe in áit a charbhata.' Níorbh fhurasta d'Éireannach ealú as Sasana an tráth úd agus an pobal ag cabhrú go díocasach leis an rialtas. Séard a rinne an tUltach spéirbhean a thabhairt leis go hOileán Mhanann agus as sin go hÉirinn. Bhíodar an-ghléasta agus ba gheall le lánúin nuaphósta iad. Níor bacadh leo ar an aistear. Arbh fhíor é? Cá bhfios dom.

Ultach eile (go ndéana Dia grásta air) a d'inis domsa é. D'inis sé dom, freisin, faoi bhealach amháin a bhíodh ag an IRA le teachtaireacht (dispatch) a thabhairt sa traein ó Bhaile Átha Cliath go dtí na Sé Chontae: é a chur isteach i mbosca (folamh) toitíní agus an bosca a chaitheamh ar urlár an charráiste nó go mbeadh an tóir nó an chontúirt thart, mar ní shílfí choíche go mbeadh aon scéala tábhachtach ina leithéid d'áit.

Níorbh fhada i mBaile Átha Cliath mé nó gur insíodh dom

183

go raibh seoda luachmhara Rúiseacha i seilbh Chlan na Gael, nó dream Éireannach éigin, thall i Meiriceá tamall, agus gur tugadh go hÉirinn ina dhiaidh sin iad. Ba bhannaí iad, má b'fhíor, ar airgead a tugadh do na Rúisigh as Céad Iasacht na Dála, agus nuair a chaith bean as Luimneach iad ag éiríamach mór i Nua-Eabhrac bhí aghaidh an tslua uirthi. An tráth a dtug an rialtas seo againne ar ais na seoda sa mbliain 1948 scríobh mé aiste as mo chonlán féin fúthu don *Irish Independent*, ach nuair a d'fhiafraigh mé cad chuige nár cuireadh isteach an t-eolas úd faoi bhean Luimnigh séard a dúradh liom go mb'fhéidir go dtiocfadh a fear isteach san oifig agus duine éigin a mharú! Ní raibh fhios ag muintir an *Independent* tada faoi na seoda.

Ar na hadharca a bheirtear ar na ba, a deirtear, agus ar na teangacha ar na daoine. Déarfainn gurbh iomaí buachaill ar chuir fad teanga géibheann fada orthu. Thug sé giorrachan saoil féin do chorrdhuine.

Oíche a ndeachaigh mé ar cuairt den chéad uair i dteach i nGaillimh insíodh dom ainm an té a bhí i mbun luíocháin thíos i gContae Shligigh achar gearr roimhe sin nuair a maraíodh sáirsint agus píléir nó dhó. Bhí an buachaill úd ag dul ar an ollscoil agus é sa teach an oíche chéanna. Facthas dom go ndeachaigh sé i gcontúirt agus teacht ar ais go Gaillimh agus cur faoi cóngarach do bheairic Shráid Eglinton, an áit a raibh cuid de na píléirí ba mheasa in Éirinn. Níor mhair sé an post mór a thug an rialtas dó blianta ina dhiaidh sin.

Aisteach go leor tharla dom aithne a chur i mBaile Átha Cliath ar bhaintreach agus ar chlann an tsáirsint úd. De réir cosúlachta ní raibh tada ag an gclann in aghaidh na ndaoine a bhain díobh a n-athair. D'éirigh go han-mhaith leo uile.

Ba ghaire arís don bheairic chéanna a chónaigh Séamas Coirc – róghar di, dar liomsa. Ba le daoine a raibh dlúthbhaint acu le Sinn Féin agus na hÓglaigh an teach, agus na píléirí ag síorfhaire air. Chaith mé tamaillín ar lóistín ann. Ghlac na píléirí seilbh air agus ghabh cigire agus a chlann ina

184

gcónaí ann. B'olc an éadáil é an cigire céanna – John Mc-Gloin. Dúradh liom go mba as ceantar Chaisleán an Bharraigh é. B'as cathair Chorcaí Séamas, agus é ag obair i siopa seodóra. Ba throdaí gan amhras é, ach tá faitíos orm nach mbíodh an duine bocht sách caothúil nó stuama i gcónaí. Agus bhí sé beagán éasca agus speidhiriúil.

Chuir sé fearg orm lá breá samhraidh agus an bheirt againn ag siúl thar na píléirí taobh amuigh den bheairic. 'Caithfear an áit sin a chur in aer oíche éigin,' a deir sé os ard. Chuir na píléirí dathanna díobh agus tháinig cuma na seacht ndiabhal orthu. Isteach as beairic Leacht Sheoirse a tháinig cuid acu tamall gearr roimhe sin tar éis an ionsaí. 'Ach ar chóir fógra faoi a thabhairt dóibh?' arsa mise.

'Cén bheann atá againn orthu?'

Bhí sé óg agus é ag déanamh an-dul-chun cinn le labhairt na Gaeilge. Cloigeann rua a bhí air agus é timpeall cúig troigh agus seacht n-orlach ar airde.

Oíche amach sa bhfómhar, 1920, a raibh achrann thuas ag an stáisiún idir na píléirí agus na hÓglaigh, agus ar maraíodh Seán ó Maoilmhea, Óglach, d'ardaigh na píléirí leo Séamas agus rinneadar criathar dá cholainn. An tAthair Micheál ó Gríofa a chuir an Ola air. Bhí an bheirt acu an-mhór le chéile. Go dtuga Dia dóibh luach saothair na naomh. Níorbh fhurasta beirt níba mhó tírghrá ná iad a fháil.

Dúradh go raibh baint ag an oíche úd le bás an tsagairt. Ní shílfinn é. Dúradh freisin gurbh iad na Tans nó na Black and Tans a rinne Séamas a dhúnmharú, agus gurbh iad a rinne smidiríní den *Galway Express* cúpla uair an chloig ina dhiaidh sin. Níorbh iad ach na píléirí – Éireannaigh – mar ní raibh mórán de na gaill ar fáil an tráth céanna i nGaillimh. Bhí cuid de na píléirí in ann a leithéid a dhéanamh gan cabhair ar bith. Is acu a bhí an t-eolas freisin.

Na Tans – Sasanaigh – a rinne an tAthair ó Gríofa a dhúnmharú. Déarfainn go raibh rudaí eile ag na píléirí in aghaidh Shéamais Choirc thar chaint an lae úd.

Níorbh fhada mé féin agus iaroifigeach Garda istigh i dteach
óil i nGaillimh nó gur dhúirt sé liom gur inis oifigeach eile dó
gurbh é féin a d'íocadh duine den IRA a bhíodh ag spíodóir-
eacht ar a mhuintir féin aimsir an dara Cogadh Mór.
Istigh i dteach óil cóngarach do Shráid Grafton i mBaile
Átha Cliath a bhuailidís le chéile. Airgead páipéir a thugadh
sé don spíodóir i gcaoi is nach mbeadh amhras air, nó tuairim
cá bhfuair sé é.
Bhí aithne mhaith shúl agam ar an mbeirt acu. Sílim go
bhfuil siad beo fós.
Ba sheanchara dom an scéalaí. Chuir mé roinnt ceisteanna
air. Chreid seisean an scéal. Ba dhuine meabhrach é agus
níorbh fhurasta imirt air.
'Murach go mba fhíor é tuige a n-inseodh sé dom a leith-
éid?' ar seisean.

Tráth amháin a mbíodh buachaillí áirithe ag déanamh scléip
agus gleo ag cruinnithe Chumann na nGael i mBaile Átha
Cliath bhaineadh duine acu an barr den mhuintir eile le
béiceach agus eile. Dá bhrí sin níorbh annamh i gcrúba na
ngardaí é. Shílfeá air nár bheo é gan corrmharcaíocht chuig
an mbeairic. Uaireanta is idir daoine a thugtaí ann é in
aghaidh a thola, agus é ag troid le lucht a ghafa. Níorbh as
Baile Átha Cliath é, agus é gan bealach maireachtála de réir
cosúlachta.
Chuir mé suim ann ón lá a bhfaca mé in áit chúlráideach é
ag seanchas le beirt bhleachtairí as an gCaisleán. Lá eile
chonaic mé ag dul isteach sa gCaisleán é; ach is iomaí gnó a
bhíos ag duine isteach ansin.
'Ar chuala tú an scréachaíl a bhí ag Mac uí — aréir?' arsa
Dick Mór ó Conaill, oifigeach garda, as Contae Chorcaí Thiar
liom, agus é ag gáirí. 'Nach ndearna sé an-troid, fear beag
mar é?' ar seisean.
Chuala mé é agus chonaic mé é agus é ag cur cos-i-dteannta
air féin ar a bhealach chuig an mbeairic. Agus cúpla céad á
leanúint agus á mholadh agus ag tabhairt dó gach uile mhis-
neach.

Spíodóireacht

Más spíodóir thú is iontach an píosa playactáil atá tú tar éis a dhéanamh, arsa mise i m'intinn féin.

Thugadh sé corrchuairt ar Liam, mo leathlóistéir, agus iad ag cur síos ar ghunnaí agus ar chúrsaí an IRA. Bhí an-mheas ag Liam ar Phaddy agus ba mhinic á mholadh é. Tháinig sé thríom cúpla babhta a rá leis a bheith san airdeall ar Phaddy, ach déarfainn nach mórán aird a thabharfadh sé orm.

Tráthnóna amháin bhí bean an tí an-scanraithe agus í féin agus Liam trína chéile. Tamall gearr tar éis imeacht do Phaddy tháinig na lorgairí ansin leis an áit a chuardach, agus ba deacair leo imeacht folamh.

'Tá an scéal seo imithe ó thuiscint orm,' arsa Liam liom. 'Ní fhéadaim ciall ar bith a bhaint as. Mo ghunnasa a bhí uathu, agus chuadar an-ghar dó.'

'Agus cá raibh sé i bhfolach agat?'

'Thuas sa simléar.'

An lá a dtug mo leithéidse rudaí beaga faoi deara mheas mé nach mbeadh an IRA ina gcodladh. Oíche amháin mealladh Paddy go dtí áit taobh amuigh den bhaile mór agus tugadh dó an-bhás gan sagart gan Ola. Déarfainn gur chaill na gardaí scéalaí maith. Fear amháin a raibh amhras air faoi bhás Phaddy ní saol fada a fuair sé. Ní feasach mé céard a tháinig air.

'Má chinn ar na gardaí na dúnmharfóirí a fháil is ar na páipéir atá a lán den locht,' arsa Eoin ó Dufaigh, Coimisinéir na nGardaí, liom thuas sa cheannáras.

'Thug sibh an iomarca eolais ar fad don phobal. Dúirt páipéar amháin go bhfuarthas leathlámhainn gar don chorp. B'shin píosa maith fianaise a milleadh. Chuirfeadh a leithéid coirpeach ar bith san airdeall.'

'Ar iarr sibh ar na páipéir gan é a chur isteach?'

'Ba chóir go mbeadh a fhios acu féin an dochar a dhéanfadh a leithéid.'

'Ní bheadh a fhios agat. B'fhéidir gur thíos ina phóca a bheadh sé ag duine gan fhios dó. Déanann an coirpeach is glice amuigh rudaí aisteacha uaireanta, go mór mór má thiteann rud éigin amach nach raibh aon súil aige leis.'

Níor chuir mise ceist ar aon duine faoi na 'rúin' atá sa chaibidil seo, agus níor theastaigh uaim aon eolas fúthu mar ní fhéadfainn aon leas a bhaint astu an uair úd. Insíodh dom iad agus gan baint agam le dream ar bith ó thosaigh Cogadh na gCarad. Déarfainn gurbh é a mhalairt a shíl corrdhuine.

Chonaic mé Aire Dlí agus Cirt ag briollachadh orm i dTeach an Ardmhéara oíche i lár an Dara Cogadh Mór. Théadh gluaisteáin an Chaisleáin tharam ar shráideanna Bhaile Átha Cliath corruair agus stopaidís le hais an chosáin nó i gcúlsráid go mbínn imithe thart. Bhí aithne agam ar an muintir a bhíodh taobh istigh iontu mar d'fheicinn sna cúirteanna iad. Fios faoin dúchealg a bhíodh ar siúl agam a theastaigh uathu is cosúil! Bhí uimhir na gcarr uile i mo cheann agam. Cara i *Scéala Eireann* a thug dom an t-eolas úd.

Dar liom féin ní raibh mé ag déanamh tada as bealach ach amháin ag cur corrlitir agus corrleabhar isteach chuig Máirtín ó Cadhain agus géibheann air thíos ar Churrach Chill Dara, áit a raibh sé ag déanamh cainteoirí Gaeilge agus scríbhneoirí Gaeilge de Bhéarlóirí. Ach, ar ndóigh, ba leor é sin le aghaidh an dlí a tharraingt ort féin! B'annamh a chuid litreacha gan 'fuinneoga.' B'iontach liomsa go mbíodh 'fuinneoga' ar na cinn a chuirinnse isteach chuigesean. Ábhar nach dtuigidís a bhainidís amach, b'fhéidir.

'You are not on the side of Ireland!' an Béarla a chuir duine acu ar 'Ní taobh leat atá Éire!' B'Ultach é, sílim.

Amach as an ngéibheann a chuir Máirtín lámhscríbhinn *An Braon Broghach* chugam.

Roimh an Sos Cogaidh bhíodh óganach ag dul thart leis na Tans i nGaillimh, ach ní gan fhios é. Síleadh go raibh sé seacht mbliana déag d'aois, ach dúradh ó shin nach raibh. Bhí éadan an diabhail aige.

Lean sé don cheird chéanna agus síocháin ann. Dúradh le Micheál Staines go gcuirfí piléar ann mura ndéanfaí rud éigin faoi.

D'inis Micheál do Cruise, Cigire Contae na bpíléirí go raibh

Spíodóireacht

Sasana ag sárú an tSos Cogaidh gach uile lá.

'Níl an buachaill sin ar mo liostasa, níl aon fhianaise agam faoi, agus ní fhéadfaidh mé tada a dhéanamh nó go bhfaighidh mé fianaise,' arsa Cruise.

Dúradh le Micheál go raibh neart daoine ann leis an scéal a chruthú, ach dá dtosódh an troid arís céard a dhéanfaidís? Tharla comhtharlú dáiríre an oíche úd: fuarthas sa phost litir a scríobh an buachaill chuig oifigeach de na Tans! Scaoileadh an cód gan stró.

Chuir an litir iontas agus imní ar Cruise. Gheall sé go gcuirfí deireadh leis an spíodóireacht úd, dá bhfaigheadh sé geallúint nach n-inseofaí do Cope, an Forúnaí d'Éirinn, faoi. Dúirt Micheál nach bhféadfadh sé a leithéid de gheallúint a thabhairt.

'Déanfaidh mé margadh leat,' arsa Cruise. 'Tá campa traenála agaibhse gan fhios (nó síleann sibh gur gan fhios atá sé ann) agus tabharfaidh mé veaineanna (Crossleys) daoibh le fir a thabhairt amach ann, agus tiománaithe ina theannta sin!'

Ach na tiománaithe! Na Black and Tans a bhí ag na píléirí iad féin! Agus gan an troid ach díreach thart, agus gan fios cén nóiméad a thosódh sé arís!

'Glacfaidh mé leis na Crossleys, ach ní bhacfaidh mé leis na tiománaithe,' arsa Micheál.

B'iontas le cách a leithéid a bheith ag na hÓglaigh mar níorbh fheasach cá bhfuarthas iad. Fuair na hÓglaigh tiománaithe dá gcuid féin.

D'fhág an buachaill úd agus a mhuintir Gaillimh faoi dheifir leis na Gaill. Le linn an Chogaidh Mhóir ghabh a ainm ar fud an domhain. Ba mhaith a chúitigh Sasana a chuid dílseachta agus spíodóireachta leis nuair a thug sí ar ais ón nGearmáin é lena chrochadh de bharr a chuid bolscaireachta agus cúnta don Ghearmáin.

'An gcreidfeá go raibh ríméad orm gur crochadh é?' arsa an fear a scaoil an cód liom.

Ba é an buachaill úd, Liam Seoighe, 'Lord Haw-Haw.' Tá a phictiúr i gColáiste Iognáid i nGaillimh, áit a ndeachaigh sé ar scoil.

Ar chabhraigh sé féin, nó a athair, nó an bheirt acu in éineacht, leis na Tans leis an Athair ó Gríofa a mhealladh chun a bháis? Dúradh an uair úd go raibh canúint na háite ag an té a tháinig i gcoinne an tsagairt. Dúradh freisin go raibh athair agus máthair 'Haw-Haw' andílis do Shasana. Ba Shasanach den chreideamh gallda an mháthair. Thall i Meiriceá a pósadh iad agus a rugadh an mac. Ba as Contae Mhaigh Eo é féin, agus bhí sé ina bhainisteoir ar na tramanna (nó busanna) capall i nGaillimh.

24
Comhtharluithe

DÁ scríobhfainn síos i ndialann na comhtharluithe a d'éir-
igh dom ní taobh leis an méidín seo a bheinn.
Fuair triúr fear a rinne éagóir orm anbhás. B'fhada amach
óna chéile cónaí orthu. Chuir beirt acu rudaí i mo leith nár
smaoinigh mé riamh orthu. Níor choireanna móra iad, ach
ghoilleadar orm mar ba bhréaga iad, agus creideadh iad. Shíl
duine amháin acu díchúis a dhéanamh dom ar bhealach eile.
Maraíodh beirt acu ar an mbóthar de shiúl oíche, ach
níorbh é an tráth céanna é. Ba mhór i mbéal an phobail duine
acu tráth.
Dódh an tríú duine istigh ina theach féin agus an teach
freisin. Bhí comhluadar aige. Bhí aithne mhaith air ina
chontae féin agus taobh amuigh de. Trócaire Dé orthu.
Tá duine nó beirt eile fágtha fós!

B'fhada ag cuimhneamh mé ar ghearrscéal a scríobh ar fhile
tuaithe a chuireadh dréachtaí chuig páipéar áitiúil. Bhí aith-
ne agam ar roinnt dá leithéid. Bhí an t-ábhar an fad sin agam
is go scríobhfainn é mar a scríobhfadh duine litir. Ach shíl mé
nach raibh aon chruóg leis agus nach gcuimhneodh duine ar
bith eile ar a leithéid. Agus níor inis mé d'aon duine é.
Píléir thíos ar an nGort a thug dom an smaoineamh lá ar
iarr sé ar an tiománaí a bhí agam 'dán' leis a thabhairt do
pháipéar nuachta; agus páipéar puint istigh sa litir aige le
haghaidh 'costas na clódóireachta.'
Duine ar bheagán dochair a bhí ann, déarfainn. É ag cum-

adh filíochta agus píléirí á marú ar fud na tíre! An lá roimhe sin (achar gearr roimh an Sos Cogaidh) maraíodh triúr nó ceathrar oifigeach den arm gallda cóngarach don Ghort. B'shin é a thug síos ann mé. Chonaic mé an file ina dhiaidh sin ag cruinniú de Chumann na nGael thíos i lár Chontae Mhaigh Eo agus scaipeadh ál an mhada ar na píléirí. Mac Aodha ab ainm dó. Cuireadh an dán isteach mar fhógra agus *advt* faoi! Bhí an file bocht ar buile. Bhí caint ann ar dheirfiúr dó a cailleadh sna mná rialta. Níor chum mé riamh an scéal úd, mar déarfaí, is cosúil, gur ghoid mé an t-ábhar. Ag cuimhneamh ar é a scríobh a bhí mé nuair céard a d'fheicfinn in iris Ghaeilge ach scéal ar an ábhar céanna! Bhain sé geit asam. Agus an dara leath de chomh cosúil sin leis an rud a bhí leagtha amach agam is go gcuirfeadh sé iontas ar dhuine.

Cúig bliana déag roimhe sin chaith mé tamall d'oíche ag ól leis an údar i mBaile Átha Cliath.

Lá Fhéile Muire Beag sa mbliain 1963, casadh liom istigh i reilig Mhaigh Cuilinn Seán ó hAlmhain as Sean-Bhaile Othaire, agus Micheál ó Cadhain agus Tadhg ó Ceidigh as Baile Nua Othaire. Ar an dara hAifreann a bhíodar ar mo nós féin agus iad tar éis paidir a chur le hanam na marbh.

Bhí Seán ag tarraingt ar na sé troithe ar airde agus é mórchnámhach dá réir. In áit mullach fiachdhubh catach a óige bhí cloigeann gruaige air a bhí ionann is ar dhath an tsneachta. Ba scéalaí agus gabhálaí é, agus bhain sé gáire as na céadta le greann gan chealg. Baineann cuid de na rudaí a dúirt sé na blianta ó shin greann amach fós féin. Bhí aois an phinsin glanta aige.

Staic láidir lasánta a bhí i Micheál agus é an-dathúil. Bhíodh fríd an gháire i gcónaí air. Ba óige go mór é ná an bheirt eile.

Dúirt Seán rud éigin le Tadhg faoi lúthchleasa an Rosa, áit atá tuairim is leath bealaigh idir Maigh Cuilinn agus Uachtar Ard.

Comhtharluithe

'Seo agaibh! Seo agaibh! – sách fada a bheas muid anseo,' ar seisean.

'Nach thíos ansin ag do chosa a shínfear mise,' arsa Micheál.

'Thíos ansin faoi na crainnte a bheas mise,' arsa Tadhg.

'Gabhfaidh muid síos ar cuairt agat corroíche,' arsa Seán.

Taobh istigh de dhá lá bhí sé féin agus Micheál sínte ansin faoin scraith. Maraíodh é féin agus fear eile le gluaisteán ar an mbóthar an oíche chéanna agus iad ag siúl abhaile ón Ros. Fuarthas Micheál básaithe ar a leaba ar maidin. Go ndéana Dia trócaire ar an mbeirt acu.

Dé Domhnaigh, an 3ú lá de Bhealtaine, sa mbliain 1964, agus mé ag ól pionta, agus ag léamh an pháipéir ag an gcabhantar i dteach óil i Maigh Cuilinn, shuigh seanchara dom síos le m'ais, ag tarraingt ar leathuair tar éis a haon a chlog. B'fhada ag fanacht mé le deis seanchais leis mar bhí a fhios agam go raibh sé ag fuadach agus ag triail an Fhrionsaigh, an spíodóir.

Ní mórán fonn cainte a bhí air faoi chúrsaí na hoíche úd nó gurbh fheasach é go raibh eolas agamsa nach raibh aigesean, agus go raibh a fhios agam go raibh sé ar an muintir a bhain uaigh an Fhrionsaigh. Bhí a fhios aige gur de bharr spíodóireachta a cuireadh an Frionsach chun báis agus go bhfuarthas litreacha a chuir sé chuig na gaill. Ach nuair a d'inis mé dó gurbh é Seosamh ó Túchair a fuair cuid mhaith de na litreacha úd dúirt sé nár chuala sé ainm Sheosaimh riamh.

Agus mise ag tabhairt dó an scéala sin bhí sé ina chruachoimhlint idir Seosamh agus an bás amuigh i Loch Coirib, lá mór gála, trí mhíle dhéag siar uainn. Bhí a bheirt chomrádaí imithe go tóin poill lena ais agus greim an fhir bháite aigesean ar an mbád a bhí ansin iompaithe ar a béal fúithi. Is mar sin a bhí sé ar feadh leathuair an chloig agus an bheirt againne ag caint air. Dóbair dó a bheith réidh nuair a tarrtháladh é. Níor inis mise an scéal faoi Sheosamh agus na litreacha riamh cheana.

Shuigh fear pioctha, beathaithe, glanbhearrtha síos le m'ais

193

oíche istigh i dtigh Mhaonaigh i Sráid na Mainistreach i mBaile Átha Cliath. Facthas dom go raibh béasa lúitéiseacha an tí mhóir aige – buitléir nó fear cóiste lá den saol – agus go mba phaiteanta ua idh *Your Lordship* agus *Your Honour* a rá. Canúint chúige Laighean a bhí air. Cill Dara a déarfainn. 'I drank poteen once – in County Galway,' ar seisean. 'In what part of it?' 'In a place called Moycullen,' 'Back 'the mountains?' 'No, in the barracks.' Níor inis mé dó nár thairg na píléirí fliuchadh mo bhéil de domsa an oíche agus an lá a choinníodar istigh sa bheairic chéanna mé.

Dreoilín amháin a chonaic mé i ngéibheann ar Lá Fhéile Stiofáin agus dá thoil féin. Bhí doras an tí ghloine oscailte ar maidin agus isteach leis ann. Dóbair nár sháraigh orm é a chur amach. D'fhág mé thiar sa choill é, ina áit dúchais. Ach nach raibh sé ag fanacht liom ag an doras ar fhilleadh dom! B'fhéidir go dteastaíonn uaitse marcaíocht in aisce ar rothar ar fud an pharóiste ó ghasúir na bpúicíní, arsa mise i m'intinn féin. Lig mé isteach arís é agus thug dó bruscar aráin. Ach ní ocras a bhí air. B'iontach dáiríre le gasúir na háite go dtiocfadh dreoilín isteach i dteach Lá an Dreoilín thar laethanta an domhain, agus d'impíodar orm é a thabhairt dóibh. Murach an glas d'ardóidís leo gan fhios dom é. Ní abróinn nach raibh eolas ag an dreoilín úd nach raibh ag an duine, sé sin faisnéis na haimsire. Bhí an lá geal grianmhar agus cruas breá ann, ach ag teacht na hoíche thosaigh sé ag sneachta go tréan agus stopadh ní dhearna sé go raibh sé domhain san oíche. D'fhan an dreoilín i ngéibheann go raibh a lán den talamh leis arís.

An chéad oíche i dteach lóistín nua dom thug buachaill nár labhair focal riamh cheana liom cuntas fada dom ar ionsaí faoi bheairic agus mé i mo luí ar mo leaba!

Bhí sé cinnte orm codladh mar bhí mé ag súil le lóistéir eile, agus bhí mé ar bís faoi ionsaí ar bheairic Leacht Sheoirse, timpeall sé mhíle ó Ghaillimh, bealach Thuama. Bheadh cairde dom ann agus bhí cineál imní orm nach n-éireodh go maith leo mar is beag oíche a bhíos ann i ndeireadh na Bealtaine. Chaith mé tamall maith ag siúl thart liom féin amuigh ar cholbha an bhaile mhóir ag súil leis an bpléascadh a shéidfeadh an bheairic in aer, agus leis na soilse (Verey Lights) a chuirfeadh na píléirí in airde agus iad i sáinn. ('Tine chaismirte' nó 'tine chomhartha' a lasadh na Gaeil fadó agus cabhair uathu).

Bhí a fhios agam nach gcloisfinn an pléascadh ar mo leaba mar gheall ar thorann tréan na habhann ar chúl an tí lóistín. D'fhanfainn amuigh níos faide murach nár mhaith liom cáil an deireanais a thuilleamh dom féin an chéad oíche. Bhí an oíche go hálainn agus b'aoibhinn a bheith beo an tráth nach raibh aon chaint ar scoilt sna hÓglaigh ná ar Chogadh brónach na gCarad.

Chuile sheans go bhfuil an buachaill seo san ionsaí, arsa mise liom féin tar éis bhreacadh an lae. Bhí aithne shúl agam air: Seán ó Donnchú as an bPáirc, i gCeantar an Spidéil, an áit ar cailleadh Ruairí ó Flaitheartaigh. An oíche roimhe sin casadh liom é féin agus Seán ó Dorchaí, an báireoir as an Aonach, ar chúlbhóthar cóngarach don phríosún. Bhíodar beirt ag foghlaim innealtóireachta san ollscoil. Níorbh ionadh siúl aisteach a bheith fúthu agus raidhfil an duine ar iompar acu – gar dá gcraiceann, déarfainn.

Is beag nach raibh sé ina theaspach nuair a tháinig Seán isteach agus chuile chosúlacht ar bhun a bhríste agus ar a bhróga go rabhadar ag spealadh an drúchta.

Thosaigh muid ag Gaeilgeoireacht.

'Níor chuala mé aon torann,' arsa mise.

'Bhí mise i bhfoisceacht cúpla míle don áit. Is beag nach gcloisfeá sa Domhan Thoir é. Déarfainn go gcloisfeá i gContae an Chláir agus i gContae Mhaigh Eo gan stró é.'

Chuala mé ina dhiaidh sin go ndeachaigh sé siar trasna

Gan Baisleadh

Loch Coirib agus siar ar fud Iarchonnacht.

'Níl a fhios agam a raibh an obair críochnaithe nuair a tháinig na píléirí agus na saighdiúirí amach as Gaillimh, bóthar nach raibh aon bhacadh air rompu,' arsa Seán. 'Bhí muide feistithe amach faoina gcomhair ar an mbóthar díreach, ach sé an timpeall a thógadar. Dá dtiocfaidís an bealach se'againne d'íocfaidís ann. Bhí cailín eile a dhéanfadh torann i bhfolach thíos sa mbóthar againne agus b'éigean dúinn é thabhairt aníos arís as gan aon leas a bhaint as. Bhí seala báireoirí as an gCaisleán Gearr ann nach gcúlódh roimh an diabhal féin. Bhí a mbunáite san Éirí Amach agus is orthu a bhí an diomú agus an mhíshástacht gurbh éigean dóibh filleadh abhaile gan urchar amháin féin a chaitheamh.'

Bhí mé ar siúl nó go raibh ábhar colúin ar a laghad agam don *Galway Express*.

Níor lig mé tada orm féin san *Express* mar shantaigh mé an bheairic a fheiceáil agus marcaíocht a fháil in aisce. Óglach (Seán Breathnach as Maigh Cuilinn) a thug amach ann mé ar charr cliathánach. Cé a d'fheicfeadh an Fhaiche Mhór inniu agus í clúdaithe le gluaisteáin a chreidfeadh nach raibh san áit ar fad an lá úd ach dhá chapall agus dá charr? Ghabh mé thar an bpoll sa mbóthar agus an áit a raibh buachaillí an Chaisleáin Ghearr ag fanacht leis an namhaid nach dtáinig.

Bhí scoilt mhór ar bhalla na beairice agus na píléirí ag déanamh réidh le himeacht as isteach go Gaillimh.

'Tháinig siad orainn gan fhios dúinn,' arsa an sáirsint liom.

Mór an t-ionadh nár chuir na rifínigh scéala chugaibh roimh ré, arsa mise i m'intinn féin.

Ní bhfuair na hÓglaigh gunna ná piléar féin. Tháinig na saighdiúirí as an Rinn Mhór (Dún Uí Mhaoilíosa) agus na píléirí as Gaillimh amach ann i ngluaisteáin nó veaineanna, agus an t-ionsaí thart agus meaisínghunna agus eile acu.

B'éigean éirí as an ionsaí le breacadh an lae.

Hildebrand, an cigire dúiche as an mbaile mór, a bhí i gcionn na ngall. Níor thug sé cath cé bith cén fáth. Dúradh go raibh a mháistrí míshásta leis mar níorbh fhada gur baineadh imirce as.

Comhtharluithe

Óglach amháin a gabhadh: Hubert Crohan, mac léinn san ollscoil. Tugadh os comhair na cúirte é ach níorbh fhada géibheann air mar ba mhac le hArdchonstábla sna píléirí é!

Chuir cailín Laighneach aiste Ghaeilge chuig an *Irish Independent* a chuir mise i dteannta. Bhí mé cinnte go bhfaca mé an t-ábhar cheana ach gan tuairim agam faoin áit. Ag titim i mo chodladh dom an oíche chéanna chuimhnigh mé air! As scéal liom féin a baineadh a bhunáite! Agus ba í an t-aon aiste amháin í a tháinig as an gcontae sin in imeacht trí bliana! Chuir mé ar ais chuici í agus dúirt, 'Is aisteach linn an chaoi a ndeachaigh an aiste seo leat isteach i scéal le — ' Níor chuir an créatúr an dara ceann chugainn.

Faoi Shamhain na bliana 1963, chuir Micheál ó Droighneáin as na Forbacha, scéala chugam go mb'ait leis labhairt liom ar ábhar áirithe. Ba é ceannfort na nÓglach i gConamara Thoir é tráth. Mhill lá mór báistí an chéad socrú a rinne mé leis.

Ar an gcúigiú lá Feabhra, 1964, dúirt mé i litir eile go mbuailfinn leis ag Teach an Phosta i nGaillimh ag an trí a chlog ar an Satharn an t-ochtú lá. Ag cur an stampa ar an litir dom tháinig scéala a bháis ar an raidió tráthnóna! An Domhnach roimhe sin thit sé as a sheasamh i bPáirc an Phiarsaigh ag cluiche peile idir Laois agus Gaillimh, rud nach raibh a fhios agamsa. Ocht mbliana roimhe sin thug sé céad punt uaidh le haghaidh na Páirce céanna.

Bhí saol sách crua aige i ngéibheann dó agus ar a chaomhúint. Dá ndéanfadh fir óga na haimsire seo cuid de na rudaí a rinne sé níor bhaol dóibh dul chun boige, nó b'fhéidir chun raimhre. Níor bhaol dóibh sceimheal a bheith orthu! Cúpla mí roimh an Éirí Amach, agus é tar éis lá múinteoireachta, chuaigh sé ar a rothar ar chruinniú den IRB i mBaile Átha an Rí i lár an chontae. Ar an mbealach abhaile dó go mall san oíche b'éigean dó báisteach agus gaoth mhór a ionsaí ar dhrochbhóthar. Thug Liam ó Maoilíosa bocht a bhríste

197

Gan Baisteadh

báistí féin dó faoi chomhair an aistir.

Bheadh an stráinséir a gclisfeadh an rothar air ar an mbóthar úd san oíche i dteannta, ach ní bheadh stró ar Mhicheál dídean a fháil mar ní raibh tuathbhaile idir Baile Átha an Rí agus an Spidéal gan baill den IRB. Ní bheadh sé chomh héasca sin dá leithéid lóistín na hoíche a fháil i mBaile Mór na Gaillimhe!

B'fhogas do Mhiceál an bás cúpla turas agus má bhí fuadach faoina chroí corruair níor gan siocair é. Aoine amháin, agus an scoil dúnta aige, bhí sé ag dul ag léamh an pháipéir a thug teachtaire chuige nuair a chonaic sé chuige aniar ón Spidéal na ceithre veain lán de Tans tar éis dóibh a bheith ag cuardach an Fhrionsaigh, an Gauger. Agus gaol don Fhrionsach sa gcéad veain mar threoraí acu! B'iad a dhúnmharaigh an tAthair Micheál ó Gríofa cúpla seachtain ina dhiaidh sin.

Siar ina n-aghaidh a ghabh Micheál agus gan eatarthu ach claí an bhóthair, é ag rith scaití agus ar a chromada scaití eile. Ó tharla an claí bearnaithe in áiteanna b'éigean dó snámh cúpla babhta. Agus é ag breathnú amach orthu trí na driseacha agus na sceacha, agus ar na caipíní eireaballacha a bhí orthu!

'Dá ndearcfaidís in mo threo bhí mé réidh mar ní bhfaighidís gan mé a fheiceáil,' ar seisean liom. 'Bhí ádh an tsaoil orm gurbh é an taobh eile a bhíodar ag breathnú.'

Ní raibh i ndán dó ach céasadh nó dúnmharú, nó b'fhéidir an dá rud.

Tamall ina dhiaidh sin ghabh na píléirí thart ar theach sagairt pharóiste agus Micheál ag breathnú amach an fhuinneog orthu.

'Tá a fhios agat nach mbeadh aon bhaint agamsa leis an dream sin,' a deir an sagart nuair d'fhiafraigh an cigire de an raibh Micheál istigh.

'Sin é a shíl mé i gcónaí,' a deir an cigire, agus d'imigh sé leis. Ní raibh sé chomh furasta sin i gcónaí a leithéid a chur ó dhoras.

B'fhíor don sagart nach mbeadh aon bhaint aige leis an dream sin. Bhí sé ina n-aghaidh, agus fios ag na gaill go raibh.

[Liam ó Maoilíosa
grianghraf le Leabharlann Náisiúnta na hÉireann

Gan Baisteadh

Mar sin féin thug sé dídean do Mhicheál agus an tóir ina dhiaidh. Ba deacair duine níba dhílse don Ghaeilge a fháil ná Micheál. Go ndéana Dia trócaire air.

Bhí sé cinnte orainn beirt canúint na lánúine meánaosta a bhí ar aon bhord linn in óstlann i bPáras faoi Lúnasa sa mbliain 1929 a dhéanamh amach. Fear breá leathan iomlán a bhí sa bhfear. Agus í féin: bean mhásach bhrollachach agus lán na leapa inti. Bhí a fhios agam nár Shasanaigh agus nár Mheiriceánaigh iad. Ceanada, arsa mise liom féin, ach d'inis an fear dúinn gurbh as an Afraic Theas iad agus an sloinne a bhí orthu.

'Not Pat?' arsa an fear, nuair a d'inis mé dóibh gur de Chlann Domhnaill mo chomrádaí.

Dhearcadar ar a chéile le corp iontais agus chroith an fear lámh Phádhraig uí Dhomhnaill go croíúil.

'Well that is extraordinary,' ar seisean. 'My father was the officer in charge of the guard that brought Pat O'Donnell to London after the shooting of Carey. He often told us about it, and the way Pat O'Donnell used to pray in a strange language during the sea journey.'

'But of course he was only doing his duty,' a deir an bhean mar a bheadh cineál náire orthu faoi. Facthas dom gur mó meas a bhí acu ar Phat O'Donnell ná ar Carey.

D'inis mé an scéilín in aiste a scríobh mé i mBéarla faoin turas úd. Ní raibh mo chara Pádhraig blas buíoch díom faoi, cé nach mbeadh a fhios ag aon duine cé bhí i dtrácht agam mar ba ainm cleite a chuir mé leis. Ní raibh an oiread tóir aige ar phoiblíocht is atá ag cuid de mhuintir na haimsire seo.

Státseirbhíseach a bhí ann agus é i gcionn na luathscríbhneoirí san Oireachtas sular cailleadh faoi Bhealtaine sa mbliain 1965 é. Ba as Baile Chathail, Contae Mhaigh Eo é. Suaimhneas síoraí dó.

'Is aisteach an rud é sin – cá bhfaca mé cheana é, nó rud éigin mar é?' arsa cara dom as Árainn faoi aiste Ghaeilge a bhí san *Irish Independent* an tráth a raibh mé ag breathnú i ndiaidh na Gaeilge ann. 'Sílim go bhfuil a fhios agam anois é; gearrscéal i leabhar atá tar éis teacht amach.'

Séard a bhí ann aiste ar mhac léinn i bPáras – duine le Dia a scaipeadh a mbíodh aige ar na bochtáin agus a ndearnadh sagart de. Scríobh Ultach gearrscéal ar an ábhar céanna agus suí an scéil i gCúige Uladh! Déarfainn gur síleadh gur in aon turas a cuireadh an aiste úd ar an bpáipéar an tráth úd le dochar a dhéanamh don leabhar agus eile. Comhtharlú dáiríre a bhí ann.

Ní fhaca mise an scéal céanna riamh agus ní móide go mbeadh a fhios agam go raibh a leithéid ann murach caint mo charad, agus léirmheas in áit éigin tamall ina dhiaidh sin. Scríobadh an aiste scaitheamh maith roimhe sin.

Ba iad na scoláirí a chuireadh dúil in úlla cumhra an tsagairt a mheabhraíodh na beithígh féaraigh dom agus iad ag breathnú isteach i mo gharraí dorais. Bhí balla mór agus faitíos mar bhac ar na scoláirí agus gan ach leithscéal fáil roimh na beithígh.

Ba mhinic imní orm nach mbeadh romham ann maidin bhreá éigin de na bachlóga cabáiste, a bhí ionann is ar mhéid agus ar chruas na n-úll glas, ach na boinn fheannta loma. Faoi Shamhain bhí cuid den fhéarach ar loime na leice. Ba bheag lá nach gcuireadh na beithígh cúpla babhta géimní díobh agus iad taobh le heidhean na coille. 'Géimneach an chaill' a thugadh muintir na háite air. Agus súil agam gach uile lá go dtabharfaí as iad.

Ag dul chuig an Aifreann dom Lá Fhéile Muire gan Smál, céard a d'fheicfinn ach seanbhó chiar agus a pus leagtha ar ghas cabáiste aici! Isteach tríd na sceacha mar a thiocfadh broc nó gabhar maol a tháinig sí. Thug mé an bóthar di. Agus ní chreidfí uaim is cosúil nach raibh tada ag dul trí mo cheann istigh sa séipéal ach mo phaidreacha! Tar éis an Aifrinn thug beirt sheanchomrádaí dom cuireadh

Gan Baisteadh

go teach an óil. Níorbh fhurasta a ndiúltú.

Cé go raibh mé ag briseadh na saoire tharraing mé chugam sábha, tua agus corrán agus thosaigh ag déanamh fál teann dúshlánach le draighean agus sceach gheal dheilgneach, agus mé leath an ama ar an bhfoscadh ar na ceathanna clocha sneachta. B'iontach liom nach raibh aon fheiceáil ar na beithígh ocracha. Thugadar an choill orthu féin, b'fhéidir, mar ba ghnás leo drochlá. Sular éirigh mé as bhí an ghealach ina suí agus creabhair na ngoba fada ag réabadh tharam chun na bpáirceanna agus na léantracha. Bhí sé ina órú lae nuair a dhúisigh mé ar maidin. Agus scaitheamh caite agam ag baint deilgní as mo dhá lámh, agus unga curtha le scríobacha agus cneácha agam, insíodh dom gur scuabadh chun bealaigh na beithígh nuair a thosaigh an dara hAifreann an lá roimhe sin agus nach gcuirfí a leithéid arís choíche san áit mar bhí sé ceannaithe ag an Roinn Tailte le haghaidh plandála! Cé go rabhadar trí ráithe ansin ní dheachaigh ceann amháin acu i mbradaíl orm go dtí cúpla nóiméad sular tugadh as go deo iad!

Bhí gearrscéal scríofa tamall agam nuair a mheabhraigh sé dom scéal eile le Máirtín ó Cadhain. B'aisteach liom nár chuimhnigh mé cheana air nó á scríobh dom. Léigh mé scéal Mháirtín go cúramach faoi dhó cúpla bliain roimhe sin. Ní fhaca seisean mo scéalsa nó gur cuireadh i gcló i bhfad ina dhiaidh sin é, agus gan aon chead uaimse.

Bhí mé i dteannta i dtosach, ach de bhrí nach raibh ann ach comhtharlú scaoil mé leis. Rud eile dhe ní scríobhfainn choíche i mBaile Átha Cliath é mar ní bheadh an t-ábhar agam. In Iarchonnachta a fuair mé é sin agus roinnt den fhírinne ann. Fuair an dá scéal céad duais an Oireachtais, ach níorbh í an bhliain chéanna í. 'An Strainséara' a bhí ar mo scéalsa – teideal súchaite go maith ach rud nárbh fheasach mé an uair úd. 'Claí Teorann' a bhí ar scéal Mháirtín ar dtús sílim.

Mhol mé dó a dheireadh a athrú, agus chaith mé tamall ar mo leaba oíche ag cuimhneamh ar an deireadh a chuirfinn

202

féin leis.

'Ní hé mo scéalsa a bheadh ann ansin ach do scéalsa!' a deir sé nuair a mhínigh mé dó é. Bhí mo dhóthain ansin agamsa!

Cuireadh scéal Mháirtín i gcló sa leabhar *Cois Caoláire* – faoin teideal 'An Strainséara'!

25
Gunnaí na bhFiníní

AN Domhnach úd faoi Fhéil' Bríde 1916, ar thug Liam ó Maoilíosa a chéad chuairt ar Mhaigh Cuilinn le dreas cainte a thabhairt do na hÓglaigh istigh sa tseanscoil, ní ar na hÓglaigh amháin a chuaigh an chaint úd i gcion. Níor bhaileadh críochnaithe é nó go dtáinig Brian Mháirtín as Triosc agus a mhaide láimhe aige anall agam féin agus ag Tom Breathnach. Cé go raibh sé in aois bhí sé corraithe agus rud éigin dá bheophianadh.

'B'ait liom dul chun cainte libh ar ball,' a deir sé. 'Moladh le Dia go bhfaca mé an lá seo.'

Amuigh ar an mbóthar chuir a raibh cruinnithe ann beannacht chroíúil leis an gcúigear cainteoir a bhí thuas ar an gcarr cliathánach. Ar an gcrannóg agus a dhá chois le fána thiar aige, a shuigh Liam ó Maoilíosa agus é ag gáire. Bhí nuacht aige ina leithéid, déarfainn. B'eisean amháin a bhí faoi éide, agus b'fheasach é nár mhoill nó go mbeadh cuid d'Éirinn trí lasadh. Ní raibh ag tuilleadh againn ach tuairim.

'Má bhogann sibh siar agam Domhnach breá éigin taispeánfaidh mé dhaoibh cá bhfuil na gunnaí i bhfolach – trí cinn déag acu,' a deir an seanfhear linn ar an mbealach abhaile dúinn. Níorbh é an chéad uair dó a leithéid de chuireadh a thabhairt, ach thit rud éigin amach i gcónaí nach raibh aon súil leis. B'aigesean amháin in Éirinn a bhí faisnéis na ngunnaí, mar bhí a sheanchomrádaithe uile básaithe ach fuíoll beag thar lear.

'Gunnaí na bhFíníní,' a thugtaí orthu, ach baineadh leas astu in aimsir Throid na Talún.

Nuair a scar sé linn bhí trí mhíle bealaigh amach roimhe. I bhfogas míle do theach Bhriain dom Lá Fhéil' Muire na Féile Pádraig, chonaic mé chugam an deatach tiubh lomrach agus é ag rolláil leis ar mhuin na gaoithe chun na gcnoc. B'aisteach liom mar dheatach é ag teacht as áit gan teach ná údar tine, lá saoire agus eile. Tar éis tamaill tháinig tanachan air. Stop sé ar fad de réir a chéile.

Ba ghearr go dtáinig Bríd ní Mháille aniar an bóithrín ina ceápaire agus mála folamh barraigh caite trasna ar chaol na leathláimhe aici. Bhí saothar inti agus í mar a bheadh sí ag gol agus ag gáire in éineacht.

'Go bhfóire Dia ar mháithreacha bochta an domhain,' an chéad rud a dúirt sí liom.

Ó tharla gaol i bhfad amach éigin eadrainn níodh sí teanntás orm i gcónaí.

'Tar isteach nóiméad amháin liom,' a deir sí. 'Tá a bhfuil anseo bun-os-toll le cúpla lá. Mé féin is measa uilig. Ní feasach mé cá bhfuil gloine nó tada. Cuir ar do chloigeann an buidéal.'

'Níor bhlais mé de thada ó tháinig an Carghas. Ach céard faoi na píléirí?'

'Deirimse leat gur fad amach uaidh a fhanfaidh siad. Istigh faoi chloigeann an tairbh atá sé agam. Bhainfeadh búir amháin coisíocht as píléirí na tíre. Ar ndóigh chonaic tú an deatach? Nár ghránna an boladh a bhí as an rud buí salach! B'fhaillíoch leis tine a ghlacadh, agus rinne mé dearmad ar an mbraoinín ola lampa. Shíl mé nach mbeadh sé dóite choíche nó go mbeadh na píléirí sa mullach orm. Murach an t-aistreán b'fhearr an oíche lena aghaidh.

'Míle buíochas le Mac Dé go bhfuil súitín an bháis,[1] idir chóta mór, agus gaiters agus eile ina luaithe thiar ar Mhuirthin Bhriain. Thíos ar thóin scailpe atá na bróga agus an belt agus na cnaipí buí agus na trucalácha eile uile. Tá a fhios agat faoin raidhfil. Agus tá sé féin glanta leis thar sáile anonn! Bainidís scil as an luaithe anois más breá leo!

'Maidhcó bocht! Bhí na píléirí á chuartú inné. Ba chóir dó a bheith amuigh sa gcogadh le mí, a dúirt an sáirsint. Ba

---

1. In aimsir an Chéad Chogaidh Mhóir thugadh daoine in Iarchonnachta 'Sooteen an bháis' ar éide an tsaighdiúra — nach raibh i ndán d'fhear a chaite ach an bás!

Gan Baisteadh

chóir preab a bheith buailte ar an gcréatúr amuigh ansin i measc na mílte corp! An raibh máthair ar bith aige féin, an leiceann caite? Ach moladh go deo le Dia na Glóire agus lena Mháthair Bheannaithe go bhfuil sé slán ó chogadh agus contúirt agus imithe ó chrúba an tSasanaigh go deo – mura bhfuil an mí-ádh mór ar fad air.

'Ní bheidh a fhios choíche céard atá gaibhte thríd againn. Is iomaí oíche nach dtáinig mo néal orm ach mé ansin ag paidreáil. Ní muide amháin a bhí ag paidreáil dó. Go gcúití Mac Dé agus a Mháthair Bheannaithe leo uilig é! Murach na paidreacha níl a fhios agam céard a déarfainn leis. Ach nach iomaí crá croí agus imní a tharraingíonn an óige agus an díth céille ar dhuine! Agus is ar an máthair bhocht is troime a luíonn a leithéid i gcónaí.

D'fháiltigh Brian romham.

'Ach cár fhág tú an Breathnach – mac na dea-mháthar?' a deir sé.

'Chuir an cuipinéara fainic air gan mórán teanntáis a dhéanamh ar an rúitín go ceann scaithimh.'

'Nach fánach an chaoi a n-éiríonn timpiste do dhuine?'

'Tá farasbarr ríméid orthu anseo thíos go bhfuil Maidhcó bailithe leis.'

'Bailithe leis! Cá bhfhios nach imeacht ó theach an deamhain go teach an diabhail dó é? Dá bhfeicfidís an litir a tháinig anseo an lá cheana b'fhéidir gur port eile a bheadh acu. Nach bocht an scéal é mac le Fínín a ghabháil san arm gallda?

'Ó chuala mé an chaint an Domhnach úd is minic ag cuimhneamh ar spíodóirí mé. Fainicí sibh féin orthu, mar níl aon déanamh ag Sasana dá n-uireasa. B'fhada aimhreas againne fadó ár Tháilliúir Bacach na Crannaí.

'Oíche chineálta spéirghealaí faoi Shamhain tháinig triúr isteach ar cuairt againn. Tar éis tamaillín dúirt mé leo go gcaithfinn a tobán a thabhairt don chapall.

'Amach liom i mo bhonnacha agus stop ní dhearna mé riamh nó gur bhuail mé teach an táilliúra, míle bealaigh soir uaim.

'Bhí an táilliúir é féin ina shuí thuas ar an mbord, agus páid-

206

eog ar gach aon taobh dhe agus é ag iarraidh a bheith ag
fuáil. Ach cé a bheadh ina suí síos in aice na tine ann agus
gunnaí acu ach beirt phíléir! Ní dhearna mé ach teannadh a
chur le palltóg den chlaí isteach thríd an bhfuinneog. Níorbh
fheasach riamh mé ar bhuail mé táilliúir nó píléir ach amháin
gur fhág mé an teach gan spré solais. Agus ní fhaca mé faoi
bhealach ach capall diallaite i gcos-in-airde. Cruóg Ola nó
tinneas clainne, dar liom.
  'Sé an leithscéal a bhí agam do na cuairteoirí gur fhan mé
nó go raibh an capall réidh.
  'Tháinig na píléirí ar maidin agus chuireadar na boltaí orm,
ach scaoileadh saor mé nuair a mhionnaigh an triúr nach
raibh mé taobh amuigh den tairseach ón seacht a chlog go dtí
a haon déag ach ag beathú an chapaill dom.'
  'Ní shin é an t-am a raibh oraibh glanadh libh go Meiriceá?'
  'Scéal eile é sin. B'shin í Bliain na Speire. Mo chuanbhata
ar an bpoitín céanna. Bhí Brúnaigh na Gráinsí tar éis cúpla
steall phoitín a dhéanamh nuair a tháinig na píléirí chucu
roimh lá. Scanraíodh iad, agus céard a dhéanfadh an tsean-
bhean ach an liosta a bhí ag mac léi a thabhairt do na píléirí
ag súil nach luífeadh an dlí go róthrom orthu!
  'Na buachaillí a raibh a n-ainm ar an liosta úd ní dhearn-
adar ach an speal nó an láí, nó an sleán a chaitheamh uathu
agus a n-aghaidh a thabhairt ar an mbád a bhí thíos ag céibh
na Gaillimhe. Ní raibh ar cuid acu ach drár agus báinín agus
a muintir á leanacht lena gceirteacha Domhnaigh – buachaillí
chomh breá is a chonaic tusa riamh. Níor leag scór acu siúd
ar a laghad súil ar thalamh na hÉireann riamh ó shin.'
  Nuair a chuireamar romhainn dul go hionad na ngunnaí
bhí triúr píléirí amuigh ar an mbóthar.
  'Culaith an tsaighdiúra agus an raidhfil atá uathu, chuala
mé,' arsa Brian. 'B'fhearr liom gan dul in aice le háit na tine
agus iad thart anseo. Sula ndeachaigh i ngéire ar an gcuartú
thart ar an teach ansin coicís ó shin shíl na Máilligh go raibh
an tóir imithe de uilig.'
  Cosúlacht imeacht ar bith ní raibh orthu ach iad ag cuard-
ach leo go tréan.

'Is mór an babhta ortsa an turas in aisce,' arsa Brian.

'Nach bhféadfaidh mé teacht arís.'

'Na Faoilí a mharaíos na caoirigh agus an Márta na daoine.'

'Nach bhfuil an Márta ionann is a bheith thart?'

'Tá seachtain eile dhe fágtha, agus an seanMhárta le teacht fós. Agus ní deacair breith ar chois ar an té a bhfuil na ceithre scór sáraithe aige.'

Níor thuig mé an t-údar a bhí le himeacht ó theach an deamhain go teach an diabhail nó gur tháinig scéala go raibh Maidhcó thíos sa talamh amuigh sa bhFrainc. Dúradh go raibh a chosúlacht ag fanacht leis thall i gCeanada agus gur rugadh air agus é ar tí dul thar teorainn isteach i Meiriceá! Níor mhoill nó go raibh an 'rud buí salach' arís air, agus ó tharla catholite é sheol Ceanada go héasca amach chun an áir é. Measadh go mba ionann an cás dó é mar chuaigh Meiriceá isteach sa gcogadh go gairid ina dhiaidh sin.

'Mura bhfuil an mí-ádh mór uilig air!'

Tá fhios cá bhfuil an seanFhínín é féin curtha, ach ní móide go mbeidh fhios go deo cá bhfuil gunnaí na bhFíníní.

26

Mac an Deorai

BA ANNAMH a thagadh cuairteoir chugainn go Baile an Locha fadó ach amháin buachaill an phosta. B'údar iontais carr cliathánach galánta agus sagart thuas air a theacht chugainn Lá Fhéile Peadar is Pól bliain amháin. Nuair a chonaic mé fiacla buí óir an chuairteora, sular labhair sé smid, shíl mé gur Mheiriceánach a bhí ann. Fear meánaosta, chomh liath le seanfhear, a bhí ann. Bhí crochadh maith agus leithead ann agus é an-bhánghnéith-each. Ag teacht ón Róimh a bhí sé agus an-deifir air. Sular fhág sé Meiriceá bhain sé geall de féin go dtabharfadh sé cuairt ar an áit a rugadh a athair, fear a bhí beo thall i mBoston agus na ceithre fichid glanta aige. Tadhg Shíomáin a bhí air agus Síomán Bhairtliméid ar a athair seisean. De Chlann mhac Conchúir iad. I mBaile an Locha a rugadh iad agus b'ait leis an sagart ballaí an tseantí a fheiceáil i riocht is go mbeadh sé le rá aige go bhfaca sé an áit ar saolaíodh an bheirt acu.

Bhí m'Uncail Riocard i dteannta agus iontas ar an sagart nárbh fhéidir an t-ionad a thaispeáint dó ar an toirt. Shíl sé, sílim, go mbeadh cláirín agus ainm scríofa síos air ar gach uile sheanbhalla, agus nach mbeadh ar dhuine ach lámh a leagan orthu! Ach míníodh dó go raibh an oiread dá leithéid in Éirinn is nach bhféadfaí sin a dhéanamh; go raibh an mhuintir ar leo iad tráth glanta an fad sin astu, go rabhadar féin agus na tithe ionann is a bheith ligthe i ndearmad, agus ina theannta sin, nach raibh sé de chead ag muintir an cheantair sin dul ina n-aice ar feadh na mblianta.

209

Bhuail brón agus míshástacht é. Taispeánadh dó na sean-bhallaí uile, ach ní raibh aon mhaith ann. Chuala m'uncail caint air, ach tuairim ní raibh aige faoi áit an tí. Tháinig an-díomá ar an sagart ansin, ní faoin turas fada a bhí curtha de in aisce aige ach go mbeadh air a rá lena athair gur sháraigh air seanbhallaí an tí a dhéanamh amach.

'Bhfuil a fhios agaibh céard a dhéanfas sibh?' a deir m'uncail. 'Téigí i gcoinne Bhriain Shíle agus mura bhfuil a fhios aigesean é éirígí as.'

Dúirt an sagart nach bhféadfadh sé fanacht mar bhí an long ag imeacht a leithéid seo d'uair, ach tar éis a lán impí d'fhan sé.

Nuair a tháinig Brian Shíle as Tamhnach an tSeagail anuas den charr, agus a fhás fuinseoige aige, agus an dúidín deargtha aige, dóbair dom tosaí ag gáirí, a óigeanta is a bhreathnaigh sé. Agus shílfeá gur ag dul thart ar a leithéid a chaith sé leath a shaoil, a fheistithe éasca is a tháinig sé anuas den charr.

Chonaic mé lasair agus aoibhneas na hóige ag teacht sa dá shúil arís aige. Bhí áthas air nár fhéad an saol nua-aoiseach déanamh dá uireasa. Dhírigh sé é féin, dhearc uaidh fad a amhairc, bhain cúpla tarraingt chomh tréan sin as an dúidín is go sílfeá gur bhuail sé a dhá ghiall ar a chéile, agus chuir dhá phúir dheataigh in airde.

'Ba é teach Shíomáin Bhairtliméid an teach cónaithe ba lú ar an mbaile agus ba ghaire do theach cairr m'uncail, Dónal an Bháid. Má tá na ballaí fágtha ní déarfainn go mbeadh aon stró orm é a dhéanamh amach.'

Ba mhó go mór an spéis a bhí agam féin sa charr ná sna seanbhallaí, mar is beag dá leithéid a bhí feicthe agam.

'Fainic thú féin ar na sclaigeanna,' a deir m'uncail leis an seanfhear, ag siúl soir chun an tseanbhaile dúinn.

'Ara beannacht Dé dhuit, a mhuirnín, orlach bacaird níl anseo nach bhfuil a fhios agamsa.'

'Agus cá fhad ó bhí tú anseo cheana?' a deir an sagart.

'Dhá bhliain agus dá scór, Dómhnach Cásca seo caite agus tamall sular ruaig an Búrcach na daoine bochta amach as.'

Isteach ag éisteacht le hAntaine ó Máille, an píobaire, ansin thíos ag Carraig an Phíobaire a tháinig mé, agus buachaillí agus cailíní óga an taobh tíre seo cruinnithe ann. Ní gaisce ar bith an teach a dhéanamh amach, mar ba é ba ghaire don loch agus do Thobar na Fuinseoige. Ach a Mhuire mháthair óigh, nach é an áit atá athraithe ina dhiaidh sin! Cá as a dtáinig na crainn agus na sceacha? Crann ní raibh ann fadó ach an crann mór le hais an tobair. Ligí amach 'un tosaigh mé agus 'speáinfidh mé daoibh an áit.'

Amach leis chun tosaigh. Bhí a dhá shúil sáite ag an sagart ann agus iontas air seanfhear a raibh na ceithre scór glanta aige a bheith chomh meabhrach sin. Stad sé go tobann. 'Sin é anois é, a fheara!' agus bród air nach ndéanfadh aon fhear eile beo a leithéid.

Bhí iontas agus díomá in éineacht ar an sagart. Ní raibh fágtha den teach ach leathbhinn agus staic de bhalla in aice an tinteáin.

'Agus is istigh ansin a rugadh m'athair,' a deir an sagart agus deoir faoina shúil.

'Istigh ansin a rugadh é agus a athair roimhe,' arsa Brian Shíle.

'Agus gan billeog eidhneáin féin in áit ar bith ann cé go bhfuil sé ar chuid de na seanbhallaí eile. Gheall mé do m'athair go dtabharfainn rúinnín eidhneáin de bhalla an tseanbhótháin abhaile chuige, ach faraoir níl a leithéid ann. Ach cén sórt poill é sin sa chúinne le hais an tinteáin?'

'An chaochóg a bhíodh uirthisin,' arsa Brian. 'Ní bhíodh aon seanteach dá uireasa. Istigh ansin a bhíodh an píopa agus an soipín réitigh ag do sheanathair agus na bioráin stoca is an ceirtlín ag do sheanmháthair, Peige ní Mhaoldhomhnaigh. Ní raibh an oiread talún ag do sheanathair is a rithfeadh cearc rás istigh ann ach é ag dul thart ina spailpín fánach.'

Ní dhearna an sagart ach leicín de chloch ghlas a raibh cúpla punt meáchain inti a tharraingt amach as an gcaochóg. Dhearc sé go grinn uirthi agus leag ar an talamh í. Tharraing sé amach péire eile agus chuir na trí cinn síos i gcás beag.

Thug sé a bheannacht don seanfhear agus chroith lámh linn uile. As go brách ansin leis.

'Is fadó a chuala mé gur dhuine de na Mahons as Cúige Uladh a bhí pósta ag Síomán Bhairtliméid!' arsa an sean-fhear.

27
Máirín an Phiarsaigh

BA LÁ ar leith i gcónaí Feis Mhaigh Cuilinn. Istigh sa tseanscoil, a ndearnadh halla di, a bhíodh sí agus i lár an tsamhraidh. Nuair a dhóigh píléirí na Gaillimhe an áit cúpla mí roimh an Sos Cogaidh i mí an Iúil 1921, dódh freisin leabharlann Chonradh na Gaeilge, ardán na ndrámaí Gaeilge agus roinnt eile.

Ar na moltóirí bhíodh an Dochtúir Seán P. mac Enrí as Gaillimh agus é chomh plaiteach le hubh. Ar an ardán dó b'fhaisean leis a bheith ag méirínteacht le slabhra buí a uaireadóra. Bhíodh sé an-ghléasta, agus shíleadh cuid againn go mba shaghas milliúnaí a bhí ann. Murach go raibh a chroí sa Ghaeilge aige ní móide go gcaithfeadh sé an oiread sin ama agus dúthracht léi.

Bhíodh Seán mac Enrigh, fear beag, agus Gaeilgeoir ab fhearr ná an dochtúir, ann freisin. Timire Gaeilge a bhí ann, sílim, agus é ar leathláimh. Ba as ceantar Chonga é. Chuala mé gur chuir sé luathscríbhinn éigin i bhfeiliúint don Ghaeilge nó gur chum sé féin córas nua di. Bhíodh daoine eile a raibh suim acu sa scéalaíocht agus sna hamhráin ann freisin.

Lá feise cúpla bliain roimh an gCéad Chogadh Mór chonaic doscán againn fear óg agus bean bhunaosta ina suí ar stól faoi chrann leamhain in aice an halla.

Bhí aithne mhaith againn ar an mbean mar bhíodh sí ag gabháil fhoinn ar gach uile fheis agus ag breith léi duaiseanna. An lá úd ghabh sí 'Caoineadh na dTrí Muire' istigh sa Halla agus bhain amach an chéad duais. Bhain sí na deora as na mná, agus chuimil corrdhuine acu binn a naprúin do na súile.

213

Seál glas scothach, cóta dearg flainín agus naprún ildathach a bhíodh uirthi go hiondúil. Bhí an domhan amhrán, scéalta, paidreacha, rannta agus eile aici. Is cosúil gur thug sí a lán acu síos sa talamh léi. Ba í Máirín Mháire Sheáin í, as Droim an Bhotháin, áit atá thuas ar leiceann an tsléibhe tuairim is míle go leith siar ón sráidbhaile. Ag Micil Mór ó Céidigh a bhí sí pósta.

Níorbh fheasach sinn an fear óg ach amháin go mba as Baile Átha Cliath é. Culaith dhubh éadaigh a bhí air, é ina mhaoil agus é bánghnéitheach le hais mhuintir na háite a bhíodh amuigh faoin spéir gach uile lá. Bhí sé ar a bhionda ag breacadh síos ó bhéalaithris na mná ar an gcóipleabhar a bhí ar an leathghlúin aige. B'aisteach linne fear gléasta galánta mar é a bheith ag cur an oiread sin suime i seanbhean, mar ní fhaca aon duine againn a leithéid riamh cheana.

'Caithfidh sé gur múinteoir scoile é,' arsa buachaill amháin. Ní raibh a fhios againn ach amháin go raibh an-spéis aige sa scríbhneoireacht, de réir cosúlachta. Ach níor cuireadh aon tsuim ann ach oiread is a cuireadh sna strainséirí eile. Chuirfí, b'fhéidir, dá mbeadh a fhios go mbeadh sé ar cheannairí an Éirí Amach agus go bhfaigheadh sé bás ar son na hÉireann cúpla bliain ina dhiaidh sin.

'Máirín an Phiarsaigh' a thugadh Muintir Chonradh na Gaeilge i Maigh Cuilinn ar Mháirín go lá a báis.

Tá an cur síos a rinne an Piarsach é féin uirthi sa leabhar, *Collected Works of P. H. Pearse*. Shíl mise tráth gurbh shin é an lá a bhfuair sé an caoineadh uaithi, ach dúradh liom nárbh é.

Ní shílim go raibh na hÓglaigh curtha ar bun an uair úd.

Bhí véarsa amháin den chaoineadh aici nach bhfuair an Piarsach:

> *A bhean sin thall leis an naipcín síoda,*
> *(M'ochón agus m'ochón ó!)*
> *Cúnaigh dhomsa le mo Mhaicín a chaoineadh*
> *(M'ochón agus m'óchón ó)*

28

Cúrsai Scríbhneoireachta

FEAR críonna a dúirt an chéad lá riamh: 'An rud is measa leat ná do bhás b'fhéidir gurb é lomchlár do leasa é.' Ach ba bheag é mo mheas air nuair a chuir an tOllamh Tomás ó Máille (údar *An Béal Beo*) mo chéad ghearrscéal ar ais chugam agus an litir seo leis:

Ní féidir an scéal seo a chur isteach d'aon iarraidh amháin sa 'Stoc,' agus ó tharla nár mhaith leat a roinnt. Rinne mé roinnt bheag ceartaithe air mar sin féin.

Tá togha Gaeilge agat sa scéal, agus tá sé thar cionn ar an mbealach sin. Sé an locht is mó atá air nach bhfuil aon ghníomh ann: níl ann ach comhrá ar fad. Sin é an laige is mó atá ann. Rud eile thug tú an Saighdiúr Dearg isteach sa scéal agus ní dhearna tú tada leis.

Tá t'amhrán istigh sa 'Stoc' an mhí seo. Tá sé go rímhaith.

Facthas dom go raibh mé tar éis drochiarraidh a fháil agus go raibh ar mo 'áilleán' lochtanna nár smaoinigh mé riamh orthu. Agus gach uile shúil agam go mbeadh sé le léamh ag feara Fáil an mhí a bhí chugat! Rud amháin nár chuimhnigh mé air: an chomaoin a raibh mé faoi ag an Máilleach, go raibh sé tar éis soilíos dáiríre a dhéanamh dom, agus go mbeadh aiféala saolta orm, agus b'fhéidir náire dá gcuirfeadh sé isteach an scéal an turas sin. Ceann de rigmaroles na haimsire seo a dtugtar gearrscéalta orthu, a mheabhraigh sé dom nuair a léigh mé tamall ó shin é.

Tháinig mé as an drochscéala de réir a chéile agus bhuail mé faoi scríobh 'An Stiléara' agus scéalta eile. Ansin léigh mé an chéad scéal arís agus bhain dhá mhíle focal as! Tar éis tamaill bhain mé míle eile as – tuairim is a leath ar fad! Tá sé in *Cumhacht na Cinniúna:* 'Oíche an Tórraimh.' Ní mó ná sásta a bhí mé leis ach thaitin sé le daoine eile. Is iontach an meas a bhíonn ag duine ar an gcéad ghin uaireanta!

Ba mhinic aiféala orm nár chuir an Máilleach an dán ar ais chugam freisin mar is iomaí slacht a d'fhéadfaí a chur air. Dán ar Eachroim atá ann agus ocht véarsa fichead ann! An tráth a raibh mé ag obair i mBéal Átha na Sluaighe shiúlainn amach ann an trí mhíle bealaigh. D'fhéadfaí a lán véarsaí a bhaint as. Ní bhfaighinn é a léamh inniu.

Nuair a dúirt an Máilleach nach ndearna mé tada leis an saighdiúir ní móide gur shíl sé go raibh a lán den fhírinne sa scéal; agus is deacra mórán i gcónaí an fhírinne a athrú ná an chumadóireacht. Bhain an saighdiúir céanna geit asam nuair a d'oscail mé dó an doras mar ní lena leithéid a bhí mé ag súil. Ina theannta sin bhí mé an-óg. Bhí sé ar na hoícheanta ba mheasa gaoth agus báisteach a chonaic mé riamh, agus b'annamh a d'fheicfeá créatúr chomh fliuch draoibeáilte leis an saighdiúir úd. Ciomacha le cur air féin in áit an éide a bhíodh óna leithéid i gcónaí, agus é ag éalú as an arm gallda.

Nuair a chonaic mé na blianta ina dhiaidh sin thuas ar rásaí Uachtar Ard é d'aithin mé a leiceann agus a shúile. D'aithin seisean mise freisin mar tháinig sé anall chugam agus dúirt, 'You were very thin when you came out of jail.' Bhí mé amhlaidh agus mé ag fáil mo dhóthain le n-ithe féin. Ní mórán peataíocht a bhí le fáil sa phríosún an uair úd.

B'as an Achréidh an saighdiúir úd. 'Peter Nolan,' a thugadh na daoine air, ach is deacair a rá cén t-ainm a bhí air. D'fhan sé ag obair le talmhaithe sa cheantar, agus b'aisteach liom nár rugadh riamh air, aimsir an Chéad Chogaidh Mhóir féin, agus saighdiúirí gann agus na píléirí ag síorthóraíocht a leithéide. Agus théadh sé ar an mbáire.

Is iomaí éide saighdiúra agus eile a fuair muid – fir a bhíodh ag imeacht as Beairic na Rinne Móire i nGaillimh (an áit a bhfuair Dónall mac Amhlaigh a lán ábhair dá leabhar *Saol Saighdiúra*). Sna coillte gar don iarnród a bhíodh a leithéid go hiondúil, faoi bhun crainn nó ar chúl carraige. Bhíodh a fhios againn i gcónaí ar mhada amháin é mar ligeadh sé glam ar leith, díreach mar a ligeadh sé agus boladh mada crainn (iora rua) faighte aige.

Is maith is cuimhneach liom an chéad *Stoc* agus an chéad abairt i litreacha móra 'Táimid ar fáil!' 'Le Fáil' a thabharfadh cuid de scríbhneoirí na haimsire seo air sin. Rinne sé maitheas dom é a léamh, agus ábhar léitheoireachta i nGaeilge fíorghann. Ba chumasach an scríbhneoireacht a bhíodh ann. B'fhéidir go mbíodh an iomarca den bhéaloideas ann, ach ba ghnás na haimsire sin é. Ní móide gur mórán measa a bheadh ag cuid de lucht foghlama agus de scríbhneoirí an lae inniu air, ach ba mhór a rachadh sé i dtairbhe dóibh é a léamh.

An Máilleach é féin a scríobhadh cuid de na haistí ab fhearr ann. Ní móide go mbeadh a leithéid de pháipéar ann choíche murach Piaras mac Cana as Tiobraid Árann, mar ba é a chuir ar fáil an t-airgead lena aghaidh. Bhí an páipéar faoi dhaolbhrat bróin nuair a cailleadh thall i bpríosún Ghlostair é, aimsir an tslaghdáin fhrancaigh. Bhí toirmeasc ar an bpáipéar tamall fada.

Nuair a ghabh mé ag breathnú ar an Máilleach san ospidéal i mBaile Átha Cliath casadh a dhearbháir, Éamann liom taobh amuigh de dhoras an tseomra.

'Ná lig ort féin go bhfuil sé chomh dona is atá sé,' ar seisean.

Drochfhaisnéis, arsa mise i m'intinn féin. Chuala mé gur ailse a bhí air agus bhí trua agam dó nuair a dúirt sé 'Sílim nach mbeidh orthu mé a oscailt arís.' B'fhíor dó mar bhí a fhios ag na dochtúirí céard a bhí air. Ach ciall eile a bhí aigesean leis. Tar éis tamaillín dúirt sé,

'Tá an chaint ag baint croitheadh asam.'

Cé go raibh sé i riocht dul siar abhaile bhí a fhios agam nach bhfeicfinn arís choíche é. Is ansin a scríobh mé an giota seo faoi. Bhí sé ar an *Irish Independent* an lá tar éis a bháis:

Gan Baisteadh

Ní buan brón go bás ollaimh.

Is iomaí Gael faoi dhaolbhrat bróin inniu. Rud tromchráite é
an bás nuair a scuabann sé leis an sméar mhullaigh. Agus sin
é díreach atá déanta aige an babhta seo. D'fhéadfadh sé na
céadta a chrochadh leis agus ní aireodh an tír uaithi iad; ach
caillteanas d'Éirinn ar fad bás Thomáis uí Mháille. Sé an
iarraidh is measa a fuair an Ghaeilge le fada an lá é.

Bhí ardeolas ag an Máilleach ar an tseanGhaeilge, ar an
meánGhaeilge agus ar Ghaeilge na haimsire seo. Chuir sé
suim sna seanrudaí le meabhair a bhaint astu agus le crua-
cheisteanna a scaoileadh agus ar mhaithe leis an scoláireacht.
Ach níorbh fhearacht aigesean é agus ag scoláirí eile: bhí a
thios aige gur bheag ab fhiú na seanchnámha loma mura
mbeadh an fhuil, agus an fheoil, agus an sú againn freisin. Dá
bhrí sin ba sa rud beo ba mhó a shuim, díreach mar ba mhó a
shuim sna Gaeilgeoirí bochta ar fud Chonamara ná i ndream
ar bith eile.

An mhuintir a raibh sé d'ádh orthu aithne mhaith a bheith
acu air ní dhéanfaidh siad dearmad choíche ar an tacar eolais
agus Gaeilge a bhí istigh ina chloigeann aige. Agus sé an
t-údar bróin is mó atá ag dul don mhuintir a bhfuil suim sa
Ghaeilge agus sa léann acu go bhfuil sé ag tabhairt an oiread
den tacar sin leis faoin scraith.

Bhí a lán déanta aige ach níl leathbhrí ansin le hais an
mhéid a dhéanfadh sé dhá dtugadh Dia saol dó. Leabhar ní
raibh aon bhaint aige leis nach bhfuil lorg an léinn air agus
tairbhe agus eolas le baint as, agus is mór lucht foghlama na
Gaeilge faoi chomaoin aige. Na Gaeil ar mhaith leo ómós
agus onóir a thabhairt dó níl caoi is fearr acu lena dhéanamh
ná aithris a dhéanamh ar a chuid saothair nó go gcuirtear an
chloch phréacháin ar an obair ab ansa lena chroí - an Ghaeilge
a chur in uachtar in Éirinn arís.

Is cosúil go dtiocfaidh an lá nuair a chuirfeas Gaeil leacht
os a chionn; ach is beag le rá iad na clocha agus an moirtéal i
gcomórtas an leachta a thóg sé féin dó féin lena chuid saoth-
air. Mura bhfágfadh sé ina dhiaidh ach *An Béal Beo* amháin

bheadh a ainm faoi cháil an fhad is 'a bheas Gaeilge i nGaill-
imh' agus meas ar an léann.

Ní móide gurb é an rud céanna go baileach a scríobhfainn
inniu!

Beidh scoláirí móra fós againn le cúnamh Dé, ach tá faitíos
orm nach mbeidh aon scoláire againn a bheas ina Ghaeilgeoir
ina theannta sin mar a bhí seisean. B'as an nGaeilge a fáisc-
eadh é. Níl leabhar dá raibh lámh aige ann nach fiú a léamh
go cúramach. Facthas dom nárbh fhearr mórán a scríobh sé
ná an réamhrá do *Scéalaí Leitir Mealláin* le Peadar ó Direáin.
B'iontach uaidh lámhscríbhinn a cheartú agus ba bheag a
rachadh thar a shúile. Mar sin féin ghabh sé amú corruair
mar a théann gach uile dhuine.

Táimid uile faoi chomaoin aige.

Ar thuig an Máilleach é féin, nó an Gúm, an bhrí atá le
véarsa amháin sa ghluais a chuir sé le *Filí an tSléibhe?* Dá
mba i mBéarla a bheadh sé is ar éigean a ligfí isteach é, déar-
fainn.

Ach céard a d'éirigh don ghraiméar nua úd a bhí an Máill-
each a scríobh? Sa bhliain 1927 (aon bhliain déag roimh a
bhás) d'inis sé dom ag Comhdháil na gCine Ceilteach thall i
mBeanchor na Breataine Bige, go raibh faoi graiméar Gaeilge
a chur le chéile. D'inis sé dom arís é i nDún Éadain agus i
nDinard na Briotáine. Chonaic cairde dó carnán lámh-
scríbhinní istigh ina theach thall ar an mBóthar Beag i
nGaillimh, agus bhíodar cinnte gur údar graiméir a bhí ann,
ach ní bhfuarthas aon tuairisc ar a leithéid tar éis a bháis.

B'aisteach liom a laghad suime is a chuir cuid de na sean-
Ghaeilgeoirí i gcumadóireacht – drámaí, úrscéalta, gearr-
scéalta agus a leithéid.

'Tá mé tar éis *Cumhacht na Cinniúna* a léamh,' arsa Eoghan
ó Neachtain liom ar an tsráid i mBaile Átha Cliath. 'Éirigh
as a leithéid sin agus scríobh scéalta grá.'

D'ól mé deochanna leis ach níl a fhios agam ar sheas an
Máilleach istigh in aon teach óil riamh. Ba lách, uasal, tíriúil

219

an duine é Eoghan.

'Ní fhaca mé Gaeilge chomh glan ag aon scríbhneoir riamh is atá aige,' arsa Tomás Bán ó Conceannain liom. 'Is beag atá aige ach caint na ndaoine, ach chuir sé slacht uirthi.'

'Dá bhféadfainn dul siar go Cois Fharraige agus Gaeilge a chur ar na háitainmneacha dhéanfadh sé a lán maitheasa, ach tá mé róshean anois,' arsa Eoghan liom.

Níor léir dom an mhaitheas, ach níor tháinig mé ina aghaidh.

Cé go mba as an gceantar céanna Eoghan agus Máirtín ó Cadhain níor casadh le Máirtín riamh é nó gur thug mise amach aige é in aice le Margadh na mBeithíoch tráthnóna Sathairn roimh an Dara Cogadh Mór. Níor bhaileach istigh ann sinn nó gur chuir sé fios ar bhuidéal fuisce. Nuair a dúirt muid leis nach raibh muid ag ól thug sé oráistí dúinn! Níl a fhios agam cén bharúil a bhí aige dúinn nuair a d'imigh muid ag an deich a chlog.

Deich mbliain roimhe sin bhí píosa sáraíocht idir Eoghan agus Máirtín ar *An Stoc* faoi léirmheas a scríobh Máirtín ar iontú a chuir Conall Cearnach ar *Dr. Jekyll and Mr. Hyde*. Facthas dom gur ag Máirtín a bhí an ceart sa lochtú a rinne sé ar Ghaeilge an fhir léannta úd.

'Ba chumasach an scríbhneoir é an Máilleach,' arsa Eoghan linn. 'Níorbh fhurasta na píosaí a bhíodh aige sa *Stoc* a sharú.'

Ansin thosaigh sé ag caint ar aistriúcháin. 'Ba obair dáiríre Gaeilge a chur ar *Irisleabhar Phríosúin* an Mhistéalaigh' a deir sé.

Nuair a dúirt mé féin leis go mba fhearr liom an Ghaeilge a chuir sé ar *Unaga* séard a dúirt sé:

'An bhfuil a fhios agaibh nach ndeachaigh lá amháin thart agus mé ag cur Gaeilge air sin nár léigh mé píosa den tsean-Ghaeilge?'

Ar fhaitíos go rachadh an Béarla i gcion air.

Ba é an trua Gaeilge chomh breá léi a chuir amú le leabhar chomh suarach sin.

An chéad uair riamh a chonaic mé SeanPhádraic ó Conaire

cheap mé gur dhuine ar leith a bhí ann. Bhí sé ag dul thart i
gCois Fharraige ag caint do Shinn Féin roimh an Toghadh
Mór a chriog an Irish Party sa mbliain 1918, agus an Chéad
Chogadh Mór díreach thart.
'Tá an cogadh thart, dar libhse. Níl sé thart. Níl sé ach ag
tosaí!' a deir sé.
Ní móide go n-abródh aon duine eile a leithéid.

Ag dul abhaile ag greim suipéir i gCearnóg Pharnell dom
oíche bhreá Fhómhair sa bhliain 1924 cé d'fheicfinn ina shuí
ar chéimeanna an bhainc in aice an Rotunda, agus cóngarach
do theach óil Uí Mhaonaigh, ach Pádraic. Níor aithin mé an
dara fear, ach bhíodh sé féin agus Glasánach as an Aonach
mór le chéile an tráth céanna. Níorbh fhada dúnta na tithe
óil, ach ní rabhadar óltach ach iad ag seanchas go socair sásta
dóibh féin, agus daoine ag siúl tharstu gan mórán suime a
chur iontu.
Ghlac mé go réidh é féachaint céard a bhí ar siúl acu. Bhí
buidéal cárta ina sheasamh ar an gcosán istigh eatarthu, agus
iad ag baint chorrfhailm phórtair as agus Pádraic ag stolladh
tobac
Ag ithe dom rinne mé athrú beag ar véarsa den *Cholera
Morbus*. Ansin ag filleadh dom sheas mé os comhair na
beirte, mo chaipín tarraingthe anuas ar mo bhaithis agam,
agus dúirt:

Féach an té a bhí inné luath, láidir,
A d'ólfadh gloine pionta is cárta.
A bhí tráthnóna ag éirí in airde,
'S é caite anois ar leataobh sráide.

'Gabh i leith! Gabh i leith!' arsa Pádraic. 'Cé thú féin?
Gabh i leith, a deirim leat, agus bain súmóg as an mbuidéal
seo '
Cé go raibh mé ag caint leis cúpla babhta shíl mé nár
aithin sé mé. Tamall beag ina dhiaidh sin chonaic mé ag siúl
thart go mall réidh leis féin é gar don áit chéanna   Cóitín
stríocach búistéara a bhí air, bróga troma tairní agus brístín
a bhí leath-throigh róghearr aige. Cheap mé go mb'fhéidir go

raibh a chuid éadaigh féin i ngeall ag an duine bocht. Ní fhaca mé dreach an fhealsaimh riamh ar aon fhear mar a bhí airsean an lá úd. Bhí bata garbh láidir sa deasóg aige, greim ciotóige ar an bpíopa aige agus é ag scaoileadh tobac le gaoth go breá sásta dó féin. Ní bhreathnaíodh sé deiseal ná tuathal ach díreach amach roimhe ar an gcosán mar aonarán nach mbeadh tada saolta ag cur imní air. É ag cumadh scéilín, b'fhéidir.

B'annamh chomh píoctha bearrtha é is a bhí sé nuair a casadh liom i nGaillimh scaitheamh ina dhiaidh sin é. Ní thiocfadh sé 'isteach' liom agus le cara don bheirt againn. Bhí sé ag múineadh rang Gaeilge agus é ag súil leis an mbean as Londain Shasana.

'Tá faitíos aige roimpi,' arsa mo chara agus é ag gáire.

Agus mé ag tarraingt ar Ghaillimh sa traein tráthnóna breá samhraidh bhí bean ard, thanaí ina suí le m'ais agus í ag seanchas le sagart as Árainn a raibh an-cháil air mar sheanmóirí Gaeilge. B'as Corcaigh í agus í féin agus a fear, captaen loinge as Contae an Chláir, ina gcónaí thíos ag an Dug, anghar don áit a rugadh SeanPhádraic. An lá ina dhiaidh sin nocht Eamon de Valera an leacht do Phádraic ar an bhFaiche Mhór.

'It is to Father Tom Burke that monument should be erected and not to that little drunkard,' arsa Bean an Chaptaein.

Ní dúirt an sagart tada, ach facthas dom nach mó ná go maith a thaitin caint na mná leis. Is iomaí deoch a d'ól mé ab uil Pádraic agus má chonaic daoine eile óltach é ní fhaca mise é.

'An mbíonn tú ag múineadh anseo i mBaile Átha Cliath i gcónaí,' a deireadh sé liom. Shíl sé gur mhúinteoir a bhí ionam.

'Uncail dó mise,' arsa fear le m'ais, agus duine éigin ag caint ar SheanPhádraic ag cruinniú poiblí i Sráid Chathail Brugha, i mBaile Átha Cliath. 'Is mise a mhúin dó na litreacha agus a chéad cheacht Gaeilge, agus b'fhurasta é a mhúineadh.'

Gan Baisteadh

Is beag nach sílfeá ar an gcaoi a mbíodh na daoine ag caint ar Raifterí nach raibh aon fhile ann ach é. An Ghaeilge nádúrtha a raibh fuinneamh agus gearradh inti is mó a chuaigh i gcion ar na Gaeilgeoirí. Chloisfeá caint corruair ar Mhicheál mac Suibhne agus ar an amhrán breá úd leis, 'Máirín Seoighe,' ach bhí eolas ag a lán ar amhráin Raifterí agus a lán scéalta acu faoi. Chuireadar suim ar leith in 'Eanach Cuain,' mar ní raibh idir an dá pharóiste ach Loch Coirib agus bhíodh a lán caidrimh eatarthu.

'Níor chuala mé "Eanach Cuain" á ghabháil riamh nár thosaigh mé ag sileadh,' arsa seanfhear liom. B'as Eanach Cuain a mháthair. Sé is túisce a d'inis dom nárbh é Caisleán Nua na Gaillimhe a bhí i gceist ag Raifterí ach ainm an bháid, 'An mí-ádh mór a bhí sa gCaisleán Nua.' Arbh fhíor é?

Ní raibh an oiread eolais riamh ar an bhfile is a bhí nuair a tháinig a chuid amhrán amach i dtosach, agus níor tháinig aon leabhar amach ó shin a raibh an tóir chéanna air ar fud an pharóiste. Do Chonradh na Gaeilge a bhí an moladh sin ag dul mar is i gcraobh an Chonartha a múineadh do bhuach-aillí óga léamh na Gaeilge. D'fheicinn buachaillí ag siúl abhaile tar éis an ranga a bhíodh sa scoil idir an dá Aifreann.

'Maise an bhfuil leabhar mór Raifterí le fáil in áit ar bith?' a deireadh daoine liom nuair a thagainn abhaile as Baile Átha Cliath. Thabharfaidís rud ar bith air agus gan aon fháil air.

An tráth a raibh an chraobh ina neart théadh Conrathóirí ó theach go teach ar fud an pharóiste ag cruinniú airgid. Scilling nó sé pingne a thugtaí dóibh. Is suarach le rá inniu iad ach cheannódh scilling ionann is ceithre unsa tobac an uair úd agus sé phionta pórtair.

Dlí na hiasachta an tiarach a bheith briste, deirtear, agus ba í cuma na hiasachta a bhí ar leabhar Raifterí a d'fheicinnse i gcorrtheach. Amhráin as, a níodh fear amháin nach mbíodh ceart sa gcloigeann i gcónaí, a shuaimhniú. Bríce, nó rud éigin, a bhuail sa cheann é thall i Meiriceá.

'Tá an fear se'gainne sna hardiboys inniu,' arsa deartháir dó a tháinig isteach i dteach a raibh mé ar cuairt Domhnach

224

amháin. 'B'fhéidir go léifeadh Bríd dó cúpla amhrán de chuid Raifterí.'

Nuair a tháinig sé isteach bhí Bríd ag léamh go tréan as seanleabhar stróicthe réabtha, agus a raibh istigh ina dtost. 'Sin é an fear ar mhaith liomsa a bheith ag éisteacht leis,' a deir mo dhuine nuair a chuala sé

> *Nuair a bheas do chnámha fre na chéile*
> *Gan fuil gan feoil ar aghaidh na gréine . . .*

'Sin é an fear ar mhaith liomsa a bheith ag ól leis,' ar seisean nuair a dúirt Bríd

> *Tá fhios ag an saol*
> *Nach le dúil ann a bhím*
> *Ach le grá do na daoine*
> *A bhíos ina aice.*

'A Thiarna Dia! Nach air atá an cloigeann!'
Ní raibh a fhios aige nach raibh Raifterí beo.
An suaimhneoir céanna a d'fhaigheadh sé gach uile uair a bhuaileadh an aistíl é.

29

Bímis ag Ól

'BÍMIS AG ÓL' an chéad amhrán Gaeilge a chuala mé riamh ar éirí amach.

> Bímis ag ól, is ag ól,
> Is ag rince le ceol,
> Is ag pógadh na mban,
> Is ag mealladh ban óg,
> Le sians is le ceol,
> Is dá seoladh ar a leas.

Má bhí mé ag dul 'na scoile ní raibh ann ach sin. Ciota Bairéad, seanaint dom, a bhí á ghabháil agus an-cháil mar ghabhálaí uirthi. Ghabh sí a lán eile nach cuimhneach liom an oíche chéanna. Ba mhaith fúthu í, agus níor chall 'Cuir dhíot é!' a rá riamh léi. B'éigean di 'Bímis ag Ól!' a thabhairt arís ag breacadh an lae agus mo néal ag teacht ormsa.

Chonaic mé leagan Muimhneach de ach ní fhaca mé aon leagan Connachtach de, agus níor chuala mé aon duine á ghabháil arís. Nuair a shíl mé é a scríobh síos blianta ina dhiaidh sin ní raibh fáil air ach giotaí.

Ní fhéadfainn dearmad a dhéanamh ar an gcroí agus an fuinneamh a chuireadh Ciota Bairéad ann. Bhí a fear, Micheál ó Raghallaigh, agus a beirt iníon ansin lena hais, agus iníon amháin acu go breá lasánta agus an-chosúil lena máthair. Ní raibh ceachtar den bheirt an scór. Bhí na Raghallaigh deisiúil agus airgead tirim acu, rud nach raibh ag mórán dá leithéid an tráth úd, cé go raibh muirín mhór ann.

Ní fhaca mé aon duine den cheathrar acu riamh roimhe ná ina dhiaidh sin. Cailleadh in imeacht coicíse iad leis an

bhfiabhras ballach. Bhuail an galar síos gach uile dhuine acu
ach amháin Seán, buachaill breá a bhí os cionn na sé troigh.
D'imigh sé leis anonn go Meiriceá ach níor mhair sé achar ar
bith ann. Bhí an galar ar iompar aige ag dul ann dó, má
b'fhíor. Fear ceirde, 'iompróir,' a thug dóibh é. Gar don bhóthar
mór a bhíodar ina gcónaí, agus ba ghnás leo lóistín na hoíche
a thabhairt do lucht bóthair agus bealaigh, dream, go mór
mór fir cheirde, a bhí an-fhairsing go tús an Chéad Chogaidh
mhóir.

Fuair na Raghallaigh 'fógra glan géar ón mbás,' mar caill-
eadh aint agus uncail dom féin an chaoi chéanna cúpla bliain
roimhe sin agus gar go maith dóibh. Ach níor thugadar suas
den fhaisean ina dhiaidh sin. Shíleadar nár mhóide go dtit-
feadh a leithéid amach arís san áit sin. An grá-Dia agus an
dea-chroí ba shiocair lena mbás.

Ní mórán cainte a bhíonn i stair aon tíre ar a leithéidí.

Má cheap mise ag méadú suas dom gurbh é 'Coughlan' Ard-
phíobaire na hÉireann níorbh ionadh é mar ní bhíodh stopadh
ar chuid den tseanmhuintir ach ag caint air agus á moladh.
Ba dhaoine iad a chuala céadscoth na bpíobairí. Cén bhrí ach
bhí sé imithe as an áit le cúpla scór bliain.

'Leithéid Choughlan ní raibh in Éirinn riamh agus ní
bheidh arís choíche,' a deireadh Marcas Mhaitís liom. 'Nuair
a thosaíodh Coughlan amuigh faoin spéir tráthnóna samh-
raidh sheasadh chuile dhuine a bhíodh ag obair sna goirt suas
ag éisteacht leis. Ní bhfaighfeá buille oibre a dhéanamh agus
Coughlan ag píobaireacht.'

Thiar ar Chnoc an tSeanbhaile, tuairim is ceathrú míle siar
uainn in áit bhreá chrochta a bhí an teach ag Coughlan.
Nuair a chonaic mise i dtosach é bhí sé taobh leis na ballaí.
Bhí dhá loch agus coill mhór thíos sa log achar siar uaidh,
agus déarfainn gur beag áit a rachadh ceol na bpíob níb
fhaide ná ann.

Ba stíobhard ag tiarna talún é Coughlan, agus strainséir a

227

déarfainn. Níl an sloinne i gConamara ná mórán sa gcontae mura bhfuil sé thart ar Bhéal Átha na Sluaighe. Ní raibh aon Ghaeilge ag na daoine air. D'imigh sé leis go dtí an Astráil agus chonaic daoine as an bparóiste thall ann é ag píobaireacht. D'fhéadfainn tuilleadh eolais a fháil faoi an uair úd ach suim a bheith agam ann.

Ba mhór idir Coughlan agus Tom an Ghabha – Tom ó Maoilia. Má bhí píobaire an aonphoirt riamh ann ba é Tom é, agus cónaí air in aice leis an Ros, idir Maigh Cuilinn agus Uachtar Ard. Bhaineadh ainm Tom gáire amach i gcónaí. 'Ar ndóigh níl aige sin ach port amháin: "Lá Fhéil' Pádhraig." ' Dá dhonacht é ní raibh sé baileach chomh caillte sin, sílim.

Níl a fhios agam an mbíodh córas iompair Tom ag mórán de na seanphíobairí. Bhí comharsa dúinn agus é ina fhear óg ag siúl amach ó choirm cheoil i nGaillimh oíche earraigh, i dtús na haoise seo, nuair a chuala sé chuige torann aisteach tar éis an mheán oíche. Níor léir dhó a lámh leis an gceo. 'An sórt torainn a dhéanfadh crúba an diabhail!' a deir sé.

Tháinig roinnt faitís air agus é ag dul thar reilig Bharr na Crannaí. Agus an 'rud' ionann is buailte air ghlac sé misneach agus dúirt os ard,

'Go mbeannaí Dia dhuit!'

'Go mbeannaí Dia is Muire dhuit.'

Bhí sé sábháilte! Cé bheadh ann ach Tom an Ghabha agus é féin agus a chuid píobaí thuas ar mhuin asail. Ba é torann na gcrúb gan crúite a chuala mo dhuine.

Bhí deich míle curtha de ag Tom agus é ag dul isteach go Gaillimh ag ceol (nó ag torann) ag an matinee lá arna mhárach. Níor bhaol dó leoraí ná gluaisteán ach amháin b'fhéidir an cóiste bodhar.

I bhfad roimh thús an chéad seo ba é Donncha ó Dúlainge as Béal Átha na Sluaighe an píobaire b'iomráití i gContae na Gaillimhe agus b'fhéidir, i gCúige Chonnacht. Scaitheamh tar éis an Éirí Amach thóg píléirí Shasana thall ar an gCreagán, in Oirthear na Gaillimhe, é agus na ceithre scór sáraithe aige. Shacadar isteach sa mbeairic é mar b'fhear contúirteach é – *disaffected citizen:* bhí sé ag seinm 'Who Fears to speak of Easter Week!'

Nuair a chuaigh mise ag obair go Béal Átha na Sluaighe faoi Lúnasa 1921, bhí sé básaithe, ach bhí an bhaintreachín sách luaimneach. D'fhéadfadh sé a bheith ina athair aici.

B'fhearr m'aithne ar Stiofán ó Ruadháin as Baile Mór na Gaillimhe ná ar aon phíobaire eile acu mar d'fheicinn ar na bainseacha agus ar a leithéid ar fud an pharóiste é. Staic téagrach bánghnéitheach thart ar chúig troigh agus ocht n-orlach a bhí ann. 'Stiofáinín' a thugadh na daoine air. Bhí acmhainn ar ghreann aige agus níor dheacair gáire a bhaint as agus cúpla leathcheann a bheith ólta aige. Bhí Gaeilge mhaith aige.

'Píobaí Antaine uí Mháille atá ag Stiofáinín, ach níl aon ghoir aige ar an Máilleach,' arsa seanfhear liom a chaith a lán dá óige ag dul ag píobairí.

Faraoir nach bhfuil na scórtha chomh maith leis inniu ann.

Bhí sé d'ádh orm agus de aoibhneas agam tamaillín a chaitheamh le Seán ó Raghallaigh as an Dún Mór, ag céilí mór thall ar an gCreagán faoi Shamhain 1921. Fear dubh, tanaí, cruachúiseach, fadleicneach, a bhí ann, agus é tuairim is cúig troigh is seacht n-orlach ar airde. B'annamh a chonaic mé gnúis níba bhrónaí ná a bhí air, an saghas gnúise nár lasadh suas le gáire ná gliondar riamh – ní nárbh ionadh más fíor: 'Ní mairtíreacht go daille.' Facthas dom go raibh sé idir na trí scór agus na trí scór go leith.

Fearacht na ndall uile bhí grinneas ann.

'Ní as an taobh tíre seo tusa?' ar seisean.

'As Iarchonnachta – Conamara Thoir mé.'

'B'fhurasta aithint.'

'Cén chaoi,'

'Do chuid Gaeilge.'

Gaeilge an Achréidh a bhí aige féin, ar ndóigh, í níos cosúla le Gaeilge Mhaigh Eo ná le Gaeilge Chonamara.

'Ach céard atá ag teacht ar an nGaeilge Chonnachtach chor ar bith?' ar seisean. 'Tá sé cinnte orm ceart ar bith a bhaint de chuid di. Roimhe seo déarfadh duine leat an ólfá bolgam tae nó an íosfá greim bia, ach séard a deireas cuid acu anois, an mbeidh sé agat? An mbeidh cúpla ag an mbó bhreac?

'Ar chuala tú riamh gurbh as an gceantar seo a tháinig "An Droighnean Donn"?

I mBaile an Logáin ar chúla an Chreagáin atá stór mo chroí.

'Cé fearr cruthúnas ná na háiteanna atá san amhrán? Nach thall ansin thall i mBéal Átha Garrtha atá an Droigh-neán – má tá an ceantar taobh le droighneán amháin. Agus nach scaitheamh soir uaidh i gContae Ros Comáin atá Sliabh Uí Fhloinn?'

Ní gach uile Ghaeilgeoir a thiocfadh leis, déarfainn.

> *Sneachta séite agus é dhá shíorchur ar*
> *Shliabh Uí Fhloinn*
> *Is go bhfuil mo ghrása mar bhláth na n-airní*
> *ar an Droighneán Donn.*

Agus thosaigh sé air á sheinm, agus ba mhaith uaidh é. Má bhí aghaidh bhrónach féin air bhí an suairceas i mbarra na méar aige. Bhí aiféala ormsa gur thosaigh sé mar chruinnigh na daoine thart air agus níor mhoill gur thosaigh an rince. Murach sin bheadh tuilleadh seanchais againn.

Dúradh liom go mb'fhearr Dinny Bhéal Átha na Sluaighe ná é, ach bhí seisean básaithe agus is fearr an marbh i gcónaí ná an beo agus ceol, agus gabháil agus a leithéidí i dtrácht.

Cuireadh le m'eolas ar stair na hÉireann an oíche chéanna de bharr bualadh le beirt a bhí fíorbhródúil as paróiste an Chreagáin. Bhí a fhios agam gur chuid de thír na gCeallach é, ach níor chuala mé cheana gurbh as sin an Coirnéal Tomás ó Ceallaigh, an Fínín, a scaoileadh as veain an phríosúin i Mancuin Shasana sa bhliain 1867.

Dúradar liom freisin gurbh as an gCreagán 'Máibhle Shéimh ní Cheallaigh' ar chum an Cearbhallánach an dán molta uirthi:

> *Cúl na gcraobh is finne*
> *Lúb na dtéad is binne*
> *Snua na géise gile*
> *A bráighid's a taobh.*

30
Pósadh agus Bainseacha

AN TRÁTH a mbíodh gach uile phósadh ann ar an tráth-nóna d'fhanadh na scoláirí thart ar an séipéal agus iad go minic lag leis an ocras agus préachta leis an bhfuacht. Roimh an gCarghas a bhíodh a mbunáite ann. Sna capaill, go mór mór sna capaill diallaite, a bhíodh an tsuim againne agus ní sa phósadh. Idir cúig cinn agus deich gcinn acu sin a bhíodh ann. D'fhaighidís beatha ar leith i gcónaí ar feadh seachtaine nó coicíse roimhe mar b'údar gaisce an rás chun na bainse a bhreith.

Bhíodh idir deich gcinn agus scór de na carranna cliathánacha ann. Chonaic mé deich gcinn fhichead acu ar bhainis amháin. Thugadh tiománaí an bhaile mhóir deoch de uisce agus de mhin choirce dá chapall féin. 'White water' a thugadh sé air.

Ag dul in aghaidh Chnocáinín na mBuidéal don tarraingt abhaile ghlacadh an chéad chapall go réidh é agus thugadh an 'buachaill óg' buidéal chúig naigín don chomhluadar a bhíodh cruinnithe ann.

Corruair gheobhaidís buidéal eile ó mhuintir an chailín óig. Ní bhacadh na píléirí lena leithéid.

Fataí, bagún agus cabáiste a bhíodh sa chéad bhéile i dteach na bainse agus scata ban ag riar an tslua. Bhíodh bairille pórtair agus ba mhinic idir cúig ghalún agus seacht ngalún poitín ann freisin.

An lá a mbíodh an pósadh i bparóiste éigin eile is thuas ar an sráidbhaile a chruinníodh na daoine, go mór mór dá mbeadh aon duine cáiliúil á phósadh. Ba é an áit ba mhó

231

spóirt freisin é mar bheadh fir ag dul isteach ag ól súmóga
pórtair. Is beag eile ach greann agus údar gáire a bhíodh ag
déanamh imní dóibh. Focal ní bhíodh as an muintir a bhíodh
thíos ag an séipéal. Cé nach bhfuil ceathrú míle idir an dá áit
ní shílfeá gur sa pharóiste céanna a bheifeá.

'Maise mo ghoirm thú, a Roddy, tá do dhréimire agat!' arsa
fear a bhí 'maith go leor,' leis an mbuachaill óg sa chéad
'tarraingt,' agus duine de na cailíní ab airde sna seacht
bparóistí aige.

Ach ba le bean na dtrí bhfear, a raibh cónaí uirthi in aice
na Gaillimhe, a bhí súil ag cách.

'Meas tú, a Ruairí, an ndéanfaidh mé arís é?' a deir sí le
Ruairí Thaidhg agus an capall ag siúl go socair tríd an sráid-
bhaile. Thosaigh a raibh ann ag gáire os ard. Cé go raibh
beirt curtha aici ba gheall le cailín óg í. Agus an 'buachaill
óg,' nach raibh chomh hóg sin, ag breathnú chomh faiteach,
scanraithe le héinín i ngéibheann.

Déarfainn nach raibh duine amháin ansin nár mheas go
ndéanfadh sí arís é. Bheadh a fhios agat ar a gcuid cainte é:

'Fágfaidh an cailín sin saol gearr aige.'

'Cé mb'fhearr dó áit a gcuirfeadh sé de a bhreithiúnachas
aithrí?'

'Leathbhásaithe go maith atá sé ag breathnú. Ar ndóigh
dá bhfeicfeá idir dhá mhada é nach bhfágfá acu é?'

Cuireadh amú uile iad. Bhí clann acu, agus chuir sé síos í.

Cé nach minic airgead ag imeacht sa tír seo gan éileamh air,
chonaic mé uair amháin é.

Lá a dtáinig mé as Baile Átha Cliath go Gaillimh, d'fhiaf-
raigh Críostóir ó Loideáin, comhairleoir contae, díom an
raibh aon eolas agam ar Thomás ó Céire as Iarchonnachta a
bhí san Éirí Amach – go raibh tuairim is céad punt de phin-
sean le fáil aige, agus go raibh sé cinnte ar fhear ón rialtas é
féin nó gaol ar bith dó a dhéanamh amach.

'Céad punt de phinsean!' arsa mise. 'Is mór an lear é sin
dá leithéid. Meall b'fhéidir?'

Pósadh agus Bainseacha

'Pinsean, sílim. Bhí sé i rudaí eile freisin.'

Níorbh fheasach mé a leithéid a bheith ar an saol.

'Nuair a bhí sé ina bhuachaill aimsire thall i mBaile an Chláir (idir Gaillimh agus Tuaim) ghabh sé isteach sna hÓglaigh, agus ghabh sé san Éirí Amach in éineacht le buachaillí Bhaile an Chláir,' arsa Críostóir. 'Anois nuair atá pinsean le fáil aige níl tuairisc faoi neamh air nó ar ghaol ná dáimh leis.'

Mheabhraigh an chaint sin dom lá ar shuigh mé féin agus gasúr eile síos in aice le doscán fear a bhí ag seanchas dóibh féin. D'aithin mé orthu go mb'fhearr leo uathu sinne le nach gcloisfeadh ceachtar againn a gcuid cainte. Ach sul má tharraingíodar anuas rud éigin eile chuala mé caint ar Chéireach éigin, agus dúirt fear meánaosta a raibh cáil na críonnachta agus na céille air: 'Ba chóir dho chuile fhear pósta fanacht pósta.'

Blianta ina dhiaidh sin chuala mé go raibh baint ag Céireach éigin le cailín óg agus gur imigh sé go tobann, gur fhág sé bean agus clann agus talamh ina dhiaidh agus nach bhfuarthas focal riamh ó shin air. Mheas mé ansin gur pheata raithní a bhí san Óglach, agus gurbh shin é an fáth nárbh fhéidir aon ghaol dó a fháil. Ní raibh aon aithne agam ar a athair ná ar a mháthair mar b'as paróiste eile iad.

Ba mhó caint agus imní a tharraing a theacht ná a imeacht.

Chuala mé gur cailleadh agus gur cuireadh istigh i dteach na mbochtán é gan fhios don saol mór agus dá chuid comrádaithe san Éirí Amach.

233

31
Tioránach

MÁ CHUIR an leabhar úd, *Seventy Years Young*, leis an gCuntaois Fhine Gall, an dallamullóg ar chorrdhuine níor mhilleán orthu é, mar b'annamh a cuireadh an fhírinne as a riocht mar a cuireadh sa leabhar sin í. B'fhéidir nach ar an údar a bhí an locht ar fad, mar d'fhág sí Maigh Cuilinn go hóg.

Is iad na bréaga agus an áibhéil atá ann a thug domsa an chaibidil seo a scríobh faoi. Faoina hathair, Seoirse Búrc, duine de na haintiarnaí ba mheasa san Iarthar, cuid den leabhar, ach leid amháin níl aici ann faoina chuid tíoránachta. Seoirse Caoch an leasainm a bhí air.

Níorbh é an rud is lú a chuir iontas ar dhaoine an méid seo, 'My father understood and spoke Gaelic, and we had an Irish-speaking nurse.' Agus théadh sé amach sna goirt ag Gaeilgeoireacht leis na fir oibre!

Má ba as an gceantar sin an cailín ba dheacair di gan Gaeilge a bheith aici an uair úd. Ní móide gur mar gheall ar a cuid Gaeilge a thóg sé í.

Séard a dúirt seanfhear liom a raibh aithne aige ar an mBúrcach:

'Níorbh fhurasta dó gan corrfhocal a bheith aige mar bhí tionóntaí aige agus gan focal Béarla acu. Déarfainnse nach raibh aige ach lapaireacht Gaeilge, agus má bhain sé leas as an mbeagán sin féin ba lena chuid fear a lochtú agus obair a bhaint astu a rinne sé é.'

I nGort Uí Lochlainn, leathmhíle siar ón sráidbhaile ar bhóthar an Chlocháin, ag bun cnoic, a bhí an chúirt aige; agus

dá mbeadh aon rath Gaeilge aige ní móide nach mbeadh fhios
aige nach 'Danesfield' ba bhrí don áit. B'fhéidir, ar ndóigh,
gur chabhraigh 'scoláire' éigin leis. Síleann corrdhuine fós
féin go raibh na Lochlannaigh ann agus gan de chruthúnas
acu ach 'Danesfield.'

Bhí aithne mhaith agamsa ar chuid de na daoine a chaith
sé amach agus ar dhaoine as dúichí eile a raibh aithne acu air,
agus níorbh é an dea-theastas a thabharfaidís dó.

'Sháraigh Seoirse Búrc an seanfhocal, "An té nach gcuir-
eann san earrach ní bhaineann sé sa bhfómhar," ' arsa sean-
fhear as dúiche eile liom. 'Bhain sé sa bhfómhar cé nár chuir
sé san earrach.'

D'fhan sé nó go raibh an síolchur déanta ag Labhrás ó
hEidhin (athair Thomáis, an coisí), agus chaith sé amach
ansin é i riocht is go mbeadh gach uile rud aige féin.

Cúpla bliain ina dhiaidh sin, agus é ina fhear briste, agus
ina fhear Domhnaigh, b'éigean dó dul ina chónaí i seanteach
tuaithe i bhfogas leathchéad slat do theach Labhráis, áit a
mbíodh sé ag breathnú amach ar a chuid scriosta agus é ag
iarraidh na báillí a sheachaint san am céanna.

Bhí a fhios ag sáirsint na háite go raibh faoi Labhrás a
chur de dhroim tí mar dúirt sé, 'He has planted them (fataí)
but he will never dig them.' É féin agus a chlann a fuair an
talamh sin – in aisce a deirtear.

Ghlan an Búrcach amach Cnoc an tSeanbhaile ar fad, áit a
raibh cuid den talamh ab fhearr in Iarchonnachta, agus rinne
páirceanna móra de chuid de.

'Squares' a thug sé féin orthu sin. D'fhág sé neart fianaise
ina dhiaidh ann; ballaí na dtithe, crainn úll, crainn spíonáin
agus eile.

Ní bhíodh stopadh ar Mharcas ó Maoláin ach ag cur síos ar
dhrochghníomhartha Sheoirse Búrc. Oíche a raibh leath-
dhosaen againn thart air dúirt gasúr as Gaillimh nár thuig an
scéal, 'Is he dead?'

'His is an' damned!' a dúirt an seanfhear. 'Tús breithe ag
Dia,' deireadh sé i gcónaí agus é ag caint ar na mairbh.

Thug sé dom sampla amháin de dhea-chroí an Bhúrcaigh

Gan Baisteadh

nár dhearmad mé riamh. Lá dá raibh Marcas ag dul ag íoc an chíosa, casadh dó gaolta dá bhean a bhí ag teacht ar cuairt chuige. Sheas an bheirt chuairteoir deoch an duine ar an sráidbhaile. Ní raibh pingin ag Marcas ach sheas sé deoch as airgead an chíosa – sé pingne. Mhínigh sé an scéal don Bhúrcach – go mbeadh sé náirithe mura ndéanfadh sé é. Ní dhearna an Búrcach ach an cíos ar fad a chaitheamh ar ais chuige ar an urlár le teann buile.
'And you spent sixpence of my money!' a deir sé – luach trí phionta.
'Ní raibh coinsias cránach i ngarraí ag Seoirse Búrc, agus níor ghéire srón chuileog an chaca ná é,' a deir Marcas.
Ní raibh sé de chead ag aon tionónta fréamh de bhroim-fhéar nó de luifearnach goirt a dhó – bhochtódh sé sin an talamh! Uaireanta nach bhfeicfeadh sé tine ná deatach gheobhadh sé boladh an deataigh ar an ngaoth.
'If you burned only a pipeful you must pay me a pound,' a deir sé le Marcas uair amháin. Bhí sé ina ghiúistís freisin.
Tá údar gáire sa leabhar, an té a thuigfeadh an scéal ar fad:

My father's sight was very bad and a pilgrimage to Lourdes, in the hope of a miracle, was decided upon .... At Toulouse we were troubled, my mother and her two small daughters, because of the state of my father's soul .... Alas there was no miracle for my father in spite of all our prayers.

Dá mbeadh ní bheadh a leithéid de mhíorúilt ann ó thús aimsire.
Chloisinn go raibh eascaine agus mionna móra ar tarraingt aige, agus tá a chruthúnas sin sa leabhar: 'He was a splendid swearer .... While we trembled and were shocked we were exhilirated at the splendid volume of his curses!'
De réir an tseanchais tá an fhírinne in áit amháin sa leabhar: gur cailleadh deartháir agus deirfiúr di leis an sil-eadh siáin: an t-ainm a bhí ag na daoine ar an diftéire. Ní bheadh duine ag súil go n-inseodh sí gur thug an t-athair suas do Aifreann agus eile tar éis a mbáis. Chlis an chléir air! Cailleadh páistí lena chuid tionóntaí leis an ngalar tógálach

céanna freisin ach ba bheag an scéala iadsan, ar ndóigh.

Ní bheifeá ag súil ach an oiread go n-inseodh sí faoin leann-
án a bhí aige thiar i gCoill Chill Iúir Áine.

Timpeall agus leathmhíle a bhí sí uaidh an t-aicearra, agus
míle an timpeall. De réir an tseanchais ba spéirbhean í, cé
bith cá bhfuair sé í, agus í an-ghléasta i gcónaí aige. Thugadh
sé cuairt uirthi mórán gach uile lá agus é ag cumadh nó ag
aithris saghas véarsaí grá di, cé nárbh fhiú leis siolla ar bith a
bhean féin, de réir cosúlachta. Is fada tite an ceann den
teach breá a bhí aige di, ach tá na ballaí slán láidir fós.

'An dara bean agus an dara teach a bhris an Búrcach,' a
chloisinn fadó. Níor chúnadar leis déarfainn. Istigh i nGaill-
imh a cailleadh é, agus is i reilig Chnoc an Sconsa ann atá sé
curtha. Bhí teach aige ar aghaidh Shéipéal na nÍosánach agus
Danesfield ar an ngloine os cionn an dorais.

Dá bhfaigheadh cuid de na créatúir a chuir sé le fuacht
agus fán an tsaoil an t-aoibhneas saolta céanna a fuair mise
agus mórsheisear eile déarfainn go bhfaighidís bás aoibhinn.
Agus na SeanÓglaigh tamall bunaithe mhol fear a bhí sa
mBráithreachas Poblachtach dúinn eolas a chur ar gheilignít.

Tugadh dúinn an deis sin nuair a bhí na sclátaí agus an
t-adhmad bainte anuas de theach mór an Bhúrcaigh, agus
gan súil ar bith againn leis. Chuir Bord na gCeantar Cúng
aimsir orainn agus ceannaire inár gcionn. Agus an obair:
ballaí na cúirte a chur in aer, ní nárbh éasca. Cuireadh togha
an mhoirtéil iontu agus bhí a gceird go maith ag na saoir. Ba
obair iad a tholladh agus b'éigean trí mhaide geiligníte a chur
i mórán gach uile pholl. Scanraíodh an tír máguaird mar níor
chuala na daoine riamh cheana ach pléascadh an phúdair. Ní
raibh ann ach cuachaíl phocaide le hais an rud eile.

Bhí na ballaí dúshlánacha ar lár agus an cheird againne
nuair a cuireadh deireadh tobann leis an obair. Theastaigh
an gheilignít ó Shasana sa troid in aghaidh an Ghearmánaigh.

An tráth ar bhánaigh an Búrcach Cnoc an tSeanbhaile
bhain sé an ceann de gach uile theach ann. Ba mhór a chas
an roth in imeacht daichead bliain ina dhiaidh sin. Nuair a
roinneadh an áit amach ina gabháltais arís ba iad na sclátaí

a bhí ar chúirt agus ar stórtha agus ar stáblaí an Bhúrcaigh a
cuireadh ar na tithe nua! Ba gheall le díoltas Dé é.

Ina theannta sin coinníodh beo ainmneacha na ngort agus
eile : Tóin an Mhása, Triosc, Garraí na dTortán, An Míleac,
Poll an Chait,   An Fioth Donn.   Ach ba é Cnoc an tSiáin,
cnoc mór gainimh, an áit ba mhó scéalta.   Ar éigean a lorg
fágtha inniu. Ní thiocfaidh aon each amach as arís choíche le
léim a thabhairt amach i Loch Domhain lena ais de shiúl
oíche mar tá sé scaipthe ar fud na tíre. Agus ní bhfuarthas
aon 'mare's nest' ann. I dtithe cónaithe istigh i nGaillimh atá
bunáite a chuid gainimh. Agus ghabh roinnt de chomh fada
as baile le Cluain Meala na Féile.

Lucht na bPáipéar Gorm a bhí ag na daoine ar na Seirbh-
eálaithe próiseanna, agus Sladaithe Tíre ar na cruinnitheoirí
rátaí in aimsir an Bhúrcaigh.

32

Cathair gan Corkscrew

CÉ GO RAIBH an tine chnámh ocht scór míle siar uaim is Cuirthi a chuimhnigh mé ag fanacht le Liam agus Máirtín dom in aice le dealbh Pharnell ar cheann Shráid Uí Chonaill i mBaile Átha Cliath. Ba í oíche na tine í, agus bhuail saghas uaignis mé.

Chuimhnigh mé ar na scoláirí a théadh thart ó theach go teach is málaí barraigh acu ag cruinniú móna agus í ar a gainne; agus ar an bhfeiceáil bhreá a bhíodh againn trasna Loch Coirib ar thinte eile in Eanach Cuain agus i mBaile an Chláir.

Bheadh a fhios agat na comhluadair nach mbíodh 'ag caint,' agus cúpla scór duine thart ar an tine. An oíche seo ní san áit chéanna a shuigh Máirtín Ruairí agus na Beirnigh. Scaitheamh roimhe sin dúirt Máirtín gurbh é dath na blonaige, nó dath ba mheasa ná sin arís, a bhí ar na Beirnigh.

Fear breá lasánta a bhí ann féin, ach bhí drochtheanga aige. Bhí máthair na mBeirneach i riocht aige. Nuair ab ionann dath dá raibh ann agus an tine gan dé gan deatach, dúirt sí os ard: 'Shílfeá gurbh é dath na mBeirneach atá ar chuile dhuine anocht!'

Phléasc a raibh ann amach ag gáire mar bhí a fhios acu céard a bhí i gceist aici.

Chuir teacht Mháirtín agus Liam críoch tobann le mo mharana. Ní feasach mé céard a thug dúinn dul chuig an Shakespeare ná domsa buidéil phórtair a ól.

Níor ghnás liom é mar chuireadar tinneas cinn orm cúpla babhta. Do ómós an chomhluadair is cosúil.

Agus Máirtín imithe amach as an seomra tharraing Liam anuas *Cumhacht na Cinniúna.*

'Cén chaoi ar thaitin an chéad scéal leat?' arsa mise.

Bhain an Roinn Oideachais an scéal céanna as an leabhar agus os cionn deich mbliain ann dó.

Las a cheannaghaidh suas ar an toirt fearacht duine a n-imreofaí cleas tuatach air – an cailín a mhealladh uaidh nó a leithéid, rud nár thuig mise.

'Caithfidh mé a rá nár thaitin sé chor ar bith liom,' a deir sé, agus a chosúlacht sin air.

'Tuige?'

'An chaint sin ar an bpeaca.'

'Ceadh nach bhfuil caint ar an bpeaca ceadmhach i ngearr-scéal?'

'Níl a fhios agam, ach caithfidh mé a rá nár thaitin sé liom.'

Bheadh sé ina sháraíocht murach gur tháinig ceann réitigh isteach le trí bhuidéal eile.

Sé bhuidéal an duine a bhí ólta againn nuair a tugadh 'gintlemin' orainn, agus thosaigh an bheirt acu ag fáil tuilleadh cóthú faoi chomhair an bhóthair. Ní raibh aon bhaint agamsa leis agus níor ligeadh aon reicneáil orm. Ba bheag mo shuim ná mo dhúil ina leithéid riamh agus tamall caite i dteach óil agam. Gnás baile mhóir é, go mór mór gnás Bhaile Átha Cliath.

Rud eile dhe níorbh fheasach mé cá n-ólfaí iad nó cá dtabharfaí iad. Bhí a fhios agam nach dtabharfadh Liam isteach sa nGresham iad. Ach ar aghaidh leis, é chomh díreach le brobh, agus é an-spleodrach i gcosúlacht as a chearc ascaille ghorm thoirtiúil.

Ag siúl síos cúlsráid dúinn, thug na doscáin bheaga ar na coirnéil suntas dúinn mar a bheidís ag rá leo féin: 'Nach acu a bheas an oíche!'

'Gabhfaimid isteach anseo,' arsa Liam, 'tá ocras ag teacht ormsa.'

Dhearc a raibh istigh ar an mburla gorm.

'Tabhair dúinn stéig mhairteola, fataí agus oinniúin,' arsa Liam leis an gcailín freastail. 'Agus corkscrew, le do thoil,' de leathchogar.

'Tá aiféala orm nach bhfuil a leithéid againn,' a deir sí.

'Anois céard a dhéanfas muid?' arsa Liam. 'Nó céard atá ag teacht ar an tír chor ar bith?'

'Ní íosfaidh mise aon bhéile anseo,' arsa Máirtín. 'Fanacht istigh i dteach gan corkscrew! Dheamhan baol orm.'

'Tá sé chomh maith suí síos mar cá bhfios nach mbeadh muid chomh dona céanna sa gcéad áit eile?' arsa Liam. 'Gheobhaidh muid bolgam caife in áit éigin eile – agus corkscrew, b'fhéidir.'

Ach b'ionann an cás é.

'Táimid buailte,' arsa Liam go dobrónach, agus é ag ceapadh faoi seo nach raibh sa gcearc ascaille ach eilifint bhán eile.

'An bhfuil a leithéid de bhaile mór sa domhan – baile mór gan corkscrew?' arsa Máirtín. 'Agus tugtar príomhchathair ar an áit seo! Príomhchathair gan corkscrew! Ar chuala aon duine a leithéid de scéal riamh? Ar ndóigh ní fhanfadh fear ar bith a mbeadh meas fir aige air féin ina leithéid de áit. Ní ionadh na daoine a bheith ag glanadh leo as an tír seo as éadan.'

'Ní iompróidh mise an burla seo níos faide,' arsa Liam ag Droichead Uí Chonaill. 'Níl aon áit agam lena thabhairt. Tabhair leat thusa é más maith leat.' ar seisean liomsa.

Shílfeá air gur ormsa a bhí an locht ar fad agus gur mé a chur faoi ndeara dó é a iompar.

Nuair a leag sé anuas ar an gcosán é rinne an dá bhuidéal déag gliogarnaíl agus tharraing beirt Jackeen air faoi dheifir; ach cuireadh as a mbuille iad nuair a rug mé féin ar an gcearc ascaille. Bhí meáchan ann, agus níorbh ionadh Liam a bheith tuirseach de.

'Tacsaí!' arsa Liam.

'Cá bhfuil bhur dtriall?' a deirim féin.

'Ag tóraíocht corkscrew – go d'eile?' arsa Máirtín. 'Tá mallacht éigin ar an tír seo seachas tíortha an domhain.'

Agus síos linn le bruach na Life ar an gcaothúlacht.

'Sílim go bhfuil a fhios agamsa cá bhfuil corkscrew,' arsa

Máirtín agus d'imigh sé leis. Bhí sé tar éis an dódhéag a chlog.

'Nach é an feall nach bhfuil an ceathrú Gaillimheach anseo anocht!' arsa Liam. 'Nach againn a bheadh an oíche!' SeanPhádraic a bhí sé a rá.

'Tá sé agam má tá aon rath leis,' arsa Máirtín.

Bhraithfeá ar a choiscéim ag tarraingt orainn dó go raibh leis.

Ar na himeachtaí a ndearnadh cuid mhaith cainte orthu bhí gabháil aille nó carraige agus a theacht suas ar uibheacha na n-éan aille ann.

Ach ní dhearnadh aon socrú faoi uair na gabhála. Níor mhóide go ndearnadh ar maidin ach an oiread é mar is críonna an mhaidin ná an oíche, a deirtear.

Ní raibh aon díol truaí ann ach fear an ghluaisteáin. Níor labhair sé focal, agus is cosúil nár thuig sé focal a bhí againne.

D'fhág an tarraingtheoir a fuarthas ar iasacht an dá bhuidéal déag folamh. Bhí sé ina lá roimh scaradh na gcarad. Thug mise m'aghaidh ar cheantar Ghlas Naíon, Máirtín ar an gCuarbhóthar Theas agus isteach le Liam sa nGresham.

Iarraidh ar an doras ag an ocht a chlog a dhúisigh mé. Facthas dom go raibh an seomra agus a raibh ann ag dul thart timpeall. Abairt amháin ó fhear na scine géire a bhí sa litir.

'If you come in tomorrow evening I will operate on you on the following morning.'

Gortú a d'éirigh dom ag iompar ualaigh nár chleachtach liom agus é thar am agam dul roimhe.

Thagadh Máirtín isteach san ospidéal agam gach uile lá, agus é do mo bheathú le meas agus Liam Ross, agus Duncan Bán agus Mary MacLeod.

'B'aisteach an rud a rinne tú an oíche sin,' a deir sé, agus cár magaidh air.

'Mar a rinne an bheirt agaibhse.'

'Ach bhí rud éigin le cailleadh agatsa.'

'Nach raibh agaibhse?'

'Tá a fhios agat nach bhfuil carachtar ar bith ag ceachtar

againne, agus an rud nach bhfuil agat ní fhéadfaidh tú é a chailleadh.'

Is mór an óige ar dhuine a bheith gan chéill scaitheamh, a deirtear.

33
Baile Átha Cliath

SULAR chodail mé oíche i mBaile Átha Cliath riamh chuir mé romham sa traein ag dul ann dom imeacht as chomh luath is a bheadh cuid den saol feicthe agam. Cad chuige? Níor thaitin údarás ná ceannas ar bith liom. Agus

> *B'aite liomsa léim an phoic,*
> *Nó léim an bhroic idir dhá ghleann.*

Nó amhastraíl an tsionnaigh, nó fead an mhada uisce ar theacht na hoíche, ná bailte móra na cruinne.

(Dála an scéil facthas dom nach mórán eolais a bhí ag cuid de fhilí na Fiannaíochta ar shaol na coille. Chuireadar an broc ag léim agus gan aon léim aige. Chuir filí an chéirseach ag ceol, rud nach raibh ag aon chearcéan riamh, agus thugadar nead do Lon Doire an Chairn. Cén gnó a bheadh ag coileach de nead? Agus is thíos 'faoin nead' a bhíodh sé ag ceol in áit a bheith thuas ar fhíorbharr an chrainn nó na sceiche!)

Níor ghráin liom Baile Átha Cliath ná baol air, ach níorbh ann a bhí mo chroí. Bhuaileadh uaigneas corruair mé agus mhéadaíodh rudaí áirithe ar an uaigneas sin agam:

Cúig cinn de ghiorraíocha ag pocléim dóibh féin ar thamhnach chriathraigh i gContae na hIarmhí ag filleadh sa traein ó Chruach Phádraig dom.

Ceol na sciathán leis an gcontráth amuigh i bhFionnghlas agus na céadta praslacha thuas os mo chionn.

Lacha sheadachain ag cur di de shiúl oíche sa Luibhghairdín i nGlas Naíon agus í cinnte go raibh sí chomh saor leis na lachain fhiáine ar Loch Coirib! Chuir sí sin fonn cumadóireachta orm agus mé ar mo leaba!

Ba mhinic a tugadh le fios dom go mba fhurasta dul ann ná imeacht as.

Agus is ag dul chun deacrachta a bhíonn sé gach uile bhliain. Bheadh greamanna agus bascadh ort nár chuimhnigh tú riamh cheana orthu. Dóbair nár ghabh droch-mhisneach cúpla babhta mé.

'Thabharfainn a bhfaca mé riamh filleadh abhaile, ach tá a fhios agam nach bhfuil gar dom ann,' arsa seanfhear liom thall i nGlaschú ag Comhdháil na gCine Ceilteach sa mbliain 1929.

'Seán Breathnach atá orm agus is i Muileann Tiormáin i gceantar Chlár Chlainne Muiris a rugadh mé.'

Staic leathan láidir a bhí ann agus croiméal mór dubh air. Is aige a bhí Gaeilge bhinn bhlasta Chontae Mhaigh Eo agus os cionn leathchéad bliain caite thall ansin aige.

'Tá chuile rud anseo coimhthíoch,' a deir sé. 'Nach bhfuil na cruimheanna agus na péisteanna a bhíos thíos sa talamh in éineacht leat coimhthíoch!'

Nuair a cuireadh anonn ann ar an Mod sa mbliain 1938 mé bhí sé básaithe.

Casadh liom tuilleadh dá leithéid agus iad uile i ngreim ag rud éigin.

Níor casadh mo leithéid féin liom ach amháin Labhrás de Lásaigh as an Abhallort, Contae Loch Garman, agus é ag obair san *Irish Times*. Is iomaí tamall de oíche a chaith muid istigh i dteach óil Phat Carthy i nDroim Conrach ag caint ar leasú talún, agus ar chur, agus ar bheithígh agus a leithéid an tráth a raibh na mílte ag tréigean na tuaithe ar fud na hÉireann.

An port céanna a bhíodh againn go minic i dteach Labhráis go tráth an mheán oíche. Bhí sé de rún againn imeacht as mar a bheadh sé ag beirt a bheadh cuibhrithe istigh i bpríosún. Ní cheannódh seisean a theach thar barr amach ar fhaitíos go mbeadh bac ar bith air. Ní raibh lá aiféala riamh ar cheachtar againn gur éirigh linn.

Bhí corp truaí ag cuid de mo sheanchairde domsa faoin 'bpraiseach' a bhí mé a dhéanamh de mo shaol! Bhí a fhios agam gur ar mhaithe liom a bhíodar. Gheall beirt acu post dom ach go dtiocfainn ar ais agus mé tuirseach den tuath!

I Reilig Ghlas Naíon atá a lán acu siúd. Thagadh slaghdán orm féin i mBaile Átha Cliath mórán gach uile earrach. Níor tháinig a leithéid orm, ná rud ar bith eile, ó tháinig mé abhaile fiche bliain ó shin – buíochas le Dia.

Ach níl áit do chách faoin tuath.

Tá na foilsitheoirí faoi chomaoin ag na daoine seo a chabhraigh leo nuair a bhí grianghraif á lorg don leabhar: Aingeal ní Chonchúir, Éamann óg ó Corbáin, An tAthair Traolach ó hEidhin, Máire Bean uí Ghríofa, Kitty Lardner, Pádhraic T. Leonard agus Dónal ó Máille

Pól Funge a dhear an clúdach

arna chló ag
Seán Inglis agus a Chomhlacht Teoranta
Loch Garman
do
Sháirséal agus Dill Teoranta
Baile Átha Cliath